生物空间医学

黄仲林 著

 中医古籍出版社
Publishing House Of Ancient Chinese Medical Books

图书在版编目（CIP）数据

生物空间医学/黄仲林著．－北京：中医古籍出版社，2013.7
ISBN 978－7－5152－0311－9

Ⅰ．①生…　Ⅱ．①黄…　Ⅲ．①气功疗法　Ⅳ．①R247.4

中国版本图书馆 CIP 数据核字（2012）第 297427 号

生物空间医学

黄仲林　著

责任编辑　刘　婷
封面设计　张雅娣
出版发行　中医古籍出版社
社　　址　北京东直门内南小街 16 号（100700）
印　　刷　三河市华东印刷厂
开　　本　710mm×1000mm　1/16
印　　张　22.875
字　　数　380 千字
版　　次　2013 年 7 月第 1 版　2013 年 7 月第 1 次印刷
印　　数　0001～1500 册
书　　号　ISBN 978－7－5152－0311－9
定　　价　60.00 元

作者简介

　　黄仲林教授。男，汉族，1931 年 12 月出生，江苏江阴人。1951 年 9 月毕业于上海东亚体专（现上海体院），从事山东农业大学体育教学和运动医学研究。1987 年任山东农业大学教授，1988 年任山东大学兼职教授；1988 年任中国气功科学研究会气功双手行针研究所所长；1992 年任中国人体科学研究院研究员；1999 年任江苏无锡生物空间医学针刺研究所所长；1999 年任山东淄博市仲林针刺技术研究所所长；1993 年任解放军 101 医院康复科主任医师；1993 年任中华国际易学研究中心常务理事；1994 年任新加坡中医针灸协会技术顾问；1995 年任美国中医药研究院顾问；1995 年任美国中医进修学院访问教授；2004 年任中华老子研究会副会长。主要贡献：多年来从事临床运动医学和易医的研究，在易医的理论基础上，根据"天人合一"，"阴阳匹配"对称互补原理。首先提出以生命能量解除生命疾患，区别用非生命能量解除生命疾患的医疗研究。从而创造生物空间医学"气功双手行针"、"脉管针刺导线回路"、"人体与植物体导线回路"等新的医疗方法。以及发明"生物场控医疗器"（专利号：892160306）和"一种用于治疗人体疾病的桥"（专利号：941155373）的医疗器等。有专著《气功与生命探索》获山东科技著作三等奖。1998 年对"500 余例股骨头缺血性坏死"鉴定：获国家科技进步三等奖。发表重要论文：1983 年经上海复旦大学激光组用物理方法测到作者气功态时的光电流为 1.19 毫微安，证明人体可以发光；1985 年"气功外气对肺癌细胞的作用"，获上海中西医结合科技二等奖；1995 年 9 月发表运用"八卦思维'模式'创造针刺技术的新体系"，"太阳系九大行星'回互'（~）运动与《八卦图》"；1988 年 9 月在第二届国际气功会议上提出：气功"外气"是超光速物质（生物能量态是超光速物质）和"中国《八卦图》与宇宙圆周率 3.2"（获 1997 年国际中医药文化交流二等奖），1996 年人民日报"情况汇编"第 595 期刊登。国际学术活动：多次被邀请去印尼、美国、德国、新加坡、马来西亚、香港和澳大利亚等国家和地区参加国际学术交流。

（中）为我国中医泰斗吕炳奎先生、（左）为黄仲林教授

黄仲林教授双手行针导线回路疗法，颇受我国中医泰斗、原国家中医药管理局局长吕炳奎先生赞赏，并赠墨宝以示鼓励和弘扬传统医学

　　1994年8月，黄仲林教授应邀在原国家副主席李德生家中汇报双手行针导线回路疗法，颇受其称赞，并赠墨宝以资鼓励。

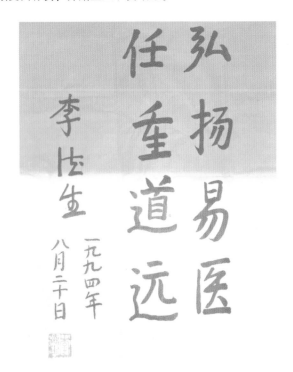

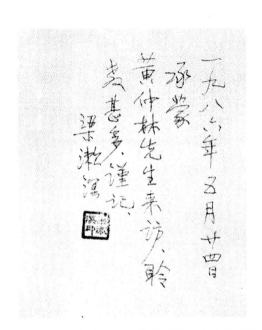

一九八六年三月廿四日

承蒙黄仲林先生来访、聆教甚多、谨记。

梁漱溟

梁先生对"周易"颇有研究，黄仲林教授多次去拜访先生，向他请教，并谈自己对"易医"的感悟，得到梁先生的认同。

弘易兴医造福人类

王元英

我国著名科学家钱学森先生对黄仲林教授双手行针导线回路疗法给予极高评价。这是在示范表演座谈会后合影。

1994 年 8 月黄仲林教授应美国中医针灸进修院邀请讲学，图为在联合国会议厅与我国大使李肇星先生合影

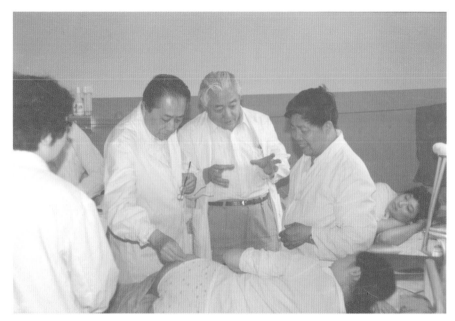

北京积水潭医院院长、中国工程院院士王树寰先生在认真研究黄仲林双手行针治疗股骨头坏死病的临床治疗情况并阅患者 X 光片。

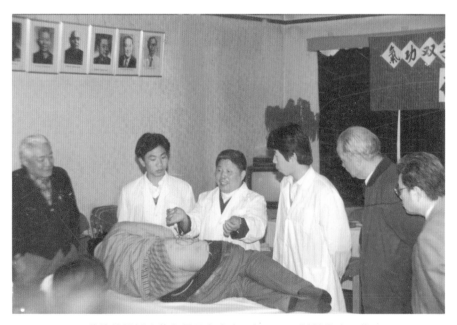

黄仲林教授为著名骨干专家尚天裕、王云钊做临床示范

黄仲林教授"双手行针导线回路疗法"在德国获奖。

获奖后，黄仲林教授现场表演。

1990 年 5 月，黄仲林教授被美国中医针灸进修学院聘为医院"访问教授"

左一：刘大禾院长　　右一：王啸平教授　　右二：黄仲林教授

黄仲林教授（左一）参加第十二届国际易学大会

第一届国际中西医结合防治病及疑难病研讨会
德国·汉堡　1999.12

世界中医药杰出成果交流展示会
美国·旧金山　1994.4

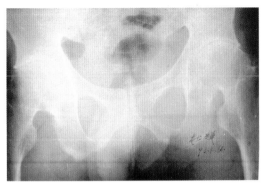

图（一）

杜辉：男，患强直慢性脊椎炎，由于用激素药，1993年患"股骨头缺血性坏死"症，双髋疼痛，需拄双拐行走。治前X光片。

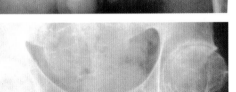

图（二）

经双手行针80余次治疗，X光片提示：关节间隙显著改善，功能活动自如、外形正常或基本正常，明显修复。

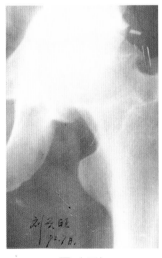

图（三）

刘兴旺，男，患股骨头缺血性坏死，治前股骨头X光片：关节间隙明显狭窄，骨小果部分通过、周围密度增生不均匀。

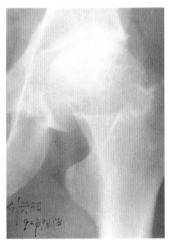

图（四）

经治疗40余次，关节间隙增宽段骨头囊处骨小果增多，显著修复。

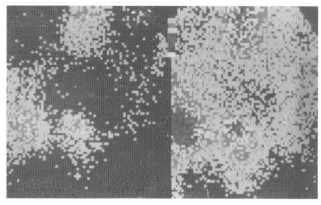

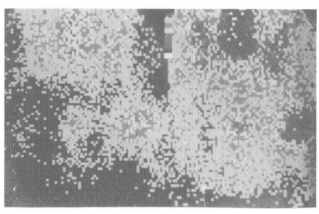

36例"股骨头缺血坏死"患者，经山东医科大学同位素99TC骨扫描结果表明95%的患者，在股骨头坏死处浓度增高，热区浓聚有再生，修复□象。这是其中一列陈学海，男，南京人。

山东医科大学　　核素诊断报告　　核医学教研室

姓名：陈学海　性别：男/女　年令：　核素检查号：FBN07, AP1~2, PA1~2

r照相器官：股骨头　核素制剂：Tc-MDP　剂量：15 μCi/mCi I.V./口服 4 小时后

照相体位：AP PA ~~RL LL~~ 图象并经计算机处理成象　检查日期：89年10月10日上/下午

r照相结果：^{99m}Tc-MDP I.V. 后4小时盖象并经计算机处理成象 AP + PA 体位

骨骼浓影较素好，骨显象质量良好。

盆腔与股骨上端全象（AP + PA 体位）显示右髋部住于变偏浓（色素加深）浓素，呈热区表现。股骨头呈圆形，形态较还露股骨头矮大，关节面欠孤形，较完情，提示股骨头坏死正在修复进程中，素见血供良好，代谢与修复进程同盖。但髋臼未见骨度改变。左股骨头圆之客。

诊断意见：
①右股骨头血供恢复、代谢与修复进程同盖。
②股骨头形态尚满圆，关节石毛情，未见髋臼及左股股骨头局限缺损区。
③综合分析：右股骨头处于同盖的修复进程中，无死骨破坏。

医师：曾士珍　月　日 89.10.16

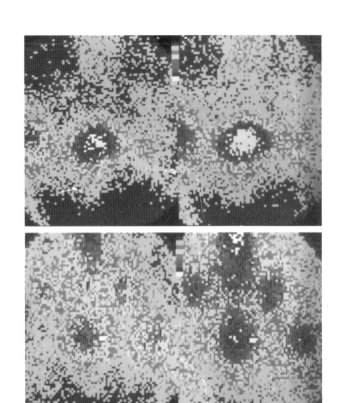

山东医科大学　　核素诊断报告　　核医学教研室

姓名：王光华　性别：男/女　年令：___　核素检查号：FBN 25
r照相器官：骨显象　核素制剂：Tc-MDP　剂量：15　μCi/mCi　I.V./口服　4小时后
照相体位：AP PA RL LL　图象并经计算机处理成象　检查日期：89年10月10日上/下午

r照相结果：⁹⁹ᵐTc-MDP骨显象。(骨盆腔)

　　左髋关节形态不齐，股骨头、颈部核素浓聚量正常。右髋关节形态尚好，右股骨头轻度增大，呈圆形，核素浓聚程度明显增强，为对侧骨头五级。浓聚区放射限布分布均匀，未见冷区或死骨形成。右股骨头低位向上位移，全程线错位发育。髋臼与股骨头间隙存在，髋臼和股骨头无明显骨质增张反应。

　　意见：①左髋及左股骨头血供、代谢和骨质增张及程度正常范围内。
　　　　　②右股骨前浓聚核素能力增强（五级），头呈圆形，形态尚好，无冷区形成，正处于旺盛的骨膜修复过程中，但右股骨头向上轻度移位。
　　　　　③病情好转，一年后应复查一次，以便对比分析疗意过程以改善

诊断意见：

医师：贾士绥
89年11月10日

· 12 ·

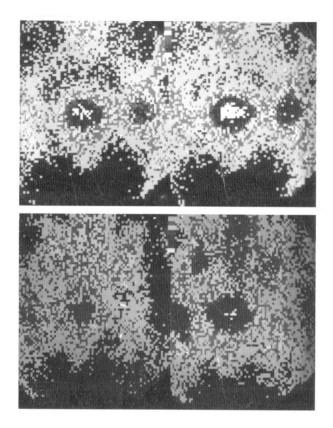

山东医科大学　　核素诊断报告　　核医学教研室

姓名：丛美兰　性别：男/女　年令：＿＿　核素检查号：FBN35

r照相器官：右星象　核素制剂：Tc-MDP剂量：15 μCi/mCi　I.V./口服 4 小时后

照相体位：AP PA RL LL　图象并经计算机处理成象　检查日期：89年 10月 13日上/下午

- -

r照相结果：⁹⁴ᵐTc-MDP前后胳星象

　　左髋关节、左股骨未见异常，放射核素以水平立乙节水平无明加。右髋关节形态尚好，右股骨头浓聚核素明显增强（色差五级），股骨头粗度增大，呈圆形，与髋臼向隙尚存在，关节呈孤形、较光滑。右股骨头核素多布均匀，无冷区或死骨形成。右髋臼和股骨颈均有轻度骨质交变。左股骨位置乙节，无脱呈位移或错位。

　　意见：① 左髋关节、左股骨头形态和浓聚核素乙斑处变。

　　　　　② 右股骨头处于明显增强乙修复过程中，无冷区或死骨形成。

　　　　　③ 右股骨头位置乙节，无脱位。

诊断意见：④ 3个月后，一旬后r比相复查，以便对比观察右股骨头病变之进程。

　　　　　　　　　　　　　　　　　　医师：曾七天上

　　　　　　　　　　　　　　　　89年 11 月 10 日

序

　　黄仲林先生离开我们已经两年了，但他的"生物空间医学"的思想将永存人间。

　　黄仲林先生与我认识有十余年的时间，每次与他相见说话的主题就是针灸、经络等生命科学领域的话题。

　　黄仲林先生是一位纯粹的人，在他的行、走、坐、卧的生活中，他的脑中考虑的唯一事情是针灸！！！并且他把自己在教学领域的天才与针灸联系起来，与中国的传统文化如易经、太极、八卦、运气等联系起来，全身心地构筑起他的"生物空间医学"的理论体系，他的学说对我来说是迷人的、原创的、趣味的、鲜活的、有效的、神秘的、启发的……我相信每一位读者，都会从中受到启迪！

　　黄仲林先生提出了"双手行针"的方法并在理论上系统的进行了阐述，认为医者与病人是一个互相平衡的开放体系，这个体系体现在精、气、神三个层面。

　　黄仲林先生提出了"人体——植物——导线回路"疗法，首次提出活的植物（中药）与人体生命的能量关系，并应用在临床疑难病治疗如股骨头坏死等方面，取得确切疗效。

黄仲林先生提出了"血管——针刺"疗法，通过把针灸针平刺入血管内并用导线按八卦方位联接，进行了创新性探索。

黄仲林先生的一生是探索针刺奥秘的一生，他虽然早年学习运动医学，但他在针灸方面的探索远远超出了我们针灸专业人士的广度和深度。他的学说曾传播到美国、新加坡、加拿大等世界几十个国家和地区。他为了自己搞科研，用自己的退休金组织课题经费进行研究。在他身上，闪耀着中国知识分子探究真理的执着精神，可敬可佩！

我坚信，黄仲林先生的"生物空间医学"专著的问世，必将为针灸事业增添一朵绚丽的奇葩，为从事针灸医、教、研的同道们提供一个在天、地、人各层面研究针灸的广阔思路和启发。

最后，有一句话与广大读者共勉：

两人行，必有我师。

中华中医药学会国际部　孙永章

2012 年 11 月 19 日

目　　录

第一章 导　论

第一节　创立生物空间医学的意义

生物空间医学无论从任何角度谈，都是一种与宇宙和谐结友的绿色医学，是和谐医学。它的发展将是人类构建和谐社会的模本。因为，宇宙是时间和空间的统一体。没有时空就没有一切。"宇"是指无限空间，"宙"是指无限时间。无限空间即多维空间；无限时间即是古往今来。医学领域有其特定的时空观念，通过时间和空间两个方面，可以认识疾病的各种矛盾运动规律。

"生物空间医学"，就是以空间生命活的能量和信息来解决生命体疾病，区别于古今以非生命能量来解决生命体疾病的一种新的医疗方法。

这里所说的生命活体能量是指医者或花草树木等活性动物或活性植物的生命能量；非生命能量是指非生命药物或原是活性的中草药经过烘晒处理已经变成了非生命的能量。

"生物空间医学"突出空间概念，强调三维空间（左右、前后、上下，即是纵、横、竖三维六合坐标系）以至多维空间（八卦演绎为六十四卦，即是六十四维空间），以生命能量解除生命疾患，区别用非生命能量解除生命疾患的医疗方法。此外，按照不同地域的天文、地理、人文等特点进行因地制宜的相应治疗，这是生物空间医学对传统医学的重大发展。

在科学研究中，好的方法可以引出好的结果，错的方法可以引出坏的结果。因此，方法比结果重要得多。我国的《易经》是中医的基本理论基础，在人的生命本体研究上是以"整体法"区别"分析法"来解决生命疾患，强调的是"天地人合一"，阴阳对称互补、自然界方位与人体体位相结合为主的。而西方医学是建立在以解剖生理学为基础，以局部"分析法"来解决生命疾患的。

随着人类文明的进步和发展，医疗史愈来愈证明了，我国中医的"整体法"比西方医学的局部"分析法"更加完善，更加科学。对此，西医似乎持有一定的异议或排斥。诚然，我们也并不否认西医在临床上的先进的检测和治疗手段，同时也不排斥西医的科学性。我们主张中西医学应当相互结合、相互依存、共同促进、共同发展、相辅相成。

这里有一个问题值得注意：不论中医还是西医，传统的治疗方法，皆以其用研究死体（非生命）来解决活体生命的方法，道路越走越窄。我们知道，任何物质都是由电子组成的，人体是由亿万个细胞构成的。人体是一个有生命的磁体，它同地磁体一样，在其周围有磁场。地球磁体在宇宙中围绕太阳运行，在不停的运转和自旋过程中，向空间放射各种能量，吸收各种能量；生命磁体同样在随地磁场运动，不停地与大自然交换各种物质，向空间放射各种能量。因此，生命体与非生命体同样都受宇宙间的电磁场的作用，生命体的存在和发展，必然有其自己的运动特性。也就是说，人体生物场对于地磁场，既有依赖性，又有不同性。

人体是活的生命，是三维组合的"磁体"。这个"磁体"分阴、阳（正、负）以"丹田"（即肚脐）为中心，上、下、左、右、前、后三维相结合，在体内沿"8"字形式"回互"运动。

人体能量流运动是在身体内部进行的，一般情况下，不需要空间物质作媒介。

受体通过空间磁场产生的"电流"感传并不受供体的影响，它自身能够产生能量流的"回路感传"，我们称它为"磁"场运动。

能量流的运动是可逆性的，可随我们呼吸形式或意念的导航，以及自然界方位的变化，达到可逆性。

人对非生命物质的运动形式引起的激光、等离子及超导效应可见以下三条：

第一条胃和脑能量流，通过胃的蠕动，吸取外来食物作为能源，产生"机械能"，因此，我们称它为"外源"能量。它产生的能量由脑调节，通过神经系统输送到身体的各个器官。

第二条肺和脾能量流，肺位于胸腔，是人体内、外气体交换的场所。它吸进氧气，呼出二氧化碳，不停地进行着吐故纳新。它主要产生光能和电能。它产生的能量也是"外源"能量。这个能量由脾脏调配，通过淋巴系统输送到身体的各个器官。

第三条心和肝能量流，心脏在胸部的左侧肝在右侧，是人体生命活动的动力所在。肝脏可谓一个化学工厂，将物质氧化后产生一种"化学能"进入动脉血管。因为这种能量的吸取和转换是在体内进行的，是贮存态，所以我们称之为"内源"能量。这个能量由心脏沿着动脉血管输送到身体的各个器官。

人体能量流的三条能量来源，是动与静配合的三条渠道。胃、心、肺，是动的部分。它们是三能源的"源"。心脏收缩，肺腔张弛，胃的蠕动，三者都作着简单的、重复的然而又是协调的动作。胃也定时蠕动。脑、肝、脾，是三能源的"流"的部分，处于相对的静止状态。它们每时每刻都在无声无息地将胃、心、肺所产生的能量，通过神经、心血管、淋巴等系统，输送到全身各个器官，各个部分。人体好似一组三相发电机或三相电动机。心、肺、胃为动态。脑、肝、脾为静态，各组分布的位置为三角形，互成120度夹角，合起来为六角形。

人为什么会生病？主要原因有二：

一是人生活在地球上，地球是宇宙太阳系的九大行星之一。九大行星在永不停息地围绕在其中作不断的平衡运动，并且不断地进行平衡的能量交换。太阳系宇宙的能量交换场力变化对人的影响一定会全息地反映到人体上来，人与宇宙共振不一致即会生病。因为人体是个小宇宙，即"天地人合一"。

二是生活在地球上的人，在每一个甲子年的周期中，春、夏、秋、冬，天寒酷暑，无不与日月星辰的变换密切相关，当阴阳失衡，将会给天、地万物及人类带来灾难。

人本身要生活、劳动，在此过程中必然要无时无刻持续不断地与外界进行能量的交换并进行必要的抗争，一旦人体受到干扰，从而导致能量交换不平衡，人体就会失去平衡而生病。所以，人要保持健康，必须解决人在人体生命活动中的阴阳和阴阳三维循环平衡问题。

《黄帝内经·素问》有云："余闻上古有真人者，提挈天地，把握阴阳，呼吸精气，独立守神，肌肉若一，故能寿敝天地，无有终时，此其道生，中古之时，有至人者，淳德全道，和于阴阳，调于四时，去世离俗，积精全神，游行天地之间，视听八达之外，此盖益其寿命而强者也，亦归于真人。其次有圣人者，处地之和，从八风之理，适嗜欲于世俗之间，无恚嗔之心，行不欲离于世，被服章，举不欲观于俗，外不劳形于事，内无思想之患，以恬愉为务，以自得为功，形体不敝，精神不散，亦可以百数。其次有贤人者，法则天地，象似日月，辩列星辰，逆从阴阳，分别四时，将从上古合同于道，亦可使益寿而有极时。"这里描述的"真人"、"圣人"能与天地合德，与四时合序，与日月合明，便是没有脱离"自然人"属性的人，他们尽管已是社会人，但丝毫没有脱离自然，而仍然能够认识自然规律，把握着自然规律进行可持续生存与发展。这就是老子所云："道大，天大，地大，人亦大。域中有四大，而人居其一焉。人法地，地法天，天法道，道法自然。"（25 章）为此，人与自然和谐结友，做到共存共荣，以方能循环运行而永不衰竭，这是万物生存与发展的根本。"周行而不殆，可以为天地母"。这就是现代生物空间医学所遵从的基本理念，亦即以老子的"天地人合一"的整体观，来谐调人体功能，并使之激活其由于各种因素如：工作、社会竞争、生活疾病等压力造成，而使自然功能衰退乃至丧失的那部分潜能，从而达到人体内阴阳平衡和谐，达到人体与天体的和谐统一。

平衡，是一切事物生存发展中的矛盾对立与统一的客观规律。在运动中，平衡是相对的，不平衡是绝对的。一切事物要想生存与发展，就必须保持着相对的平衡。我们日常所说的平衡，是指相对平衡而言。如果绝对平衡，事物就停止发展，人就死亡了。人是个生命体，体内各脏器只有平衡才能生存和发展，这种平衡是在运动中得到的，因此生命的平衡是相对的平衡，当人的生命停止时，生命的"磁场"即会停止。笔者认为，人的死亡是"绝对平衡"，是生物磁场停止。人们大都以为心脏的跳动是均匀的，但是经过精密仪器测量，却发现是不均匀的。美国哈佛大学测出人在死亡之前的心跳是趋向均匀的，濒临死亡时刻达到"绝对平衡"。这就是说，健康的人是相对平衡的。因此所谓的生命在于运动，是指生命是在运动中保持相对平衡。

传统的"死亡"概念是：①心脏停止跳动了；②呼吸停止了；③脑活动停止了。我经过20多年的临床经验则认为，人体生命磁场完全消失才是真正的死亡。

我们应该以求真务实的科学态度来承认，人体生命只是大自然的一个组成部分，而决不是大自然的"主宰"。人须臾不能离开大自然，研究人体科学也必须以大自然为参照系。中国古代大哲人老子的整体论，就在于启迪人们认识事物的对立统一（"万物负阴抱阳，冲气以为和"）这一无形态，从事物的内在规律及其相互关系中，来认识生命如何能够得以永续经营。

千百年来，由于人类的社会化功能不断增强，在激烈的生存竞争中产生焦虑、忧郁、迷惘等等，从而使其生物体能失衡，使原来的自然人功能随之减弱甚至丧失，于是，使疾病频发。那么，利用生物空间针刺医疗法，采用大自然中的活性植物与活性动物的生命信息和能量优势来补充调整人体功能的劣势，将其潜能调动出来，激活其生命能量，做到老子所说："损有余而补不足"，这才是行"天之道"。

我经过几十年临床实验，创建并实验运作的这一以老子"整体观"为其研究核心的现代生物空间医学，既"双手行针"、"针刺导线回路""脉管针导线回路"和"生物针刺脉管导线回路"等新疗法，从对死体的研究转向重视对活体生命整体的研究，这一利用生命信息和能量在运动中控制、调整、协调人体生命信息和能量的平衡问题的新的医疗理论，是一种以人体和谐、人与大自然和谐结友为主旨的绿色自然医学理论，也可以称为和谐医学理论。对人类医学发展有深远意义。

第二节　《八卦图》与中国传统医学

《八卦图》有先天《八卦图》和后天《八卦图》之分：
我认为讲科学应该研究伏羲先天《八卦图》，因为先天《八卦图》每卦位的符号是阴阳对称，是讲宇宙万物都是三生万物 0、1、2、3，三维一体，论万物都是阴阳对称，五行平衡。而文王作词后天《八卦图》的阴阳符号不对称，是人为逻辑推理，论说阴阳预测，命理学说。因此讲科学必须讲先天《八卦图》，科学要有数据。

在北京中国大百科全书出版大楼主体基座上用花岗岩雕刻的巨型"古太极八卦"，向我们提示：要发掘和开发"古太极八卦"以发展我国的灿烂文化，使之发扬光大。八卦学说来自"古太极"，是我国传统文化中的瑰宝奇葩。它的中间是黑、白回互的图案，似两条带眼睛的阴阳鱼，周围是八个方位，用长短线标示，分别称"坤、艮、坎、巽、震、离、兑、乾"。俗称"太极图"，又称"八卦"。一般人认为，它出自周文王之手。据后人称，这个图象源于后汉魏伯阳所著的《周易参同契》，为该书之结晶，再后由宋代炼丹方士外传。

历史上有许多人研究它，但"往往目眩心碎，而掩卷长叹"，终不得其要旨。其间，宋代朱熹异常勤奋，朝夕不寐，"虽能考其宗义，然不得其嫡传，未免臆度而己。"（宋·俞谈：《易外别传序》）。国外也有不少人在研究它，甚至韩国将其作为国旗图案。

对"古太极图"的研究，曾得到上海瑞金医院中医科及山东泰安科协等单位的协助，经两年多的临床观察和高精度仪器对人体的测试，提出了人体磁场论，论证了人体能量运行规律，乃为对立统一的关系，与"八卦图"极其吻合。

"八卦"文化作为《易经》的中心思想，通过太极图加以形象的概括。

《太极图》是一幅探索宇宙演变，物质转换和生物进化的全息图。

圆居中央，线列八方，这一八卦图的总体模式，通过三维空间坐标系，按照三维六合这一框架就形成了 3 + 6 = 9。太阳系九大行星，9 是宇宙自然数之极限，数是解释自然现象的一条重要法则。宇宙中一切自然现象，都由中心点按照对应的对称规律组合形成。不难看出，数字中 1、2、3、4、5、6、7、8、9，与阴阳回互曲线"～"是有密切联系的。用螺旋曲线的八个方位，5 在其中，形成的曲线恰好是"～"形。天体太阳系九大行星的回互运动只有具有中心，宇宙物质才能正常运动。
八卦图中央的"～"就是讲九大行星的
回互运动（见图 1－1）八卦图中"乾"
用9指九大行星，"坤"用6指三维六合
（坐标系）——即时空观。

图 1－1

《易经》正是通过太极图这阴（－
－）、阳（——）简单的"二真"阐述；
宇宙的根本法则是"道"。老子的"道"
就是宇宙本体，也就是物质世界的实体；
再者便是这一物质世界或现实事物运动
变化的普遍规律。这两者是紧密相关联的。只有认识和掌握这一规律，才能
了解具体事物根本，从而得出与"道"相符的方法去应用。老子一再强调人
不过是宇宙中的一分子，是与宇宙运动变化息息相关的，因此，人体是一个
小宇宙又称"第二宇宙体"，人体与宇宙一样有中心点，具有宇宙三维自然
数的全息（生命），人体的中心点，就是"丹田"（肚脐）。人体能量的转换
点就在这个中心。这就是"天地人合一"的象征。

《河图》、《洛书》这两个图象，蕴含着宇宙的无限信息，伏羲结合河洛
二图创八卦方位，正如孔子说："河生图，洛出书，圣人则之。"这其实是东
方文化的起源。孔子整理《周易》，并以《河图》数揭示了天地生成之数，
启五行学说之端。《内经》以阴阳五行为理论基础指导临床实践，进而讲通
了医学与易学。医易相通，易以言天道，医以言人道，人与宇宙全面联系、
息息相关——天地人合一。张颖清从《易经》"大太极中有小太极"的思想
体系中得到启示，有所感悟而创"生物全息律"，王存臻等进而又研究提出
了"宇宙全息律"。

八卦的空间框架结构，概括了宇宙万物的共同规律。老子曰："道生一，
一生二，二生三，三生万物。""3"是人体生命数码的排列。DNA 生物遗传工
程，其数字都是以 8 个方位，三字组合（8×8＝64）。我们人体的组织结构，
都是以"3"构成各个脏器（如皮肤是3，血管是3，眼球细胞是3），植物体

也有它数字排列规律，花瓣数有"3"个，"5"个，"4"个，"8"个等。宇宙太阳系的天体运动中"9"星球数组合排列，为"8"个方位。天体星球数的排列，同样为影响动植物的生命数字排列，天"3"、地"2"。宇宙全息的密码也许就是阳"一"和阴"－－"，时空重要意义显示出"3"数有序的守恒规律，从宇宙自然数中，本着老子"3"生万物的内涵衍生演化而来，是生命与非生命物质的转换与进化。人体这个三维体是各向异位的生命"磁体"。老子说，"万物负阴抱阳，冲气以为和。""阴"和"阳"是对立的统一体，二气相吸融时，又归于"一"互相激荡包容，于是才生成新的和谐体。此"和谐体"中又含"负阴抱阳"，所以，老子说的"一"就是"道"，又还原为一个"整体"。历代医学家都认为："天人合一，易医相通"。要从医易相通的认识中，按照阴阳匹配，相互依存，阴阳消长关系解释生命现象和生命活动。生命体既有能量又有信息，非生命体有能量而没有信息。

生物针刺作为一种空间医疗方法，是综合了自然科学和社会科学多学科的生物空间医学，在研究人体这种生命现象时，应当坚持人与人、人与植物和生命与自然界的相互关联性，即在临床针刺中包括医生在内的整体性，体现为生命与生命，生命与非生命的相互效应和作用。这就是《易经》中强调的"天地人合一"的连续性、整体性、动力性（内在），也恰恰正是中国传统哲学和医学的生命力所在，也是二者的共性，而且成为互相沟通的纽带。

我依据八卦图各向异位的三字组合排列，在临床针灸治疗中运用阴阳不同的手法组合行针，使人体产生从点到线、到面、到三维立体的感传和多维立体感传，产生1－5道同反方向序化能量传导。这种感传是人体内能量序化运行、变化的路线，它是人体能量信息的载体，不是点、线、面，而是一个三维以上的立体空间。并且，针刺感传可由医生变换手法自由调控，对人体进行全方位的调整，使之更加与宇宙和谐、达到平衡。

任何一种物理过程都是在一定的时间与一定的空间发生的，生物针刺作为一个特殊的物理过程，也有其对应的坐标系，以及确定该坐标系所做的时间标准或称时间的量度。不同疾病和不同个体在不同的坐标系中应用着不同的空间坐标和空间量度。生物空间医学的概念不是简单的直线的对称或平面的对称，而是空间概念的曲线对应，通过纵横两轴所构成的显示多维的对应，形成能量序化和聚焦，产生中心"磁场"能量爆发，对病灶的痊愈和修复，其力度和效应明显优越于单手行针。这是生物空间医学对人类的伟大贡献。足见中国传统文化的深邃和博大。按照"无边有限"的闭合宇宙论，时间和空间不再是均态分布，空间和时间不仅都可弯曲、可伸缩，也可互相转化。在《易经》太极图中，时间和空间彼此对应，相互作用。宇宙飞船的上天，卫星漫游世界，跨越时空，天涯可以变为咫尺，瞬间可以变为永恒。在今天，可上九天揽月，可下五洋捉鳖的信息时代，自然科学与社会科学多学科互相渗透、相互交融，使易医相通，跨越时空成为可能。

　　伟大的物理学家、相对论的创始人爱因斯坦一生所追求的终极目标，是认为宇宙中存在一种最终的简单性和真，即"简单性＝真"。只可惜，他并没有吃透中国传统文化，更未能完成他梦寐以求的伟大科学理想而辞世，留下诸多遗憾。

　　爱因斯坦未曾解决的问题，我们中国早在几千年前便已经解决了。遗憾的是，由于这几千年的封建专制对学术的钳制，使我们的优秀文化从未得以舒展和弘扬。只有在今天改革开放的伟大时代，才使之光大发扬，让易医相通的这一伟大文化遗产得以盘活，为人类作出应有的贡献。

　　中国《八卦图》和《河洛》的时空阴阳、"开放"型相对论为现代科学发挥了巨大的作用，但是在《八卦图》中央的"阴阴阳、阳阳阴"三维立体"封闭"型相对论尚待科学家们去开发它。

第三节　阴阳对称是三维立体平衡学说

　　世界万物都是对立的，但却又是暂时的，只有统一才是永恒的。这是宇宙万物演变的规律。所以，老子才说："有无相生，难易相成，长短相形，高下相倾，音声相和，前后相随，恒也。"（2章）这段话形象地诠释了对立统一规律，世界万物就在这种对立统一的互动、互融、互补中发展变化。其实，这种永恒存在的对立统一就是平衡，在不平衡中求平衡就是求和谐，和谐便可以"万物并作"，各自又返回到它的本源，于是才可以清静地回归于生命。这就是"道法自然"。只有这样，万物才能循环往复永不衰竭。老子称之谓"得一"，"一"就是整体，就是"道"；"得一"便可以使"天清、地宁、神灵、谷盈、万物生、天下正"。否则失"道"，便会造成天将崩裂、地要塌陷、人要灭绝、江河干涸、万物毁灭、天下就得倾覆，等等。现实生活中已经以铁一般的事实证明了失去阴阳平衡所造成的诸多生态灾难。从老子这一"负阴抱阳"的平衡学说中，我得到莫大启示：人，必须从宇宙之阴阳中寻求其生命之平衡，阴阳平衡才会有序。人必须尊重大自然，必须与大自然和谐共存共荣。《太极图》中阴中有阳，阳中有阴，体现了相互嵌套、相互包容的特征。"人"，顶天立天，负阴抱阳，动之则分，静之则合。易医的核心便是："天、地、人合一"和"阴阳匹配，对称互补"。"人与天地相参"，这是永恒不灭的定律。

　　生命变化有阴阳对称性和三维立体性，与时空三维循环守恒规律性。疾病同样存在关于阴阳对称问题，与时间和空间也存在平衡问题。当人体生物磁场受到破环时，就失去阴阳平衡。八卦图中央圆形的"～"，我们称之为"回互曲线"，就是讲平衡，讲平衡就必须讲阴阳。

　　我在 1989 年 11 月的《气功报》上曾撰文予以解释：

　　（1）　"圆居中央，线列八方"是《八卦图》的总体模式。

　　图内两条阴阳鱼（曲线～）的分界线为一条"～"形曲线，笔者称为"回互"，回互有波形"～"回互和 8 字形"∞"回互。物质作线形运动是开放"（见图 1－1）单向运动"，物质作园状或"∞"运动是双向运动。波形"～"和"∞"园形组合，是闭合"双向运动"。从《太极图》形的中央有一条波形（见图 1－2）就是波形与粒子组合

图 1－2　三维"封闭式"
循环模式《太极图》

的封闭双向运动模式，因此 N－S 两极是开放单向运动，属双极子运动。

　　什么是三维六合？《八卦图》中乾用三段，坤用六段，这就告诉我们 3＋6＝9（3、6、9 坐标系）其他各个方位也都是 3 段＋6 段＝9 段。

　　9 是一个极数，数是宇宙物质解释自然的第一原则，所有的物体都是由点或"存在单元"按照相应的对称规律组合形态而成。通过数及数的性质，对世界任何事物的关系有清楚的认识了解。太极图主要启示我们对事物的认识和了解都是三维空间感官，如：人以脐为中心，分为上、下；左、右；前、后三维坐标，恰是一个六面体方形。

　　（2）用平面对称认识行星的运动规律，认为 10 个星球环形运动。用立体守恒认识行星运动规律，认为应是 9 个星球的回互运动——必然有三个星球在一直线上。因此，《八卦图》启示天体中九大行星的运动规律，地球绕太阳是"～"形（回互）运动，所以其他八个行星也都是作"～"形（回互）运动，九大行星都是以太阳为中心绕太阳作回互轨道运动。其扭矩力构成"中心磁场"——太阳。

　　（3）天文学观察表明，九大行星以太阳为中心运行，真正的运动中心是木星，太阳是能量的中心，如八大行星的总体结构的各个角度（相互间夹角）是 45 度，以线相连，就会发现以木星为中心，太阳处在偏离中心的某点上，且位置会发生变化，它是一个立方八面体。至此，我们将天体结构绘图，太阳就处在八卦图的阴阳眼处，八大行星按八卦的三字组合立体方位排列——立方八面

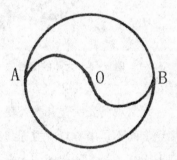

图 1－3　太阳磁场轴标的移动

曲线"～"（A. B. C）

体，恰好是八卦《太极图》面体，是八卦《太极图》的整体模式。

　　国外报道，太阳有一个变化的磁场（见图 1－3），周期自转一周大约为十一年？证实地球与太阳的两个强大磁场是互为影响的。从《地球的奥秘》的日动曲线看太阳的"自转"——磁场的变化是一条回互"～"曲线，事实上，地球轨道是十分规律的，而且保持这一规律只有通过回互"～"运动才

可能维持，而地球大约要进行约十二个回互运动（十一年）才能完成一个回互。

因此太阳的能量相对来说是不会耗尽的。太阳的回互"～"运动与九大行星的回互"～"运动的相互作用形成了整个太阳系的巨大的"～"回互运动，从而推动着太阳系万物永不停息地回互"～"运动（图1-4）。这就是笔者的能量转换整体观。

①中心——5

②天数——1、3、7、9

③地数——2、4、6、8

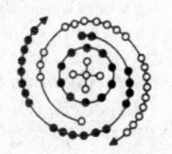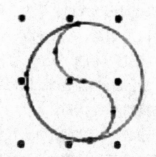

图1-4　太阳的回互"～"运动与九大行星的回互"～"运动

天文观测表明，九大行星以太阳为中心运行，太阳处在它们绕圆轨道的焦点上而不是中心点。根据我长期体验和分析认为，太阳及九大行星均在做圆形回互"～"运动。水星、金星、地球、火星、天王星、海王星、冥王星以木星为中心，绕木星做圆形回互运动，太阳是能量"中心"，因为九大行星（其中木星在中心转动）作回互"～"运动所形成的一个强大"磁爆"恰好作用在太阳上，而且这种磁爆达到最大量的周期约为12年，这也是太阳的磁场以12年为周期变化的原因。九大行星做圆形回互"～"运动对太阳的作用结果，使太阳做圆形回互"～"运动。太阳反过来对行星也有同样作用。因太阳是太阳系的能量中心，也就是太阳中心轴的曲线的回互"～"运动，也给予九大行星同样的能量，所以太阳与其他行星之间的能量是可以互换的。这就是我的能量转换整体观。

太阳的磁场中心轴线是曲线"～"移动与九大行星的回互"～"运动的相互作用,又形成了整个太阳系的巨大的圆形回互"～""磁场",在这种"场"的作用下,太阳系中万物将永不停息地做圆形回互三维回互"～"循环运动。从这个意义上讲,太阳系本身是一个巨大的"永动机",太阳的能量是永远不会耗尽的。九大行星也永远不会终止地做"公转"回互和"自转"回互运动。

随着它们自身的回互"～"运转,太阳旋转力的作用中心轴标也就不断发生移位,即当太阳向左回互"～"时,其旋转力中心就发生左移;当太阳向右回互"～"时,旋转力中心就右移。与此同时,太阳的光量子场涡流中心就左移,且为左旋;当太阳向右回互"～"时,涡流中心右移且110°右旋,而且其辐射波也在不断改变波长,左回互"～"时辐射波向短波方向平移,右回互"～"时,辐射波向长波方向平移。我认为,太阳即"太极",光量子场中心,太阳运动的轨迹就是回互"～"即太阳磁场移动的曲线"～"。

对生命能量和非生命能量来说,都存在有序态。有序是三维坐标为"动态",非生命能量的无序是阴阳对称为"静态"。生命系统可以向无序态方向演化,也可以向自我调节的有序态方向演化。我们把这种有序与无序两种相反的演化称之为三维坐标对称循环平衡。

我的双手行针刺疗法,利用这一原理,来调节生命系统能量的有序"动态"和非生命能量的无序"静态"的互相转化,使之阴阳平衡的物理过程。医者两手持针,左右相对,前后相对和上下相对,正好是一个三维六合的立体坐标系。人体是有着严密的三维对称和数字有序排列,身体不仅有上下、左右、前后之分,还有阴阳之分,动静结合,内外循环,而且有着运动的对应性和数学结构性。所以,人体是一个与大宇宙有着内外匹配运动规律的矛盾的统一、有序的物质结构的小宇宙体。

任何物质的平衡,除引力的互相作用之外,还决定于物质本身的运动性质,也就是说物质的平衡要求其本身必须是一种"回互""～"(循环)运动，保持物质质量和体积互相制约，这样才能保持平衡。当然，若不能保持其平衡，物质也难以达到"回互"（循环）。因此，人类第一大哲人老子早就指出："万物并作，吾以观复"，"周行而不殆，可以为天地母。"意即，万物纷纭一齐蓬勃生长，然而又返回到它原来的本根；只有这种循环往复地运行，才会永不衰竭，这就是万物的根本。

物质这种循环运动就是"道"（自然规律）。自然界从有生命的物质运动到无生命的物质运动，都表现着这种循环运动的对立和统一，统一就是和，"和"就是事物最终的归宿，亦即"统一"。

生命体讲阴、阳平衡，无生命体讲正负平衡。可见任何物质运动之平衡必须存在着两种相反的属性及相反的运动力。它们只要运动，就必须有其方向，任何物质只有受到相反方向的引力影响时，才会得以平衡，否则物质就得不到平衡。

物质运动有去就有回，有东就有西，有前就有后，有上必有下，这就是物质运动的规律。人体内能量分为阴、阳，阴就是离心运动，阳就是向心运动。如果一个属性被干扰，就会失去平衡，轻者会生病，重者会死亡。我们后边讲的人体光图的运动规律中发现，绿色和蓝色的光是离心运动，是脱离本体的运动形式，而红色和紫色的光是向心运动，使光又回到了本体。就自然界太阳平衡来说，除星体的引力互相作用外，其本身内在物质的平衡运动是主要矛盾。当太阳向外辐射运动形式一旦终止，太阳也就消失了。

现代生物空间医学这一有着重大意义的生命科学，就是揭示这一阴一阳之道的对立统一规律的研究，具有多学科交叉、自然科学与社会科学交叉、中西文化交叉和古今文化交叉的特色。人的生死和疾病直接同阴阳平衡相关。"谨熟阴阳、无与众谋"的要点也就在于从根本上顺从自然法则，要因势利导，谋求阴阳平衡，身心协调，"道法自然"。

宇宙全息是以宇宙自然数0、1、2、3、4、5、6、7、8、9为全息，生命体的发展变化都具有阴阳对称性，阴阳包含了宇宙自然数全息对称。生物空间医学便是侧重从空间立体角度研究探索宇宙全息统一，来解决生命疾患的无序化，从而达到阴阳平衡，使生命趋于和谐平衡的有序化。

生物空间医学这一用生命能量消除生命体疾患的原理，就是利用宇宙全息对称原理的新兴科学。

人患疾病，就在于受到宇宙中心磁场的不平衡的影响。比如，八卦的乾、坎、离，实质上反应了人体的方位问题，中间那个黑白回互"～"的图案，就是人体方位的中心——肚脐（即磁场中心）。两手高举头以上，脐到两手的中指尖的长度是相等于脐穴到两脚的脚趾尖的长度或人的上体从百会穴到会阴穴的长度相当于两臂（从天突穴到手的中指）的长度，约等于从会阴穴到脚的中趾的长度。这是相互有区别而又密切关系的五个人体"磁偶极矩"。每个"磁偶极矩"都存在着正、负"电偶极子"。当一臂举起或一腿抬高改变体位时，对应就有左右之分。胸腔（脐以上部位）运气时，手背感应重，手心则轻；脚掌感应重，脚背则轻；这说明人体任何部位是正负或阴阳的对称平衡统一体。

按照"乾阳在上，坤阴在下"，"坎升离降"的八卦图平衡统一关系，人体五个"磁偶极矩"的正负，"电偶极子"的平衡对应。

易医学说，左为阳，右为阴，就是这个道理，"电磁"波、"电磁"场都是不一样的。并且，两手之间温度不一样，因而两手行针必然构成一个回路，这个回路是通过有生命的回路，是一个平衡的曲线"～"。非生命有能量无信息，临床证明，运用活的能量，有生命的能量信息，比非生命的能量信息疗效好。双手行针是用生命体的能量和信息治病，所以疗效显著。

《八卦图》阴阳24对称组合排列，对认识人体的体位组合对称排列，有着深刻的意义。人的体位组合，也像《八卦图》阴阳24的对称排列。由此确立了双手行针时针刺的对称性，人体三维空间与针刺组合感传的多维性，确立了以生命能量解决生命疾病的针刺疗法新体系的基本原理。

"负阴抱阳"的平衡学说遵循了对立统一的规律。任何物质的平衡，都必然反映质和量，整体和局部，内部和外部各因素、各环节的相互依存，相互制约。也只有这样，才能保持本身的平衡。任何物体的平衡都存在着两种相反的属性及相反运动的力。人体是左右、上下、前后的三维各向异位"磁体"。如：左手为阳是向心运动，右手为阴是离心运动。并以左手为定向，右手为指向的能量和信息运动规律。

运用"八卦"思维模式，采用对称互补的原理，正确地进行阴阳阴三字组合，按人体坐标系固有的排列和医生行针相匹配，正好是一幅八卦图的模式。

医者针刺病体的任何体位，都可以看到阴阳阴三字组合的能量序化，体现了医生通过行针，激活病体的"磁场"产生感传，从而导致病体的能量序化。

在电学上"同性相斥，异性相吸"这是普通性规律，而在生物空间医学双手行针中则不然。在八卦中，以阴阳对立平衡统一为基础，以阴（－－）、阳（——）为基本结构，所演绎变化发展。双手行针和生物空间医学"脉管导线"回路针刺法治疗体系，其内在规律与八卦方位、阴阳阴三字组合排列相应一致。八卦各三字中的正正得负或负负得正，可以阴阳组合相互匹配，而不排斥和抵消，这可以说是生命体的三维立体特殊性。医生用左手和右手同样作用于病体的某个穴位，所产生能量不同，疗效也不同。运用双手行针对病体产生的能量比单手行针能量级要高，更重要的是这种新的针刺医术探索到调控人体能量和序化的规律，循此可掌握阴阳平衡规律，这就使"提挈天地，把握阴阳"，找到了打开真理之门的一把金钥匙。

第四节　天体自然数与人体自然数

《易经》书中包罗万象，充满了神秘，其对东西方文化影响之大，恐怕仅次于《圣经》。然而研究之，的确不"易"，因是智慧之门，科学之窗，奥妙无穷，博大精深。

"天、地、人合一"人是万物之最高级"精灵"，生于天、地之间，依赖于天、地之供养，顺服于其规律之行事，则是充满了和谐统一。宇宙万物是智慧的结晶，但又奇妙难测。多少科学家，为探索宇宙奥秘，为更清楚地认识人——自己、明白自己，做出了一代又一代不懈的努力，才使科学有高速发展的今天。

一、天体自然数

伟大的科学家伽利略曾说："数字是打开宇宙的符号。"这个符号为天体自然数，即指宇宙自然数全息 0、1、2、3、4、5、6、7、8、9。

老子说："有物混成，先天地生。寂兮寥兮，独立而不改，周行而不殆，可以为天地母。"（25 章）这就是"道"，它是在世界万物尚未出现之前，就已经客观地存在了。这个"道"，亦可称为天体自然。《八卦图》中提出 13579 是天数，2468 为地数，天地自然融合为一体，是宇宙天体运动的自然数。比如"9"大行星（金、木、水、火、土、天王、海王、冥王）作为三维空间的圆形运动，恰好是 4 正 4 负，阴阳结合为 8 个方位，东西南北、东北东南、西北西南。

老子认为"无"是天地浑沌未开之际的状态；"有"是万物产生之本原的名字。所以，我们要从"无""0"中去领悟"道"的真谛，从"有"中去领悟"道"的端倪。了解天体自然和人体自然的一致性，对于认识生物空间医学理论是大有裨益的。

数术（有说算术）是数的方法和技术。数术源于数，数源于图，图源于象，象源于宇宙万物，源于"道"。"道"就是"无"，"无"就是"0"。数术学始于"0"，起于"1"，而成于"9"，终于"10"。1、3、5、7、9 是阳数（天数），2、4、6、8、10 是阴数（地数）。阴阳结合，"三生万物"。"0"是"道"，是无极，"1"是太极。太极一分为二——阴阳，二分为四——四象，四象化为八卦，八卦生成对称，对称又生成坐标，以至于无穷循环、生成万物。

"0"可理解为"道"，"道"也可称为"场"，是天体九大行星沿"黄道"运行一周 360 度过程中的客观存在。一块石头掉进水里，能起同心圆一个光波即是 360 度。

宇宙是无极，无极主要分两个方面

①时间的无限性，没有起始和终止；

②空间的无限性，没有大和小。

由于宇宙的无限性，导致宇宙间各种事物的无限性。

所以数术是探索宇宙万物变化的宇宙符号和信息系统。生命是活的数码排列，人和植物以及其他动物，与非生命物质同样以数之表现宇宙和谐的规律。

《河图》和《洛书》是一个宇宙奥秘

因为图中的点和圈是体现宇宙无数又无限的宇宙缩体，因而其无限大等于无限小的宇宙还原规律。天体九大行星往返于平衡曲线"～"，春夏秋冬四季都沿着这条曲线轨道按时来按时去的往返运动。

①物质运动的动力在于阴阳交合，阴阳交合是太极的动力，也是物质运动的动力，每位数字的内涵本身既是一个太极，又是一个无极，其每个数的内涵在于数的本身隐藏着一位形成宇宙的基数，如同"道生一，一生二，二生三，三生万物"的基数被古人隐藏在"道"的背后，就是上下四方为"宇"，古往今来为"宙"的太极数。

②形成宇宙的过程，就是九位数字的形成的过程，同时也是八个方位的形成。然而宇宙在运行中都是逆时针右旋——为"河图"，顺时针左旋——为"洛书"。由于能量矩的扭曲，于是形成了空间数码和时间码对应还原地旋转。当以太极为圆点形成时空的同时，一种永恒的规律，即在360度内浑然旋转，这个奥秘就隐藏在123456789其数字的本身内涵。所以天体九大行星运行也是数之有序运动的排列。

万物都是"3"组合（0、1、2、3）

所有的物质都是由质子、中子和电子这三种基本粒子组成。自然界的每个物体都是这三种粒子的结合。质子和中子结合成原子核；电子在原子核组成原子，原子结合成分子，而分子又聚积成为周围的物质，把各种物质只归结为三种基本单元。这三种基本单元在核力和电磁力的作用下，通过它们的不同组合形成宇宙间的所有的物质。

美国和欧洲的物理学家已分别发现宇宙间的物质种类组合，不会超过三种。我们所看到的宇宙物质，不论是从形状还是从质量上划分，基本上都只有三种，这说明大到宇宙天体，小到粒子、夸克、微粒子，它们形成机理都是相同的。

钠、镁、铝、磷、硫、氯、硅、氩这八个元素内层电子数完全相同，其主要区别在于外层电子数不同。但与自然数（方位）是相同的（1 - 8）。纳、镁、铝是金属，而且外层电子数越少，则金属性越强。磷、硫、氯是非金属，而且外层电子数越接近八之数，则金属性越强。硅的外层电子数为"4"个，处于中间数，是制作半导体的良好材料。氩的外层电子为"8"个，是一种稳定状态的元素。

因此物质的微观结构与数字"8"确实存在着密切的联系，完全可以按照最外层电子数的不同将物质元素分为"8"类，并且可以用"八卦"符号来表达。

宇宙自然数与生命自然数，从二个系统中都含有极地原理，一方面是阴阳二极，另一方面则精确对称的 DNA 加减键，这一原理与两系统中的 64 个符号的一致性，使我们可以合理地认为是非生命物质的对称性，又通过生命物质的信息体现出来的生命密码体系，64 维空间，72 候，与天体时空三维64 维空间是一致的，所以宇宙自然数是"天地人合一"三生万物。

同时，任何空间任何方位都具有"旋线"运动；如下图（与《河图》有界直角坐标系类似）：

图 1 - 5　与《河图》有界直角坐标系类似

（类似天体九大行星自然数曲线运动）（图 1-5，1-6）

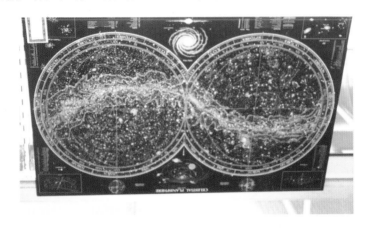

图 1-6　类似天体九大行星自然数曲线"～"运动

（上述两图均为美国图书馆保存）

可以由此推断，天体自然数"8"，在空间只能是直线对称的，如图：
（图 1-7，1-8）

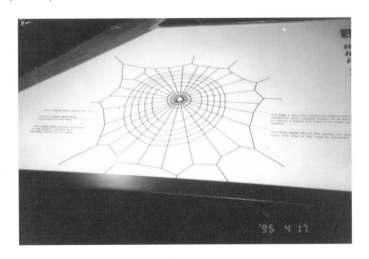

图 1-7　任何物质又都是曲线螺旋运动，如蜘蛛编织的网

自然数的规范关系到生命的"场"与非生命的"场"，其相互作用，也许各有各的特性，也许是同类相似性。

艾亚斯诺岩山

1996 年 7 月，我赴澳大利亚讲学，参观了位于澳大利亚正中央的艾亚斯诺岩山。据导游介绍，艾亚斯诺岩距今约 50～60 亿年。它的神奇传说很多。当地土著人很崇拜它，象征吉祥。他们习惯对面坐，据说这可以治病，是因为这种对坐会产生磁场，是在利用场能来治病。

艾亚斯诺岩石拔地突起。其周围 8 公里，顶峰平面为 4 万平方米，其高约 348 米，深入地层下为 600 公里。1996 年 7 月间，新加坡——墨尔本客机经过艾亚斯诺岩山上空时，奇怪地陡然急速下降几千米，险些坠毁于此处（图 1 - 8）。

图 1 - 8 艾亚斯诺岩山

图 1 - 9 太阳于不同的角度照在艾亚斯诺岩山上，其石会变换不同色彩

另外，艾亚斯诺岩山还有一种奇观。太阳于不同的角度照在艾亚斯诺岩山上，其石会变换不同色彩（图1-9）。

北京的故宫与天坛建筑群

9是"极数"，是天数之最。非常有意思的是，明清两代所建造的故宫和天坛建筑群的特色。故宫里的房屋有999（三维循环）间，三个9。建在故宫建筑中轴线上的皇帝祭天的天坛——圆立坛，是一座三层的圆石坛。上层坛面的石块为9圈，当中是中心石。从第一层到第三层都是9圈。为什么三层坛面都是9呢？这是描述九大行星依次作三维空间运行，即$9 \times 9 \times 9 = 729$，才运行完一周。72数字后之9意为9个行星三维空间运行的第9圈排列数，$3 \times 9 = 27$，所以最后一圈是27圈。砌243块扇石面板。243记作24是指天体的"8"个方位，$3 \times 8 = 24$，恰好是八卦图8个方位的三维空间数。不仅如此，每层台阶及环绕石坛的三圈拱杆也都是9或9的倍数（$9 \times 9 = 81$）。$81 \times 3 = 243$。这种建造形式可能均含着九大行星作三维空间的时空运动，恰好是一幅"八卦图"描述的空间和时间。

八种物质的电子结构数

物质由电子组成是普遍规律。任何物体都是由电子（正负）组成，因此电子数也是遵循天体自然数排列的，如：表内8种电子数确与八卦方位数是一致的。

层次	物质 电子数	纳 Na	镁 Mg	铝 Al	硅 Si	磷 P	硫 S	氯 Cl	氩 Ar
内	K	2	2	2	2	2	2	2	2
中	L	8	8	8	8	8	8	8	8
外	M	1	2	3	4	5	6	7	8

这八个元素内层电子数完全相同，其主要区别在于外层电子数不同。但与自然数（方位）是相同的。

因此物质的微观结构与数字"8"确实存在着密切的联系，完全可以按照最外层电子数的不同将物质元素分为"8"类，并且可以用"八卦"来表达这种类型。

在元素组成化合物中，也遵循外层电子数为"8"的规律，如氯化钠 NaCl（食盐），钠外层一个电子，氯外层为 7 个电子，两者化合还是"8"。

天体自然数与音乐

乐音为 12 个：$^\#C$　$^\#D$　$^\#F$　$^\#G$　$^\#A$

　　　　　　　C　D　E　F　G　A　B

音阶的上行为高音，下行为低音。

表现在弦上，则为弦越长、越粗，音越低；弦越短、越细、音越高。

有许多伟大的音乐作品尚未问世之前，大自然已经存在着这些乐音了，如风声、水声、潮声、山谷回音……等，它们皆有音阶、调式，甚至和弦等。音乐家又重新将其组合罢了。

植物自然数

冬瓜和西瓜是草本植物，但是你是否发现，切开后的西瓜，其瓜子也是一个三维六合的磁体！（图 1－10）

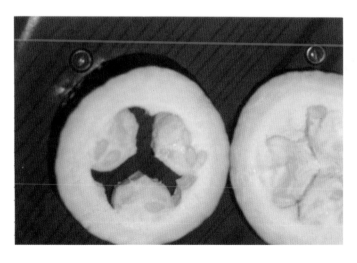

图 1－10

说明：

①瓜籽的数码排列恰似一个三维六合磁体。

②它的磁场运动是对称旋转，而且是向内旋转。

③西瓜的发芽处是螺旋运动的磁场中心，其瓜籽都是靠中心旋转排列。

④瓜籽的幼籽是白色的，排列在螺旋中央处，证明幼芽生长是在螺旋中央（磁心）生长的，一层层向外生长，逐渐成熟。

自然界植物螺旋状

自然界植物这种螺旋状，其旋线是以一个固定点（磁心）开始向外逐圈绕行而成的曲线，规定了该生物的成长时间，如大树年轮也是这样。

"螺旋线"其名源自希腊文"о ЛеТса"，为"旋卷"、"缠卷"之意。

A 为阿基米德螺旋

B 为对数螺旋线

C 为双曲线螺旋线

D 为抛物螺旋线

E 为羊角螺旋线

F 为一般螺旋线

G 为锥形螺旋线

海洋的许多贝壳等形状都是以螺旋线排列的，蜘蛛的网也总是以"螺旋线结构编织的螺旋网"，我们人体的指纹也都是螺旋线状结构，植物树种也是螺旋结构。

著名的英国科学家 T. 科克把这些螺旋线称为"生命的曲线"。德国的大诗人哥德在 1831 年也曾写过一篇名为"论植物的螺旋生长倾向"的文章。现在的物理学家、生物学家、植物学家、昆虫学家和生理学家等许多科学家都从不同的角度对自然界中螺旋作了各种研究和探索，他们从人的生活环境一直研究到生命系统的结构、生长和新陈代谢，都证明了螺旋结构的广泛分布，同生命界有着奇妙的联系。

宏观方面的螺旋线

从宏观方面较为常见的对称螺旋线，如：牛角和蜗牛壳都是对称螺旋线，奇怪的是旧的脱落而新产生的每个部分又严格的按照原有的对称联系结构，好似地球按照固定的轨道围绕太阳周而复始的旋转一样，如鹦鹉螺外壳，呈螺旋结构。

再如人类和动物的内耳轮，也是一种螺旋。如果我们把它参数化可用菲涅耳积分表示，这种螺旋线对于分析耳轮几何学、耳轮力学和电学特性，以及听觉系统编码和传送信息的原理，都是有很重要意义的。

还有一种螺旋，就是对一个圆锥形的转轴有一个不变的夹角，我们称螺丝螺旋线。

微观方面的螺旋形

任何生物体的分子的化学组成，在其命名过程中，起决定性作用。分子的空间结构是决定物质的形状和性质的一个重要因素。1950 年著名生物学家 L. 鲍林等发现分子链的肽链排列结构形状，取名为 a - 螺旋线，这是生物学中很重要的发现。

大家熟悉的脱氧核糖核酸 DNA 分子的双链结构的发现，是二十世纪分子生物学中最重要的成果。它的分子就是由两条反向平行而又互相缠绕的链组成的，这就是生物学中著名的双螺旋。

其它螺旋

人们还从许多昆虫和植物中找到更多的奇妙螺旋形。

例如，有一种植物随着太阳光沿着螺旋形路径运动；蝙蝠从高处按锥形螺旋的路径飞行；灵巧的松鼠按螺旋形路径在树上爬上爬下；有一种蜘蛛完全按照对数螺旋形织网。有一种复眼结构的小昆虫在被光源吸引时，因为它的复眼结构不能直接向前方看着光源，只得使自己的飞行取一定的角度，也就是要取一条螺旋形路才能看到光源。

植物的许多叶序现象，在树的基干上的叶子就是按螺旋形方式排列的，临近的叶子也是按螺旋形向上推移的。当然，各种不同的植物的螺旋形又各不相同。向日葵的叶序，菠萝和松科植物果子的鳞片，其叶序排列各不相同，但它们的叶序都有一个特点，就是从这些序列数的第三项开始，每一项都等于前两项的和；1、1、2、3、5、8、13、21、34、55、89、……。这种数列在数学中被称为费波纳函数。

生命旋线与平衡

任何物质只有产生二种物质就形成极的变化—正与负或阴阳二极物质。

任何一种物质运动，在运动的轨道上或空间，只要没有受到外力作用，这时物质仍然是直线"——"的运动，当运动的物质遇到碰撞物时，这"——"的运动就受时间——空间——速度的变化而形成"旋涡"——液态物质；"反射"——固态物质，"旋风"——气态物质。

根据以上情况：形成三种物质情况，一种物质就产生两种物质（正或负）例如：旋风。如果一种物质不能产生阴阳，这是一种极性运动，只要一种物质产生了阴阳，就必定形成旋风。

旋线本身就包含着阴阳（正负）物质运动。中医治病讲究平衡，讲平衡就要讲阴阳，阴阳是对立统一物质，具体地讲，阴与阳不仅是能量有序化，也是一个数字序化的问题。

生命数与自然数的平衡

天有四时，人有四肢，天有五行，人有五脏，天有 360 天，人有 360 个骨节和 360 个穴位。

《八卦图》8 个方位为 64 数字的排列，体现了自然界的物质运动与守恒，都具有对称互补、阴阳平衡。我们通过回互"～"曲线数字排列，108、96、81、72、64、36、32、24、16、8，发现人体数字的有序排列与自然界方位排列是一致的，老子提出的"三生万物"是包含着生命与非生命的物质运动规律的，这就是围绕天体中心、一切物质的演变和发展都与自然数的有序排列有关，我们从自然数的有序排列中发现，物质平衡运动必须是"回互"的；物质守恒必须遵循"回互"；信息"回互"是物质运动再现，因此世界物质的结构与存在都是有其一定的数字排列，即按自己的特性，又遵循天体"回互"运动规律向前发展，否则物质就不复存在。

螺旋平衡与曲线平衡

曲线"～"平衡—非生命运动旋线平衡。

"螺旋"平衡—生命运动旋线平衡。

临床发现，生命是"旋线"平衡发展的；非生命是"曲线"平衡发展的。因此生命与非生命是不同的表示和数码排列，其平衡是有区别的。当然这又涉及到生命与非生命的数字密码排列是不同的。但其总体设计与天体自然数是类似的，如天体能量中心、人体脊椎为 32 节，人的头盖骨男性为三块，女性为二块，乾三坤二，（3∶2 数字排列）。

易经 64 维空间 72 候与生命密码

易经八卦图"－－"，"——"符号是宇宙自然界一切物质存在与信息的表达，它具有极的对称和时空基本形式，象征着智慧和宇宙的具体结构，并以一个宇宙系统数码化与生命遗传密码并列起来，蕴含着阴阳二极和精确对称的 DNA 加、减链，生命和非生命物质信息表现出用数码体现宇宙万物的存在。

中国古代《河洛》数术之迹至今仍吸引着大批西方科学家目光，运用这些数术理论推导出的天干、地支，60 甲子，最精确的计算了天体运动周期的规律以及对这些数术变化产生的阴阳变化，及其对地球生态的影响。它预计的准确性，至今仍震惊着科学发达的西方天文学家。近代天文学的 60 年周期，也证实了九大行星连线会合的 180 年的周期即中国河洛中的天文三方甲子产物。

中国的《河洛》数术不但准确地描述了天体的运动，同时也准确计算了天体对地球生态和人类生存的影响，通过西方的天文地质学家最近的研究，认为中国《河洛》数术的伟大，正是河洛数排列的正确，时空数的排列证实了"河洛"描述时间和空间的同步性和一致性。

任何物质的结构，都是线、圆形式构成的。而物质的线状和圆状，又都是由微小的分子构成的，微小的分子是不规则的线和圆状的组合。方与圆是一个时空概念，方体现了"8"个星球的位置，称 8 个空间方位；圆体现了九大行星作圆周运动，称九大行星作圆周运动，称九大行星运行圈的时间概念。天体自然数的每一个方位有自己的空间，就需有九个空间位。111111111÷9＝123456789，因此天体自然数 9 沿着 8 个方位作三维空间运动，以逆时针右旋——时间 987654321，如"河图"的数术排列；反之以顺时针左旋

——空间 123456789 如"洛书"的数术排列。

物质的能量转换是有条件的。任何一种物质在运动的轨道上如不能形成极性的变化，即正与负（阴与阳）的二极物质，就不能产生万物。正如老子所说的，"冲气以为和""和"就是包孕着"阴阳"的又一新的产物。

这时物质依然是"1"运动，当运动的物质遇到碰撞物时，这"1"的物质运动就要受到时间和空间的速度而变化，就可能形成以下三种现象：

①旋涡——液体物质

②反射——固体物质

③旋线——气体物质

根据以上情况：这要形成以上三种物质现象，"1"种物质就能产生"2"种物质（阴与阳），所以"旋线"本身就是含着阴阳（正负）物质的运动。

但是任何物质（体）的运动需遵守对称互补（平衡），才能使物质产生的能量形成转换与传递信息的有序规律。在天体自然运动中，其能量和（阴阳）均以"5"（3＋2）为中心才能形成均衡的力，由高能级向低能级传递而形成均衡的能量图，使产生的中心能量保持了均衡运动，所以"回互"（～）曲线是一条平衡曲线。在"5"（中心）左侧的 1、2、3、4 自然数的能量为低能级；右侧的 6、7、8、9 自然数的能量为高能级，形成均衡的能量圈（旋线）。

物质形成的能源来自其运动的中心。中心自然数的演变和转换，是能量与物质的组合与重复。所以，宇宙（自然数）形成的过程就是九位自然数和 8 个方位形成的过程。这个时间和 8 个空间形成的过程，一个是"无形"的，一个是"有形"的，小与大，大与小是宇宙太阳物质演变的规律表现形式。

二、人体自然数

认识了宇宙天体运动的自然数规律后，再来认识人体自然数的有序排列，掌握人的各脏器组织结构为什么也都是以"3"为组合，生物遗传密码 DNA，64 维空间 72 候排列与天体 64 维 72 候空间排列是何等相似！

"天地人合一"真正体现了天体自然数与人体自然数的和谐统一，找到这一生命来源的根据，则会更加证明了人的生命是来源于宇宙。

"天地人合一"体现了生命和非生命的相互关系。天体九大行星的运动，是非生命体的运动，其运动遵循着一个严密的数字结构与数码的有序排列，生命体的遗传工程 DNA 密码的排列和生命体中的各脏器的组织生长都是严密的数字有序化，这就体现了宇宙间生命和非生命的运动有其自己本身的能量组合和信息系统，它们之间是截然不同的，其数码的编排和组合也是有区别的。

目前，对于宇宙万物的研究，都是非生命的事物（静态）演变和图案的变化。但对人体、动物和植物生命（活的）的数字结构和变化的研究还较欠缺。这一生命演变的活的动态结构的复杂有序排列，正是今后人类探索生命与宇宙亲密关系的关键，解开这一密码，便可以使人类无论是机体疾患或是心理疾患都可以解除，从而使世界走向和谐。

天体运动的法则是阴阳平衡，并以协调宇宙万物有序，能量守恒为宗旨，宇宙有生命的万物基础特性是新陈代谢和阴阳调制达到平衡，因此天体与人体都是具有阴阳对应统一的运动体，阴阳在人体内表现为多层次的，如血液和肌肉层，一个是右手磁向左旋方向，另一个是左手磁向右旋方向。信息也有阴阳之分，人体通过信息传递和阴阳调制实现自身的调控，因此阴阳是实现和控制生命运动的基础。这就证明了，生命演变过程是动态自然数的演变过程。

"天地人合一"是易学中的核心思想，人体运动是宇宙自然界生命和非生命阴阳变化和万物产生之源。"天地人"，从"3"产生。3 生万物，又说天有"3"，地有"2"，人也有"3"，相加为"8"，这就为"天地人"统一，以自身为中介的运动和自身的调控，使万物运动出现了三维坐标的规范运动。

德国一位科学家，在"易经世界密码与 DNA 生命密码是同一钥匙"文中讲到：在《易经》中，描述了顺时针和逆时针两种循环运动，因此按八卦的规律将其 64 卦排成一个二维图像。人体包含 64 个遗传密码的基本遗传物质 DNA，是"双螺旋"结构。每个遗传密码由三个核苷酸组成，称之为三字密码。每个密码代表一个氨基酸，组成生命的基本物质——蛋白质。蛋白质是电子运动的基础，而人类的细胞结构主要是蛋白质，每个细胞都含有一个DNA分子，它含有人体的全部信息，同时还含有代谢能量移动的ATP分子。生命信息DNA遗传密码64组合，与易经中天体方位密码64具有同一性，DNA密码恰好起到了表达和传递的作用，且两者之间可以互相证实。DNA遗传螺旋图其密码写在"梯子的阶梯处"，每层有一个阶梯，角度为360度，那么这里面是否隐藏着一个模型，DNA的双螺旋的电子图象与由若干易字连接起来所组成的图案惊人地相似。"易"字看起来就象4个阶梯的DNA链的头，每层4个阶梯加上180度的弯曲，这个形状也是一样的。换言之，"易"字的图案和现代电子显微镜下的DNA图案是完全一样的，更令人吃惊的是"易"字中间的空白部分与易字的笔划是按照阴阳模式互补的。（图1-11）

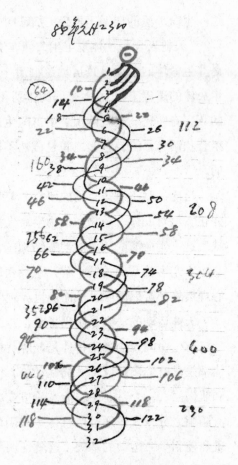

图1-11 人体32脊椎螺旋图

八卦64卦的8个方位是由三个阴阳符号组合，两者基本相似，这阴阳组合，与人类能量的转化有关。这样DNA总是以细胞组合为遗传链，与人体能量在体内发生着复杂的变化，而自然界磁场对这些生命活动的生长和转化始终起着影响作用。

任何物质都是由电子和原子核组成的，而所有的物质都是由质子、中子和电子这三种基本粒子组成的，自然界的每个物体都是这三种基本粒子的结合，而这三种基本粒子是在核力和电磁力的作用下，通过它们不同组合形成宇宙间的所有物质运动的相互性。当然我们人体也不例外，是由电子和原子组成的基本形式，我们从雪花的六角形，蜜蜂的六角形巢到花草、树木和动物的生命形式的复杂对称性，都是以这些原子花样描述。宇宙万物组成非生命的电子原子，到夸克都是"3"组成生命的细胞，正如人体所有的细胞都是"3"组成。所以老子说三生万物。人体是一个数学模型，是一个八卦64方位"模式"的几何结构体组成的有机体。人体内进行的化学和物理反应，都体现出数码排列，如人体内获得能量的化学反应：

$$2C_2H_4 + 5O_2 \longrightarrow 4CO_2 + 4H_2O$$

即碳和氢的原子与氧结合才能获得空气（能量），还存在巧妙的方法从食物中得到一种能量，它吸收的氧，呼出的是二氧化碳，这些都与数码排列达能量序化，产生形成机体所需的能量，使人体均衡和协调运动。

人体是一部复杂的运动机体，许多器官组织的结合都与"3"有关系，在体内也存在一个"3"生万物，所以自然界的生命与非生命都具有"3"的密码。

人体主要脏器都以"3"（1.2.3）的排列组合，生命与非生命都是三字（三维）组合。

脏器	1	2	3
皮肤	表皮	真皮	皮下组织
纤维	胶原纤维	弹性纤维	网状纤维
血细胞	白细胞	红细胞	血小板
肌肉	平滑肌	骨骼肌	心肌
神经元	多元神经元	双极神经元	伪单极神经元
神经纤维	轴突	树突	神经胶质细胞
动脉层次	内膜	中膜	外膜
心肌	心内膜	心肌膜	心外膜
眼球壁	纤维膜	血管膜	视网膜
眼球	圆柱细胞	链状细胞	椭柱细胞
子宫	浆膜	肌层	内膜
血管	动脉	静脉	毛细血管

从此表中可以看到人体数字组合与天体自然数是相吻合的，天体九大行星 8 个方位三维空间立体运行，就决定了太阳系三生万物的演变规律。

生物 DNA 遗传密码是由三个碱基的不同组合编成的，遗传密码是三位数，遗传密码，成为三联体组合。由于不同的碱基，因此 3 联体组合（3 字）排列为 64 种不同的遗传密码（$4 \times 4 \times 4 = 64$），与天体九大行星作三维空间依次运行 8 个方位（8×8）是一致的。人体的脊柱由 32 节脊椎组成与 DNA 方位双螺旋相同，人体的构造与宇宙磁场有怎样的关联，实在是难解的奥秘。

其它动物，如乌龟在其背部的左右两侧的小方圆是各 24 卦数，与八卦图的阴阳 24 数相同。在背部的中央以 10 卦对称，与天体三维空间运行的对称数 10 是相同的。在背部中央是"3"卦与天体三维空间的"3"是一致的。背部的中央一卦为中心，两侧 24 加内圆 12 即为 36 卦数值，就是说乌龟本身的周角数为 360，也是一个"场"运动，这是与天体圆周运动的自然数 360 和 3.2 都是一致的。中国有句老话："千年王八，万年乌龟"，都是长寿的动物。因此生命与非生命的相互性和其数的编码值得研究。

自然数的规范，关系着生命的"场"与非生命的"场"，其相互作用，各有各的特性。

17 世纪，西方科学家发现了那些小到用肉眼无法看到的生命形式微生物，却无法明确断定是属于动物世界还是属于植物世界，于是自然就分为一类是有生命的东西，一类是无生命的东西。于是人们就有了性质完全不同的两类东西的概念，生命与非生命之间也就不可避免地存在假设两类不同性质的自然规律。但是，化学家们发现无机原料可以合成其他有机物（即生命的物质）。因此生命与非生命之间的绝对壁垒，也就开始存在了种种的相似性。这种相似性，主要涉及到时空对应和万物能量转换的相互作用，这主要是来源于宇宙太阳系生命与非生命的数之序化。

无论是天体自然数，还是动物自然数，其数之序化过程皆有一个中心，才能产生物质能量运动。而且要对称于中心进行能量转换，对称互补平衡地回互运行，才能周而复始循环不止，无始无终，老子云："周行而不殆，可以为天地母。"以此处于守恒。这是太阳系九大行星运行的客观规律，宇宙运动法则。

《八卦图》的阴"－－"和阳"——"是完全符合宇宙全息数码的。是单、双数的排列：123456789，单数为阳"——"1、3、5、7、9，双数为阴"－－"2、4、6、8，因此天圆指9，地方指直线8，"无形有界"坐标圆（经线）。"有形无界"阴阳直线（纬线）。《八卦图》的三、五归中，如果把乾、兑、离、震、巽、坎、艮、坤转换看为数1、2、3、4、5、6、7、8、9取5为中，1、2、3、4逆向旋转，6、7、8、9顺向旋转，可标示着九大行星的运行序向图。

从以上分析，说明《八卦图》是幅三五归中图。它反应了九大行星运行的客观规律、阴阳对称互补回互"～"运行，能量守恒的法则。

阳爻"——"与阴爻"－－"，即阳（乾）"3"，阴（坤）2。

迄今科学家们进行了如下的设想：假如我们要和外星人取得联系，首先考虑通过无线电波传送出去信号，这信号就用"数形"语言。

先用数的递加次序代表。1、2、3……然后再发送数的四则运算："$2+3=5,\ 6-2=4,\ 6\times2=12,\ 6\div2=3$"之类的算式。使外星人就会知道"＋、－、×、÷、＝"之类符号的意义。当然，这些数字不用阿拉伯字，而是用图形的点数显示。再次我们可在矩形画面上发送"勾股定理"的图像。这样逐步互相推进，也许就能与外星人初步沟通，并且让这些"数形语言信息"使某个星球上的智慧生物能收到并破译这些语言，甚至给我们"回音"（电）……

我国著名数学家华罗庚，曾经设想过这样一件事，如果其它星球上有和我们人类一样高级生命，那么我们拿什么东西作为与这些外星人交流信息的媒介？他建议用下列三个几何图形。

第一个：我国古代神话传说中的"河图"与"洛书"，以说明数的概念；

第二个："勾股定理"，说明数形关系；

第三个："青出朱入图"，说明几何证明。

《八卦图》和中央的《太极图》是描述天体三维运动时空论，中央的曲线"～"，是天体三维循环运行的轨迹。

《八卦图》的数学模式没有过时，他继续留给人类发挥科学之最，用天圆、地方描绘了宇宙空间天体三维六合运动的坐标系，用简易的＋、－、×、÷运算宇宙自然界万物阴阳象数演变，三生万物。用万物3∶2论证三维六合坐标系，宇宙万物三维是普遍规律。《八卦图》的阴"— —"，阳"——"符号是宇宙信息的"数形"图象，愿将来总会有一天"数形"语言真的成为地球人类与外星人之间的互通语言。

"八卦"64卦的8个方位是由三个阴阳符号组合（64维空间72候），两者基本相似，这三个阴阳组合，与人体三种能量的转化有关。这样，DNA总是以三个碱基对组合为遗传链，与人体三种能量在体内发生着复杂的变化，而自然界磁场对这些生命活动的生长和转化始终起着影响作用。

人体的疾病主要不是源于生理上的原因，而是源于紊乱无序的精神状态，干扰了人正常的情绪。由于为了生存的激烈竞争而产生的心理压力，使人在焦虑、迷惘中失态，这是当前社会上的亚健康群落逐年扩大的关键。由于心理病变而引起体内各脏器和组织的功能失调，从而导致疾病。

由于人体自然数失序，而导致体内阴阳失衡，其能量运动方向的相反"回互"运行被破坏，生命的发展转化也就受到阻遏。

我们从生命数字的排列和组合，得到了启示：

①物质的形成须具有中心；

②物质运动的平衡必须遵循"回互"（～）运动；

③物质守恒与统一，必须对应。

因此人体内阴阳平衡，其能量运动的方向必然是相反"回互"运行，使生命的生长发展转化，才能保持平衡。解开天体自然数与人体自然数之谜，便有可能如伟大科学家伽利略说的"数字是打开宇宙的符号"。

第五节　生物光能和场能对人类的影响

目前，对人体疾病的治疗还停留在以非生命的药物治疗为主的阶段，而对运用活的生物光能物质医治人的疾病，还是空白。

事实雄辩地证明了，宇宙场效应对地球生态的影响，气候异常导致流行性疾病的发生。使人类历史上出现了多次严重的自然灾害，都与太阳系九大行星的天体运动的周期息息相关。当冬季地心会聚的张角小于 70 度的时候，其变冷的趋势越大。史前冰河时期的恐龙的绝迹也与地心会聚张角有关。

由于太阳轨迹成 360 度圆周而复始，于是形成循环的概念。地球自转形成了昼夜的变化，白天有太阳光有热，夜间月亮出现有光无热，形成了寒暑的概念。太阳总是圆的，而月亮的虚实、盈亏，这一周期性时空方位的循环对地球生物的阴阳的变化，天体星球运动对地球生态及人体能量转换规律的重大影响，都直接关系着人体的气血循环流注开闭和内分泌的涨落及阴阳平衡，造成人的体力 3 天、情绪 28 天、智力 33 天（计 64 天）的周期性变化和生物钟的 7 天循环周期的节律变化。

随着天体的星球运动日合及月合的影响，破坏了四季节序和气候，影响地球上万物的生长，带来了人类的周期性疾病的发生及流行性疾病的大量出现。人类的生存面临着考验。

为了避免生态灾难给人类带来的毁灭，我从老子的"整体论"和《河洛》书中寻觅智慧。认为生命信息科学已成为 21 世纪人类新文明的主旋律，生物空间医学能够得到发展，无疑是个福音。

天体运动是自然界一切物质的能量总源，而光是地球上一切生命的能量来源。它是地球生态中生物存在的最重要的条件之一，生命起源与进化离不开光，生物的结构，能量与形态也受光的强烈影响，各个细胞（不同的颜色）相互传递着这一能量的信息，并且又相互依赖，相互矛盾地发展。没有了光，人类及世界上的一切将不会存在。生物光能是研究生物体的物质、能量转化规律的重要因素。

热的变化，热对人体的生理作用的研究是极为重要的，光色与振动频率及光能与光运动的夹角是生命信息极为重要的研究课题。

生物光能的研究目的是探讨宇宙场能与生物场能的场效应机理及非药物场效应医学的应用。宇宙整体的特点是宇宙由显性秩序能量和隐性秩序态的隐能量支配着，对太阳系来说讲宇宙的能量有太阳能和非太阳能（真空能），光波是电磁波，而真空能是电磁场最低的能量态，也是太阳辐射场的最低能态，即基态。太阳自身发光属于阳，绕太阳运转的各行星不发光属于阴，如地球和月亮等，在空间组成一个有序能流的平衡场。人类的生理机能都靠太阳光的能及其转换的能来生存。太阳及宇宙间的真空能场是人类智慧的主要源泉。

既然光的运动能量是生命信息的能源，那么，对生物光能的开发与利用，便具有极其特殊的意义了。

在光学研究中，对于月光，即冷光（吸收太阳光的反射光）和生物体本身所发生的光（大部分属于冷光）却研究得很少。

生物发光体最早从萤火虫的闪光和在波浪起伏的海水表面出现"磷光"入手研究，最后发现发光体系是生物各种酶促进过程的原型，这些酶促过程，在多种生物发光的生物中产生了光，生物发光的形式分为三种类型：

①细胞外发光；

②细胞内发光；

③共栖细胞发光。

光学生物限于两个方面探讨的较多，如天空光（太阳辐射的 285nm 的），太阳紫外线的散射及反射光对生物的有利及有害，色素光所诱发的生物体内的反应等等，但对人体光路的研究少。我经过几十年科学研究及临床实验，发现了人体光能的客观存在的现象，并觉察到了人体光路五彩缤纷品种繁多、形态多变的光图象，我认为它是超光速物质（比光速快 9 万 6 千倍），并有特异穿透能力，是双向调节的光能。

毛泽东在《实践论》中说，"感觉到了的东西，我们不能立刻理解它，只有理解了的东西才更深刻地感觉它。感觉只解决现象问题，理论才能解决本质问题。"我经过 20 多年的潜心研究和临床实验，甚至拿自己的身体进行实验，成功地发现了人体生物光能现象，为今后生物能医学的应用打下良好的基础。

生命的初级阶段由西方细胞医学已提供了大量的基础知识，但是对于生命体的高级阶段的认识，如生命场发光、发热、发电、发声、发胀等现象，来源及转化生物体的正负电子电位平衡，酸碱平衡和新陈代谢平衡的生理程序的关系仍处于初知状态。

整个宇宙是由许多小系统（小宇宙）组合的大系统，人的意识思维便是一个最有序化的、最富有想象力的（联想）空间的隐性生态系统，也是一个最微妙的超时空的系统。有句广告语说得好："人类失去联想，世界将会怎样?"当然，世界不会怎样，只是人类会因为不能从宇宙得到生命信息，恐怕会自我毁灭。目前，对人类大自然的"隐秩序"（潜意识）的开发研究，仍处于初级阶段。

老子的宇宙自然数和"无中生有"；《河洛》智慧等；欧基米德的定律，是在洗澡盆里领悟到了浮力，牛顿的万有引力定律，是苹果树下闪现的，结构发现是化学家梦中得到的，爱因斯坦的相对论是从演算中国的"河图"中的奇偶数中产生灵感的。为什么世界很多发明并不是出现在实验室里，而是在"偶然"的时间、地点上产生的呢? 也许是那些天才们自我开发了隐秩序（潜意识）功能，一种超时空的物质刺激了他们而产生了心电感应。

人的大脑约有1千亿个细胞，但年老时只用了20%的脑细胞，而80%的脑细胞仍处于未开发状态。这说明大脑有惊人的储备力量。人的左右脑功能各有不同，如左脑主管语言、抽象思维、显性意识，右脑主管音乐、艺术、形象思维、潜意识等各项功能有序的进行。

人体是一个复杂的有机生命体。它生存在并能适应于浩瀚的宇宙之中生命体具有移位的特性，能在东南西北、四面八方，上下左右空间活动；而人体之所以能适应这种变化，就是依靠了人体生物场具有的独立性和对宇宙场特殊的适应性。人体在位移过程中对地球磁场的适应性，区别于指南针，指南针不论在地球表面的任何部位，磁向磁规总是不变的。这就是生命体存在的特殊形式和非生命体的根本区别。

人体的奥秘复杂性在于人们对人体多维空间的变化规律并没有完全明了。人体生物场是人体的生命源泉，而在生物磁场驱动下的神经、体液调节，各部组织，脏器之间都有紧密的联系，而人体内外、表里、上下、左右的联系都和多维空间密切相关，它内起自细胞，外结于器官，而各器官又开窍于五官七窍，四肢百骸，网络全身。由此不难发现，每个细胞无不相连，就象每片树叶都连于树根一样，每个系统、每个内脏器官都相辅相成。如：胃补脑、脾补肺、肝补心。五脏六腑就象一台多项电动机，不停地释放能量，又不停地进行能量组合，由此阐明了人体生物场物质能量流向的规律和变化；从生物磁场的变化，可透出健康状况，用变化的轨迹，显明了内脏与全身各组织的密切关系，这是一种有规律"场"的运动。当生命场的规律打破后，致"场"的运动无序，当无序之时，疾病就发生了。

在那远古的时代，医圣先贤们在生命科学的认识早已那么的全面，且又详述的那么准确，下面列举一例：

一、营气

《灵枢·邪客》篇曰："营气者，泌其津液，注之于脉，化以为血。"营气可称之为血气，认为营气是食物的精华所化生，生成血液，营气和血液循行于脉中——气血并行。

二、卫气

《灵枢·营卫生会》曰："人受气于谷，谷入于胃，以传于肺，五脏六腑，皆以受气，其清者为营，浊者为卫，营在脉中，卫在脉外，营固不体。"可看出卫气的生理功能，有调节平衡内分泌系统的作用，且有预防功能，增强抵抗能力和吸收、排泄等功能，是营气的守护者。

三、宗气

宗气是水谷精华和人体吸入的大气结合而成，积聚于胸腹部位。《灵枢·邪客》曰："宗气积于胸中"《素问·平人气象论》曰："……出于左乳下，其动应衣，脉宗气也。"《灵枢·刺节真邪》曰："其下者，注于气街，其上者，走于息道。"这是对心、血管、肺、血液循环等极形象地描述，并准确地指出了心脏的解剖位置及和肺部血液循环关系，即宗气的推动力很强，向下者经胸腹部而注入足部，向上经肺到咽、喉通上呼吸道至脑。

四、原气

原气藏于肾脏，肾是先天之本，为先天之气，肾脏功能情况怎样是人身体健康最重要的保障。

圣贤朴素地、科学地诠释了营气、卫气、宗原之气的功能，是指人体能量代谢、转换和利用及气血循环的规律性，揭示了人体能量和信息在体内运行的轨迹，是各种生理功能作用的体现，是一个有序的生物磁场的运动图解，是智慧的结晶。

我在进行临床针灸的治疗中，深切感悟到人体"气"的存在。我运用"双手行针""脉管针导线回路"方法，根据不同的病情，采用针刺"血管"和"肌肉"，对调理营、卫、宗、原之气的康复有很好的治疗作用。

营、卫、宗、原之气，是多维空间人体生物场的运动。充分显示了古人聪慧和中医整体观的科学性。

第二章　探索生命的奥秘

第一节　人体是一个三维六合坐标系

　　宇宙万物都有其自身的中心和方位，都有上下左右前后这一三维六合的坐标系。

　　人的中心——"肚脐"（丹田），上与天相接称为"阳"，下与地相接称为"阴"；左为"阳"，右为"阴"，前为"阴"后为"阳"；上下为"竖向"（"八卦"称"乾坤"）；左右为"横向"（"八卦"称"离坎"）；人体前后为"纵向"（"八卦"称"震巽"），这构成了人体的"回互运动"。

　　人体这一三维六合各向异位的磁体，它们之间的关系又是怎样的呢？

　　先说上下。朱熹撰《周易参同契考异》中有云："以人身言之，则乾阳在上，坤阴在下，而一身之阴阳万物，变化终始皆在其间"。上下人体的总方位，不仅如此，人的上体还是生命的总能量来源。心、肝、肺、脾、胃、脑组成了三动、三静的三组组合能源，皆藏于上体，可为人体制造能量——摄取自然界食物以供生命运动，并由内脏中各器官加工输运。

　　再说左右。这是相反相成的能量运行的通道。古人早就提出了"天地人合一"的理论，以日、月的运行变化来说明人体气血运行，坎戊月精，离己日光，日月为易，刚柔相当。以日、月说明左、右的能量运行是非常恰当准确的。我在双手行针的几十年临床实践中发现左手行针和右手行针时方向则相反，病体信息感传便往人体的中心运动，作向心运动右手行针时是离心运动。在这种规律下，左手为"定向"作用，右手为"指向"作用。左右手的感传方向不同，运气时它们放出的能量的温度也就不同。左手放出的能量是热的（称为"阳"），右手放出的能量是冷的（称为"阴"）。古人以为"左手青龙，右手白虎"来比喻左右有别，坎离而位，上下升降。

再说前后。人体以"肚脐"（丹田）为中心，脐以上为"阳"，脐以下为"阴"。前为"阴"，后为"阳"；左为"阳"，右为"阴"。"八卦"中的乾、坤、坎、离，本质上体现了人体磁场方位。

①人体上、下 z、o、x 称为立面；

②人体左、右 x、o、y 称为横面；

③人体前、后 y、o、z 称为纵面。

第二节　人体是一个多边形球体

人体的三维坐标系都是阴阳"对立统一"。

自然界把地磁场分为东、西、南、北四个方位，人体南北为总方位，东西阴阳两个相反的运动，分别代表相对的静止运动态和相对强烈的运动态。

我们细心观察就会发现，胸式运气，胸起腹伏；腹式运气，腹起胸伏，两者结合，就成一个 8 字形。（1981 年在上海复旦大学激光组用灵敏炭斗测量发现，胸式运气放出的"外气"指针顺转——红外辐射，腹式运气放出的"外气"指针逆转温度下降，是冷的）。当正常的一呼为热，一吸为冷，在人体中进行能量的交替和转换。

左、右两侧的能量运行也是成"8"字形交叉。并从光图中发现"脐中"是人体定位点。根据"八卦"方位中的阴、阳回互"～"运动规律，用0－63 数字回互"～"排列在圆形图中八个方位上（见图 2－1）。

从中央小圆向外计 1－8 个圆形，大圆的数字之和减去相邻的小圆的数字之和，都等于64。根据"八卦"64 个方位点，再用64—127 的数字排列在八个方位上见图 2－2，发现64—127 的 64 个方位点减去 0－63 相同的方位点，得出的数字恰好都是64，因此就成了 8×8×64。（同心圆）

这个数字排列的平衡告诉我们，磁场从中心由小到大，呈涡流形向外传播，这种波体现前浪推后浪，在数字计算上非常平衡。这表明，生命磁场同样也是受磁场运动规律的影响的。

论述天体自然数之排列，向前都是以倍数递增扩大，向后以倍增数减半，其差数为 4 倍。在每个数的对应，都遵循三维坐标系。即：同心圆，如果我

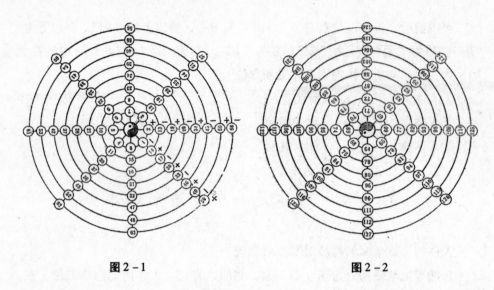

图2-1   图2-2

们从侧面观察，像"波浪"运动。

如果以直线由中央向外数，每个方位的直线数恰好是外数减去内数。从乾开始逆向运行和坤开始逆向运行，可得数字 1-15，15-1 的"回互"运行规律。

如果 0-63 为阴（人体前为阴，后为阳），64-127 为阳，那么前后阴阳周期也是以 8 个方位的八八六十四为循环一周。如果前后相同的方位点用阳减阴，则每个方位的数字都等于64。

能量在人体内是以"8"字的形式运行的。而"8"字形的能量运行恰好是回互"～"的轨道。可以用数字排列来阐明人体能量"8"字回互运动是平衡的。古人在"八卦"中以二进位制的形式，绝妙地把它体现出来了。

因为"坤、艮、坎、巽、震、离、兑、乾"可以用 0、1、2、3、4、5、6、7 表示，所以〇、①、②、③、④、⑤、⑥、⑦就组成第一个"S"形数字回互（指人体上、下能量的运行）。

8、9、10、11 与 12、13、14、15 组成第二个"S"形回互（指人体左右能量的运行）。16、17、18、19 与 20、21、22、23 组成第三个"S"回互（指人体前后能量的运动）。这三个"S"形本质上和前述的人体的左（东、西）、中（南、北）、右（前、后）三条能量运行轨道相同。

外围的 31、32、33、34、35、36、37、38 是每条直线方位上互相对立的两个数字之和。例如：31＋38，32＋37，其和都是69。这又证明了以肚脐为中心的等距离的人体能量的守恒原则。

《八卦图》中两个黑白回互、象眼睛似的图案叫做"太极"，称阳动、阴静。它是人体中万物化生的结晶，为阴、阳的结合。它黑中有白，白中有黑，是说明阴中有阳，阳中有阴。定位八卦中心，实际是人体生物场的中心，即脐象征着人体三维能量流的转换点（即拐点），它是人体中两种相反方向运动的能量流汇集和转换的中心（回互曲线）。

所谓"五行"，而是指人体五个磁偶极矩的能量。"五行"运行八个方位恰好是360度。因此人体能量运动与自然界的方位和时间是密切相关的（图2－3）。"五行"的数字排列，说明方位的平衡和对立统一。我发现乾、离为一个感应流（指磁场对人体的感应），坎、坤为一个感应流，巽，艮为一个感应流，兑、震为一个感应流。

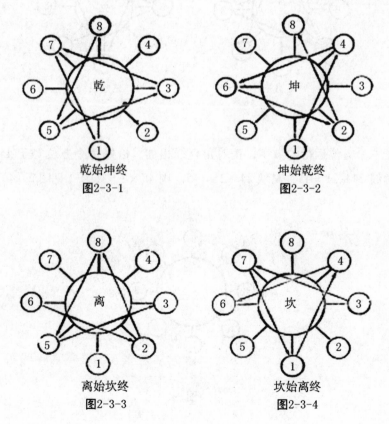

乾始坤终
图2-3-1

坤始乾终
图2-3-2

离始坎终
图2-3-3

坎始离终
图2-3-4

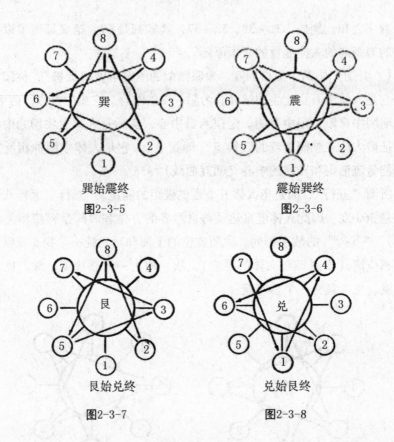

巽始震终
图2-3-5

震始巽终
图2-3-6

艮始兑终
图2-3-7

兑始艮终
图2-3-8

把八个方位运行的数字，按对角直线相加，恰好每个方位等于45°和乾坤对角线 24 + 21 = 45，离坎 24 + 21 = 45。则 45 × 8 = 360°（见图2-4）。

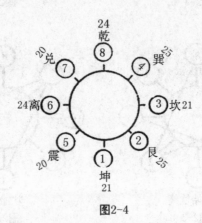

图2-4

在图 2－5－1 中，每个方位的小圆对角数相加等于 63；56＋7＝63，40＋23＝63；每个方位的小圆中方格的角上的数相加，都等于 126。如：55＋24＋39＋8＝126，56＋40＋23＋7＋126。每个方位的小圆与对角小圆中间位置的数相加，都得 126。

人体是一个三维磁体，每一维体包含着八个方位，三乘以八等于 24 个阴、阳。人体能量在体内就是按照每个坐标八个方位在"8"字轨道上运行，按三个坐标系，八个方位的数字把它排列起来，可以看出人体能量运行是守恒的（见图 2－5－Ⅰ、Ⅱ）。

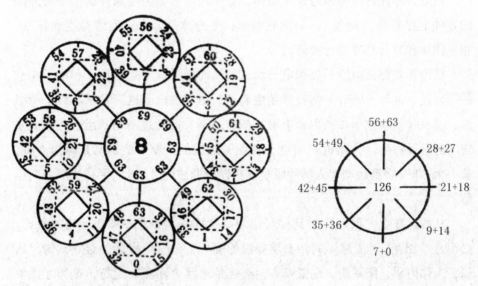

图2-5-Ⅰ　人体能量运行守恒与八个方位数字排列　　　图2-5-Ⅱ

如果把每个方位的小圆总数 252 与对角的小圆 252 相加等于 504，那么 504÷8（方位）就等于 63 了。

由上所述，我们看到人体以"脐"为中心的等距离体位关系，以及能量的相互转换关系，能量的守恒是不变的。"八卦"图中即两个黑白的（阴阳鱼）回互"〰"，象眼睛似的图案，黑中有白，白中有黑，即阴中有阳、阳中有阴，正"8"字循环往复以至于无穷的能量运行。

人体磁场论的推出，无疑对现代医学的发展突破经络的框架，将开创一个新的理论体系，使我在这 20 多年的"双手行针"，"导线回路"和"脉管针导线回路"等临床实践证明这一方法的可靠。用这些方法在给病人治疗中引起强烈共振而产生对应感传，使自身的生物场能量得到加强使病体从无序状态（病态）向有序状态转化而得医治，达到用药物所不能达到的疗效。

第三节　生命遗传工程 DNA 与"八卦图"

自然界存在着生命体与非生命体，非生命体不断为生命体提供不可或缺的各种生存条件（能量），如阳光和水；生命体系，也支配着非生命体系，相互作用和对自然界进行协调。

任何物质都是由原子核和电子组成的，而原子核又是由质子和中子构成的。因此，世界上所有的物质都是由质子、中子和电子这三种基本粒子所组成，这三种基本粒子在核力和电磁力的作用下，能通过不同的组合，形成宇宙间的各种物质。人体也是由电子和原子组成的。原子的运动是球形对称，象一个"8"字型运动，人的呼吸是胸腹以波形往返沿"8"字型相反方向运行。

从前述数字"回互"排列中可以得到这样一个概念：物质运动的平衡，必须是"回互"（往返）的；物质守恒的统一，必须是相对（对立）的。所以，人体内阴、阳平衡，能量流方向必然是相反"回互"运行，这样才能使生命的生长和转化保持平衡。

（1）DNA 左旋为 12 圈，这又与"八卦"中讲天干为 10 数，地支为 12 数组合运行吻合，同时遗传密码 B——DNA 右旋为 10 圈，Z—左旋 12 圈。（见表1）

因此，"八卦"和 DNA 的相互关系与人体三种能量的转换是存在着一定的联系。

表1　DNA 密码 B – 右旋 10 圈 Z – 左旋 12 圈与天干为 10 数，地支为 12 数的 60 周期排列

1	天干 B – DNA	1	2	3	4	5	6	7	8	9	10
	地支 Z – DNA	10	9	8	7	6	5	4	3	2	1
2	天干 B – DNA	10	9	8	7	6	5	4	3	2	1
	地支 Z – DNA	11	12	1	2	3	4	5	6	7	8
3	天干 B – DNA	10	9	8	7	6	5	4	3	2	1
	地支 Z – DNA	6	5	4	3	2	1	12	11	10	9
4	天干 B – DNA	10	9	8	7	6	5	4	3	2	1
	地支 Z – DNA	7	8	9	10	11	12	1	2	3	4
5	天干 B – DNA	10	9	8	7	6	5	4	3	2	1
	地支 Z – DNA	2	1	12	11	10	9	8	7	6	5
6	天干 B – DNA	10	9	8	7	6	5	4	3	2	1
	地支 Z – DNA	3	4	5	6	7	8	9	10	11	12
		72	72	72	72	72	72	72	72	72	72

天干 10 圈左旋，地支 12 圈左旋；DNA 左旋是 10 圈，左旋 12 圈。形成了 64 维空间阴阳对称，74 候阴阳阴三维六合循环体。$6 \times 10 = 60$　$6 \times 12 = 72$　$12 \times 72 = 864$ 这是宇宙常数 3.2，就是说天干和地支数配宇宙常数，恰好是三维循环数：$864 \div 8 = 108$，$864 \div 9 = 96$，与八卦图描述天体三维六合立体运动是一致的。

表2　DNA 密码三字组合与《八卦图》三字组合

	乾	兑	离	震	巽	坎	艮	坤
	+ + +	+ + -	+ - +	+ - -	- + +	- + -	- - +	- - -
7	AGA	AGC	GCA	GCT	TAG	TGT	CTA	CTC
6	AAG	AAC	GTA	GTC	TGA	TGC	CCA	CCT
5	AGG	AGT	GCG	GCC	TGG	TAC	CCG	CTT
4	AAA	AAT	GTG	GTT	TAA	TAT	CTG	CCC
3	GAG	GAC	ACG	ATC	CGA	CGC	TCG	TCT
2	GGA	GGC	ACA	ACT	CAT	CAC	TTG	TTC
1	GAA	GAT	ATA	ACC	CGG	CGT	TCA	TCC
0	GGG	GGT	ATG	ATT	CAA	CAT	TTA	TTT

（2）八卦的"S"回互；人体的能量"8"字型运行和 DNA"双螺旋"，都是回互运动。磁场（方位）影响人体能量，"DNA"的信息传递人体与能量转换又密切相关，因此八个方位六十四卦（阴、阳）、DNA 正负链上 64 个（A、T、C、G 四个字码编排恰好是 64 个）遗传密码（见表2）与人体能量"8"字型运行，象征着互递信息过程的对号入座。

注：A——腺嘌呤（Adenine）

T——胸腺嘧啶（Thymine）

C——胸嘧啶（Cytosine）

G——鸟嘌呤（Guanine）

我们还可以从蛋白质的组成来看一下人体生命的奥秘。

蛋白质是人的生命不可缺的结构成份，其结构的复杂性决定了其功能的多样性。这一切功能的复杂性是与其数排列分不开的。其中 α - 螺旋是蛋白质的基本结构之一。

（3）我们看到一位德国生物学家论述了《八卦图》与遗传工程 DNA。

α - 螺旋的基本组成，每一个氨基酸与另一个氨基酸的角度为 100°，每周有 3.6 个基。

我们从 360°的关系中设：360 ÷ 100 = 3.6。人体脊椎 32 节，与 DNA 密码双螺旋排列是互补关系，一个是 360°，另一个是 3.2，与天体太阳系 3.2 和

360°的自然数也是一致的。

所以，α-螺旋在蛋白质结构中起着重要的作用，在维持蛋白质的结构和功能的稳定性中，有着重要意义。

人体的发生过程从受精卵到合子，从合子到分裂为两个子细胞裂球，再到四细胞期，八细胞期，十六，三十二……。（1+2+4+8+16+32+64）与"八卦"中说的无极生太极，太极生两仪，二仪生四象，四象生八卦的演化是绝对一致的。（如图2-6）

人的大脑分两半球，左为阳，右为阴，象形着太极圈的回互"～"线。

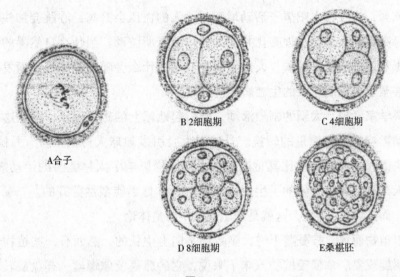

图2-6

人体的上半部分由头颅骨29块和颈椎骨7块组成，共36块，以"6"为节，是圆形的封闭数6×6=36，圆的周角为360度。

人体的中部由胸12对肋骨和12块胸椎骨构成，合计为36块，也是360度。上肢单侧肱骨1块，尺骨1块，桡骨1块，锁骨1块，肩甲骨1块，腕骨8块，掌骨5块，指骨14块共32块。人体双侧上肢共64块。

人体的数码排列为64、32，与天体运动的周角数360度和周长常数3.2的数值是相同的，其衍生模式也是无极生太极，太极生二仪，二仪生四象，四象生八卦。($1 \times 2 \times 4 \times 8 = 64$)。

第四节　生命能量与生物场

自从西方医学成功地对人体进行解剖，从发现人体构造组织方面进行了细致入微地研究以来，使人类增长了对人体结构的全方位了解。然而，人的生命现象其中的奥秘，却仍待进一步探索。

比如，为什么太阳黑子活动增强时，人的血压会升高，心跳会加快？为什么月亮影响人体的生理变化并使人的情绪有所波动？为什么自然界的四季变化影响人类的饮食起居？人体生物钟节律为什么会随着地球转动而发生变动？甚至于会控制着人的生老病死？等等。

科学家发现，太阳的剧烈活动，能引起地球上的磁爆现象，正是这种磁爆活动影响了人体能量的转换。月球引力会引发地球大海的潮汐，月圆时，人的头部和胸部电位差比其他时候大，这同样影响了人体能量的运动规律。可见人与自然界是一体的，生命体与非生命体是不能截然分开的。"域中有四大，而人居其一焉"，这就是老子哲学中的整体论。

以植物而言，枝蔓茎干绝大多数都是向上生长的，然而有一些植物却存在着螺旋现象。拿攀援植物五味子来说，它的藤蔓便像螺丝一样盘旋转，是左旋按顺时针方向缠绕向上生长的，即东——南——西——北。与此恰恰相反，盘旋在竹竿或其他支架上的牵牛花的藤在旋转时却一律按逆时针方向盘旋而上，如果人为地将其缠成左旋，它生出藤后仍不改其右旋的特性。

令人惊奇的是，还有少数植物藤蔓的螺旋转的左右兼有的，如葡萄就是卷须缠住树枝攀援而上，其方向忽左忽右，既没有规律也没有定式。英国著名科学家科克曾把植物旋线称为"生命的曲线"。植物的树蔓茎干为什么会出现右旋转生长的现象呢？一般认为，这是由于南北半球的地球引力和磁线的共同作用。而最新的研究表明，植物体有一种生长素能控制其器官（如茎、藤、叶）的生长，从而产生螺旋式的生长（攀援）。玉米种子发芽时，胚根伸向地球南磁极的种子要比伸向北极的早几天发芽，而且健壮。胚根伸向北磁场的种籽发芽后，芽瓣也会指向南方，就象南方有一种力量时刻拉着它似的。这是个遗传问题。

对于磁场与生物之间关系正在一天天深入地探索着。国外有科学研究机关建成了磁感应强度为二十五高斯（磁量单位）的磁体，除了用于物理实验外，也用来研究磁场和生物，特别是磁场与人的机体方面的种种关系。

恩格斯曾说，"人本身是自然的产物，是在他们的环境中并且和环境一起发展起来的。"太阳、地球和人体内部虽然都存在着电流，但太阳内部存在的是环流电流，地球内部存在的是地磁电流，而人体内部存在着的却是生物电流。无生命磁体产生的是高物理能，而生命磁体所产生的是微物理能。两者虽然都存在着南北两极，但人体的极线是以"脐"为中心，向上到手的中指为南极（S），往下到脚的中趾为北极（N）。生命磁体具有上下、左右和前后，是各向异位的磁体。

人的上部热，是南极（阳），下部冷，是北极（阴），其磁体的左部为正极，右部为负极。前为阴，后为阳。比如，人在睡眠时，有些人头顺南，脚朝北能睡得着，而头东脚西方向则会失眠；有的人则相反。这就涉及到生命磁场的方位了。

"八卦"中所说的太极点就是气功中所说的丹田，即生命磁体中心——肚脐。丹田是人体能量流汇集和转换的地方。"两仪"所指的坐标线，把人体分为上、下、前、后和左、右。生命磁体方位线的划分是上下为"竖"前后为"纵"，左右为"横"，组合为人体的三维坐标系。人体能量流循此而运行不息。

"四象"指人体的面（坐标图）。人体的上面（肚脐以上）与天相接，下面（脐以下）与地相连，前面与月相对，后面与日共寝。

"八卦"则指人体与天地垂直的八个方向。

再比如，乌龟背壳的左右侧边是不规则的多边形，恰好是左边 12 个，右边 12 个，与人体的 12 阴和 12 阳，"八卦"的 12 阴、阳 24 相似，中央一块完整的六角形，左、右各 12 块的分布，象征着磁场方位的排列。中心一块，周围为 36 块，乌龟的腹是 8 块代表方位。

人的脊椎为 32 节，影响着各个内脏器官的作用。如果把脊椎左右一分为二，恰好是 32 个阴阳，为"64"。这是"八卦"的 64 卦，与人的遗传 DNA 密码的 64 个组合排列相吻合，也是与磁场方位密切相关的排列。

这种基础能量就源自于生物场的作用。

地球上的万物生长都与生物场作用息息相关。

比如，有许多软体动物呈螺旋形，蜗牛、河蚌、田螺、海螺等等，其螺纹有的左旋，有的右旋。

1995 年我到美国夏威夷讲学，看到海滨有一种像西瓜形状的海生物，它的外形是半圆的硬壳，呈现 8 条，圆周排列，这 8 条线的排列与"八卦"图周围的 8 个方位，三字组合是相同的（3×8＝24），而且，每条线是三种颜色组合而成，这又与宇宙九大行星的三维空间的描绘是一致的，而且与"八卦"图方位也是一致的（图 2－7）。

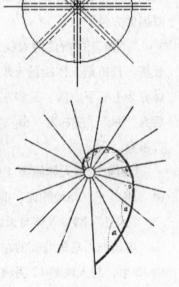

还有，我在庐山志秀峰上的黄戈寺西南方向发现了两株树，一株是柳杉，一株是银杏，两株间距为 250 米，东为银杏树，西为柳杉。

在银杏树和柳杉树平行排列时，我发现银杏树的方位恰好与柳杉的方位排列是相反的；而第二株柳杉的方位与第一株柳杉的方位是相反的。同一种类树的方位排列，雄性和雌性的方位排列则有着不同的排列。

人也一样，他们的螺纹表现在手掌和脚掌、

图 2－7

头皮上。男性的阴囊和女性的阴户也都呈螺纹状。会阴和百会处的螺纹生长在躯体两端，前是任脉，后是督脉。这两脉恰恰是人体中线能量流运行轨道的两端。手指和脚趾是人体脉络的极端，即生命磁体的极端，左是太阳，右是太阴，此两脉在人体左、右两侧，是人体向心和离心这两大能量流运行轨道的终点。

蝙蝠从高处按锥形螺旋的途径飞行，灵巧的小松鼠按螺旋形路程在树上爬上爬下。有一种蜘蛛完全按照对数螺旋形织网。有一种复眼结构的小昆虫，在被光源吸引时，因为它的复眼结构不能直接向前方看到光源，只得使自己的飞行取一定的角度，也就是取一条螺旋形线路才能达到光源。人往陡坡行走，如果是直线上升便觉得十分吃力，而如果按螺旋形往上走，便觉得很轻松了。

光是一种电磁波，是场的运行形式，我们发现人体中光图的运动不但沿线和圆运动，有着三维坐标系的规律，而且发现奇特的螺旋线运动。

大家都知道，光对人的生命十分重要。那么你知道人的眼睛是通过什么途径看到光的吗？是"直线"还是"螺旋线"（包括涡流）？这就涉及到光的运动形式这个问题了。人类最容易感觉的是光，光具有"波"和"粒子"这二重性。人的眼睛感光是由于光辐射到物体再反射到视网膜，这就是人的眼睛找到光源的途径。特异功能者"透视"，这似乎反映有这种能力的人的睛力是不受物体的遮挡的，是能透过物体找到光源的。从物理学的场论来说，特异功能的人有着绕视能力，即螺旋波动的功能。从这些现象可以推论，人的视觉细胞有不同的构造，因此找寻光源的途径也是不同的。

古代大气功师在练坐功时，十分注意手心、脚心和头心这五心向上的盘坐，这就是"五心朝天论"。"五心朝天论"实际上就是五个螺纹朝天，表示与天相应，即与自然界的风、雨、雷、日、月相应。

人的手指和脚趾的螺纹生长方向，是很值得研究的，右手"畚箕"纹往左旋（向内旋），左手的"畚箕"纹向右旋（向内旋），左脚"畚箕"纹向外旋（向外旋），正好同人体磁场运行方向是一致的。

人直立时，两臂上举，掌心向前，这一方位与脚掌趾纹是同方向的。如果人直立时，两臂上举，掌心向后，这一方位与脚趾纹是反方向的。这时，上体前胸为阴，背为阳；下肢前为阳，后为阴。

手脚为人体能量运行路线的两端，此外螺纹密布，是与自然磁体的情形相同的。磁体两端磁力线，磁性最强，人体磁场也是如此。手脚两端就是生命磁体的两极。两手与两脚是一前一后，即南、北两极，有了这个极性，人体的手脚力量就大，灵敏性强，方向性也准确。

螺纹——分明显示着生命与地球场息息相关的生命活动现象，毋庸置疑证明了，环流轨道端点对能量流的运行有着极其重大的意义。

螺（旋）线这个名词来源于希腊文，它的原意是"旋卷"或"缠卷"。在自然界中螺线经常可以见到。生命的生长也是以螺旋线的形式进行的。英国著名科学家 T·科克把这些螺旋线称为"生命的曲线"。可见自然界中某种奇妙的螺旋结构，早就被人们注意到了。科学家从人们的日常生活环境，一直研究到生命系统的结构、生长和新陈代谢，都证明了螺旋结构的广泛分布。这是与生命界有着奇妙的内在联系。

根据上述人体体位的对称关系、等距离关系和磁偶极矩，可以得到对人体磁场的认识。人的上体是一个大磁体，四肢是两两相对的四个小磁体，在大磁场的控制下工作。大磁体的能量是四个小磁体能量的总和。心、肺、肝、脾、肾、胃等功能强，四肢必然强健。

1781 年，英国化学家卡文迪许（Caveneish Henry）发现氢气，氢气在氧气中燃烧即产生水。拉瓦锡从这个现象中悟出，人体呼吸过程中，氧气不仅与食物中的碳化合，肯定还与食物分子中的氢化合不仅产生二氧化碳，也一定产生水（呼出的气体是潮湿的）这种现象与木炭燃烧相似，木炭燃烧消耗的是氧，产生的是二氧化碳。

这就是说人和蒸气机的能量来源相同，都是碳、氢原子与氧相结合而来的。但是，燃烧木头产生光和热，而食物在人体内燃烧只产生不高的温度，完全不发光。人体中产生的水和二氧化碳中，水是通过脱氢反应而形成的，是乳酸类化合物中释放出来的氢原子与氧化合产生的。二氧化碳则大部分是通过酮酸的氧化脱羧反应而成的。

人体的能量是在脱氧反应中产生的，简单的燃烧不能产生形成高能磷酸键所需要的能量。因此可以说，人体是通过氢的燃烧而获得能量的。而碳的燃烧则是次要的。燃烧单位重量的氢要比燃烧同样的重量的碳所释放的能量大得多。

人体内含有 70 多种元素。其中氧、碳、氢、氮占人体总重量的 96%，而氢和氧所构成的水竟占人体总得量的 70%。人可以十日不食而生存，却不能一日不饮水而活着。可见水对维持生命的重要性。至于呼吸则是一分钟也不能停止的，可以说人的呼吸是维持生命之本。吸入的空气中，占 20% 的氧气，占 70% 水蒸气。因此可以说人的生命体赖以生存的主要能量来源是氢、氧、氮和其它一些元素。

自然界能量的转换，如机械能转化为热能，热能转化为电能等，一般是机械地进行的；而生物体的能量转换，则是有机地进行的。人体细胞内各种物质的能量由于自身演变和同外界交换而发生变化，从而产生新的能量，它是生命体中的一种活力。这种能量的转换形式是多种多样的，它包括由化学能转换成电能（生物电），由化学能转换成机械能（肌肉收缩）。由光能转换成化学能（光合作用），以及化学能间的转化成高能键（氧化磷酸化作用）。

尽管人的生命体中能量的转换形式多种多样，就感受来说，通常只觉得热与冷，但对冷热的感觉也不一定准确，比如：在上海有一患者接受发功治疗时，患者自感受气部位发凉，而用体温计测试该处温度，却比未受气的正常部位高 2℃。

在自然界里，木头燃烧产生光和热，磨擦可以生电等现象。而在人体中，物质的氧化和由氧化而产生的新物质之间的演变，是在高度精确而细致的分工下进行的。由此而产生的热、光、电等能量被巧妙地储存到一些中间物质或指定的器官内，人们在正常的情况下感觉不到或只能感受到热与冷，然而，这是生物"场"的运动，能量物质的流通与转换现象，是生物能量，带来的生物场效应。

第五节　人体能量转换

有这样一个实验：将一个普通的木制方凳，倒置在装满清水的盆口上，四个人各站一方，用右手的中指轻触（不要用力）木凳一条腿。待 5～7 分钟，木凳就开始旋转起来。

根据人体场的临床现象，我们认为木凳在满满一盆水的水面上会转动，是由于人体场的作用。4 个人代表着 4 个方位，因为人的右手能量运行是顺时针方向的，所以木凳的转动也是顺时针方向的。人的左手电位和右手电位是不同的，右手的能量是顺时针方向运动，左手的能量则是逆时针方向运行。木凳能在一碗水面上旋转，是因为盆中的水受到场力的影响，产生旋转，从而带动木凳转动，而这种场力是四个人手的"电势"（能量流）通过凳的木腿传入到凳的板面形成磁场的"电势"，往水中运动，而盆中的水受到磁场的作用，"电势"往上运动，二者就会发生效应，产生力矩，推动了盆中的水的旋转。由于人体场的电势是右旋（四人都用右手），场的运动就顺转，如果人体场的"电势"是左旋转（换用左手），场的运动就逆转。

这个实验证明了人体的左、右能量的运动方向是不同的。我们把左手定为正极（阳），右手则为负极（阴）。

人体是由固态、液态和气态三种物质组成的生命体。由于它们之间的相互作用相互转化，生命就演化成为天地相应的运动。人体内的各个脏器之间的相互影响发展变化使生命不断地延续下去。这是非生命体所不具备的。因此，生命体内的能量运动还具有信息输送活的能量，这一特征使它与体外的信息能量相匹配。

人的上体是生命能量的总源，包括脑、心、肺、肝、胃、脾而形成"三动"（心、肺、胃）和"三静"（肝、脾、脑）这三个组合的能源。维持人体生命能量的原材料、燃料和养料。来自于呼吸和饮食，输入各脏器后进行加工制造被人体吸收后新陈代谢。

人体左右是相反相成的能量—行的互换，使能量在周身运行平衡。古人以日月运行来说明人体气血的运行，以日、月比喻人体左右能量互换；古人称身前为阴、身后为阳。左右两臂并举，身体直立，以躯干成为轴心的人体，恰好肚脐（丹田）为中心坐标，也就是磁场。所以，"八卦"中将上、下称为"竖向"，（乾坤）。左右称为"横向"（离坎），人体前后为"纵向"，与人体上下左右"回互"。

由此可见，人体方位恰与天体方位相吻合，所以，我们祖先推出了"天地人合一"的整体观。

肌肉中的电信号，达到 20 ~ 30 千周，人的生命现象跟电的现象是分不开的。细胞产生微弱的电流，以光环、热环、声环、电环和磁环的形式传到四肢和各个脏器。生物电在人体内流动，会发射出微弱的电波。不但人有生物电，就是植物也会产生这种奇妙的电流。

1981 年 10 月在上海复旦大学激光组做了一个实验，用示波器与受试者身体上的金针连接，这时没有任何电讯号，但当我用双手同时捏住金针对两根导线发放"外气"（手不触针）时，发现示波器显示出强烈的波峰，这说明人体是存在着生物电的。

所有生物体本身都有生物电。18 世纪时，伽伐尼在青蛙身上做的实验表明：生物体的神经受金属物刺激的时候会发出短暂的电流，就像针刺病体立即会产生一种类电感传现象一样。针是金属，它与生物体的肌肉神经发生作用，术者的电流就沿着传导到病体，达到治疗目的。

人、动物、植物、细菌和细胞可以发射微弱的、很小的无线电信号。波尔博士说，这种信号在细胞分裂期间特别强，它总有一天可以帮助科学家们控制癌的疯狂生长。细胞发射无线电信号可能在胚胎生长、伤口愈合、人体的日常功能（例如消化）以及肿瘤和癌的生长中发挥作用。也许，如果可抑制、加强或控制这种无线电信号的频率，我们就可以控制癌细胞的生长了。波尔是在 1979 年他的实验室里发现细胞能发射微弱无线电讯号的，当时我在细胞上喷撒了奇迹粉末，以控测细胞周围的电场。因此，我证明了活细胞的确产生电场。各种活东西——从细菌到海藻，从老鼠到人——都有这种电场。自从生物进化在 35 亿年前开始以来，这种现象就一直存在，即使所有活的细胞都发射这些电波，也不能从每个人那里检测到这些电波，这些电波与特殊的感官知觉没有任何关系，这些信号极弱，因而在人体的盐水里被淹没和消失了。

生物电能便是生命活的信息能量，人体生物"场"起源于细胞生物"电"，细胞生物"电"又伴随着新陈代谢过程，而新陈代谢必然要进行物质交换，产生物质之间的相互作用。

相传明代的张三丰，他面对病人"转动手指默念'咒语'就能治病……"宋代的大文学家苏东坡（苏轼），他能面向病人对坐就能给"气"治病。古代对这种治病方法叫"布气"。对这种能力称有"功夫"。我现在叫做"生物功能态"，这是一种生命现象，是生命活的能量用来治病，作用于病体改变"场"的运动——即使能量序化。

这种"功夫"是活的能量现象，给人带来益处，但也使人感到有一层很神秘的面纱，在科学发展的今天，要想揭开这层面纱也不是件易事，因为毕竟人本身就是最神秘的杰作。今天我们要研究他，明白他，是要付出努力的。我认为：人体及人体本身各个器官，不仅相互决定着在体内的运动态和其属性，而且在一定条件下能量还相互转换。所以对人体生命科学的研究：第一不能把活的生命现象片面地孤立的去研究；第二也不能把"死"的（离体的器官或已丧失生命力的）"实物"去孤立研究，而要把两者结合起来，整体研究。更重要的是对活的整体和活的器官——"场"运动之间的相互关系的研究，只有持这种整体观，其研究结果才是完善的。

活的生命体——生物"场"，与自然界的场，虽然同时客观存在，但两者是不同的。自然界的"场"不是随意的，而生命体的"场"是随意的。人体经过长期训练，可由意识调制生命本身的活动，并可作用和调节其他脏器"场"的活动。

1980~1986 年在上海瑞金医院中医科主任刘德傅教授的指导下，我与上海第二医科大学、上海复旦大学、同济大学、华东师大和第三人民医院等单位合作，对我在气功态时出现的一些生命现象，用物理的和病理的等方法进行研究和探索。

在刘教授的指导和协作单位的努力下，我们对人体一些生命现象的探索取得了进展，但是对"外气"所取得的科研数据，并不是生命现象的实质，而是生命的现象。在测试中气功的"外气"有的表现为光电（可见光）效应，有的表现为温度效应，有的表现为电磁场、微波、超声等。由此可见气功外气发放的物质是多种多样的，用微波的仪器测到微波，用磁强度计测到了磁场变化，用光电倍增管测到了光子……。我认为，测试的结果，只能说明气功的"气"是有物质基础的，而不能证明发放的"外气"所测到的微波、超声波和光电流等就是"外气"的实质。

生命运动形式是高级运动形式，要揭示生命体的奥妙，用检测自然界高物理能的仪器是远远不够的，要检测生命体的微物理能，应设计出适用于生命信息的仪器。从设计的思路和运用仪器的思路都要考虑到生命信息和能量是区别于非生命能量的。

举例说明：气功外气对癌细胞作用，其杀死癌细胞58%，但在临床治疗与实验数据差距很大，因为实验的癌细胞是离体的，临床治疗是整体的，离体和活体的效时是不会相同的。

生物功能态时，人体能量转换体现是一种复杂的物质，这是一种活的生命信息，每一类仪器只能测到生物功能态时物质的一方面，甚至可以说测到的某一物质是经过"过滤"而被"谬化"的物质，并不能反应人体活性的本质。这个被谬化了的物质，可能是生命信息的载体。信息和载体是不同的，多种物质的能量均可作为信息载体。

由于对它的物质基础不明了，使目前对它进行测试、模拟等研究有一定困难。如用多种仪器测试和生理效应的结果，发现离体癌细胞在气功"外气"的作用下能使癌细胞的体积膨胀，后来在气功态下，肿瘤或脏器能产生机械运动，脾脏和肝脏会缩小体积；仪器测试时的指针或读数不但能正转，而且会发生倒转。更为神奇的是，有时还会出现虽已经停止发功，但仪器上的指针或读数不回零点的现象。由发气功而产生的各功能态穿透性比 X 射线还强（或硬），可见生命体发放的物质是不能简单地用电磁概念解释的。

第六节　人体生命光路与自然信息

一、生命光路是一种能量

1669 年丹麦名医巴尔宁，发现一位意大利女人身体能发光，到 20 世纪 30 年代，又发现了一位能发光的女郎。她夜间行走时，仿佛有光笼罩全身。

从一些史料记载来看，也有人体发光的奇事。各种动物、微生物以至人类的发光现象，人们早就注意到了，并且成了科学家研究的课题。

近年来国内外有许多"气功"素养较高者，其中有不少人在练功时出现"光"图现象；如光球、彩色光环，以及各种图案，甚至许多生物形态的"光图"。这些现象的存在，客观地证实了人体确实能发光。

在临床中发现：

1. 声音，在生物针刺感传作用于人体时，会发出声音，病人自我感觉很舒适，这种声音不同于肠蠕动声音，比肠蠕动声音小。

2. 光，在生物针刺感传作用于病灶或病体各部位时，病人闭眼可觉察彩色光图像。其光图可分为：

（1）自激发。自身是一个敏感者，闭眼就能觉察彩色光图像，但坐标和方向自身不能调整。

（2）受激发。接收生物针刺功能者的场效应，闭眼即能觉察彩色光图像，其坐标和方向都可由生物功能态者调整坐标和方向。

（3）电激发。即人体在本身存在着的生物场，在生物针刺双手行针作用于病灶时，产生感传而通过病灶，感传的强弱，手法的变换，对疾病的治疗都有意义。穿透病灶的感传强，作用就大，效果就好。如有的肿瘤，经过双手行针治疗，当场就看到缩小；治疗肝病人时产生机械运动，病人感到肝区有跳动，或振动或摆动之感。

1979 年的一个夜晚，当我运气发功时，偶然间闭眼发觉眼前出现闪光，持续 15 秒钟。当即在一位健康人身上作双手行针试验，对方亦发现眼前有闪光现象，是红光、白光。有人也许会说：这是一种幻觉。但现代科学仪器测试证明这不是幻觉，而是客观存在的发光现象。

1980 年 7 月，上海复旦大学激光组用 GDB——23 型光电倍增管和真空毫伏表测得我在气功运气时发出 11 毫伏的光电流，现场目击者看到了我的虎口处放射出的淡黄色的光。

人体光图是一种客观的存在的现象。它色彩繁多，形态多变且具有特异的穿透能力，这是一种奇特的生命之光。是物质的客观存在，是一种生物场运动现象。人体内具有的声、光、电的现象及其所彰显出的能量物质，这与自然界中的声、光、电相类似。

光是一种电磁波，是场的运动形式，我们发现人体光图的运动不但沿线和圆运动，而且发现奇特的螺旋线运动，红色的光为逆向运动，绿色的光为顺向运动，这说明光有着螺旋线运动的特征。既然光是一种场的运动形式，那么人体的场的运动不仅是一种圆的运动，而且也存在着螺旋线运动。因此有生命的动物和植物，都与螺旋线息息相关，人的生命细胞 DNA 遗传密码也是以螺旋线的结构组合的。树的生长是沿螺旋线增长，所有的动物也都是以螺旋线结构组合的，生命是沿螺旋线运动的，因此螺旋线是生命的平衡曲线。

人类最容易感觉的是光，光具有"波"和"粒子"双重性。人眼的感光是由于光辐射到物体再反射到视网膜，这就是人的眼睛找到光源的途径。特异功能者能"透视"，这反映有这种能力者的眼力是不受物体的遮挡的，是能透过物体找到光源的。从物理学的场论来说，特异功能有着绕视能力，即螺旋波动的功能。从这些现象可以推论，人的视觉细胞有不同的构造，因此找寻光源的途径也是不相同的。

实践证明，人体的光，正如上述提到的，有"有序状态"和"无序状态"之分，一般来说，练功者本身出现光图时，是"无序的"。也是无法控制的，另一种由于受外气的激发，闭眼能觉察到的光的图象，是"有序的"，如光图运动的方向和坐标系都是可以控制的。自从爱因斯坦在 1913 年提出受激发射的概念后，很长时间未引起人们的注意，直到五十年代微波激发射电的出现，人们才认识到，在自然界中，受激发射和自激发射是同样存在的，只不过自激发射是自发的、无序的，不受控制的，随处可见；而受激发射是有规则的，在特别安排下，才能显现出来，也就是要创造一定条件，以使形成一些有秩序的发射——同频率，同位相，有定向性。

上世纪末，有人曾摄得高频高压电场中人体各部分发光的照片。但当时被认为是一种普遍的电晕放电现象，而没有深入探索下去。

利用"光"来传递信息，人类已运用到了航海、运输以及航空等方面，尤其现代社会的网络信息，皆频频运用"光"来引导人们投入建设和信息交流。

光，有"热光"和"冷光"之分。太阳、闪电、地震等，都会发出不同颜色的光。这些发光现象，有一个共同的特点，即在发光的同时放出能量，这种光叫做"热光"。生物界，如萤火虫，某些鱼类所发出的光属于"冷光"。人们认为自然界光的运动，存在波动与微粒的双重性。光与其它物质发生相互作用时，主要表现出了它的粒子性，而当光在空间传播（包括遇到障碍物）时，则主要表现出它的波动性，但是两者难以统一，实际上既不是"波"又不是"微粒"，而是一种物质存在的形式。

人体出现光电和光图像，大致有三种情况。

第一，气功师向他人发射"外气"时，受体闭上眼睛，就会觉察到静止或转动的光环、光体或波线。它的形态有圆形、条形、椭圆形、方块形、星状，有时甚至出现伸展的枝丫形状。常见的是光环，中央总有一个核。这些光环缓缓转动，有时同方向转动，有时外环顺时针转动，内环则逆时针转动，有趣的是各种光图的形态、色彩、转动方向，都可以由发功者控制。我们把这种闭眼觉察到的彩色光环称之为人体内的光图。

第二，在白天或夜晚的灯光下，当在受试者体位上方运掌时，人们会看到其手掌有五颜六色彩光晕。

第三，当练功发放"外气"时，许多人可以看到从其的虎口、掌心、手指和小臂等部位发出的光。它有时是淡黄色的，以脉冲形式向前运动；有时是一条绕手掌旋转的红色光；有时是一个周围有彩色光的乳白色气团；有时是随手掌上下旋转的螺旋形的黄绿色光；有时是橙黄色的六角的星状；有时是一条长达约 15 厘米的蓝色光带；有时甚至出现一束亮光，延续一段时间后慢慢消失。我们把这种发出彩色光的现象称之为"受激发射"。

二、人体光图这一生命现象的基本形态

人体光图像的出现，表明生命存在着光的物质运动。在这种光图像形态下，又有着严格的规律，体现着生命运动的复杂和统一性。

气功师发放"外气"时出现这种光电现象，受功者能够觉察这些彩色光环，说明人体存在着磁场和电场。地球的极光是伴随着地磁场运动的一种光流，那么人体光图像也一定是伴随着人体磁场而出现的一种光流。

气功师发放外气，受功者闭眼能觉察到光图的现象，从目前测试情况看，并无普遍性。1980 年 10 月，我们在上海第二医学院和瑞金医院对 106 人进行测试，能觉察彩色光图的有 38 人，占 36.8‰，在泰州市人民医院和卫生学校对 103 人进行测试，有 40 人能觉察彩色光图像，占 38.9‰。

测试情况表明，能否觉察光图像，与血统和血型无关；与年龄、性别无关；与身体健康情况无关。

但也有其规律性。在下列情况下大都可以觉察光图像，并且从方位、转动方向看，有规律可循。

一是超距离发放"外气"。气功师以手向受试者位置较近发放"外气"，则受试者闭眼能觉察到光图像。这可能是受试者的"场"与术者的"场"相互激发而引起的。

二是"导线回路"。气功师分别针刺受试者的几个穴位，然后用导线把它们连接起来（一般连接三个穴位以上），这时受试者闭眼就能觉察彩色光图。光图运转的规律与不用导线针刺时出现时的规律相同。这是受试者本身内磁活动的结果，是人体磁场相互激发而产生的。

三是双手行针。术者两手分别在一个人身上的几个部位扎针后，双手同时行针，受试者能觉察彩色光图。这是由于术者的外磁场与受试者的内磁场产生电磁效应的结果。

人体光图像的出现，不是眼睛接受外界光的刺激的结果，而是身体接受气功发射信息以后引起的。至于有些人为什么觉察不到光图像，其原因有待于进一步的研究。

我们从人体光图的运动规律中发现，左手是红色和紫色为主光图，以"波形"向心运动；右手是绿色和蓝色的光图为主，以"脉冲"作离心运动。这提示生命体内是具有方向性的，而自然界只是波和粒子双重性的运动形式。

任何物质只要运动，就有其方向性。当物质受到相反方向的外力影响时，物质才能保持平衡。生命的蓝色和绿色光是右旋；红色和紫色的光是左旋，是符合物质运动的规律的。同时人体光还具有各种形态和不同的运动形式，自然界光的研究还待进一步探索，所以生命体光图的出现，将揭开人体生命科学的秘密和解释新的生命现象。

在临床实践中发现，受体觉察各色光的运动方向和术者左右手有一定的关系。以右手向受体发功，受体感传往下，以左手向受体发功，受体感传往上。具体情况如下：

术者左手触及受体百会穴，出现红色或白色的光带，往上运动；术者右手触及受体百会穴，出现绿色或黄色的脉冲光带，往下运动。术者左手触及右头维穴，出现红色或紫色光带，往左侧运动；术者右手触及右头维穴，出现绿色或蓝色的横向光带，往右侧运动。

受试者闭眼可以觉察到术者右手发功时放射出绿光和蓝光，以脉冲方式向前运行；左手放射的是红光和紫光（有时橙色），以"波"的形式往后运行。

在每次试验中，我们都发现人体光图像还存在一些特殊现象。这对深入研究"人体场"和光学、生物磁学和现代医学等科学，提供了有价值的研究材料。

1980 年 2 月，上海体院李医师在我发功时，看到一颗金黄色的光柱从虎口处放射出来。

1980 年 3 月，在上海第二医科大学摄影暗室里，现场的人看到我在刘德傅教授头部发功时，从手掌中发射出一个直径约 5cm 的乳白色气团，周围有彩色光带。

1980 年 3 月，在南京铁路医院，儿科主任吴从等十余人，在暗室看到我发功时，手掌发射出绿色、红色、白色形态不一的光圈。

1980 年 10 月，在上海复旦大学激光组简教授等数人，在暗室看到我发功时，头部周围有一紫色光圈。

1981 年 9 月，在我对离体胃癌细胞发功时，上海第二医科大学的邓教授看到我的手掌与胃癌细胞之间，有条红色光带随着手掌运转。

1984 年 1 月，在北京《光明日报》社，我给国防科工委的工作人员，报刊的编辑和记者等 50 余人，进行气功"外气"表演，有许多人看到我的头上有彩色的光圈，并有黄色喇叭形、螺旋形条形光束往天花板运动。

1982 年 2 月，在山东人民出版社，我用"导线回路"为华东师大附中的余老师治病。当我向她发放"外气"时，她闭上眼睛能清楚地觉察到彩色光图。同时她闭上眼睛也看到我站的位置和房中的东西，好象面对面一样。师大物理系的老师和记者，举臂和取物，她都能知道，结果每次试验她都说对了。

1983 年 2 月，在山东人民出版社，我用"导线回路"给北京 25 中语文教师主××治疗时，我用右手中指在"脐中"（丹田）周围 8 个方位点压，她都能将光图的运动方向与我点压的方位感觉一致起来。这再次证明了人体"磁场中心"是肚脐。左手是定向，右手是指向。我们还发现王老师在"外气"作用下有闭眼视物的能力。与华东师大附中余老师同样都能看到我两臂下垂时，有 5 厘米宽的紫色光圈，左侧往右，右侧往左地绕身体运行。

根据上述现象，又进一步作了如下试验：

我面向西北，两臂上举，两手互握，这时王老师看到光带交叉运行，即左手向右侧，右手向左侧运行（逆向转）。我面向北，两臂下垂，两臂交叉，这时王老师看到光带运行方向相反，左手由下往右侧，右手由下往左侧运行（顺向转）。我面向北，两臂侧举，这时王老师觉察到光带右手往左运行。

我们还作了这样的试验：左、右手分别以不同的物质介质触及百会穴，光图像的形状和性质便有了新的变化。这说明一个重要问题：介质不同，受体产生的感传也不同。既然不同的介质作用于人体的信息是不同的，那么针刺时使用金针、银针、钢针、铜针、铁针，产生的效应也是不同的。针刺用针不同，疗效就会有差别。选用哪一种针为优，什么穴位选用那一种针为佳，是有待今后研究的一个课题。

此外，我们还可以从宇宙物体的运动形式上来了解自然信息对各种生物体的影响。这种人体生命之光，可以断定是宇宙万物遵循着的自然规律——"道"。

值得重视的光环形态有时把生命与非生命物质运动现象组合一起了，用光图的形态表示出来，也就是说，人体光图有一定的坐标系和其运动的方向性，与天体自然光有着相似性，但从光环的许多图像来看，人体光路有其一定的特殊性，不仅反映与生命有关密切的光图像，而且也反映着许多非生命物质运动的光图像。

人体本身不仅有自己的信息，也有其它动物的信息，也有其它植物的信息；植物不仅有其本身的信息，也有其它植物的信息，也具有人和其它动物的信息。

科学家经过长期研究，认为构成生物体的基本单位的形态，大概有下列几种，这些形态体现了与生命功能的关系。

①五角形形态（细胞呈五角形构成）

②螺旋形态（细胞呈螺旋形）

③管状形态（血管和细胞等细胞结构）

④星状形态

⑤树状形态（呈树状微血管、海葵）

⑥球状形态（人体细胞、蛙卵、黄色葡萄球菌等）

⑦复合螺旋圆状

⑧双螺旋圆状反向运动

那么，人体光图既然是生命之光，倘若生命停止了运动，是否这光图便消失了呢？答案是肯定的。

在长期的临床实践中，我积累的数千人记录的光图资料中，其形态也不外乎上述几种，这些光图资料是病人在接受治疗或进行气功测试时，他们将看到光图画下来的。经整理后，今选几幅图附上（见图2-8-1）。

一、线状运动

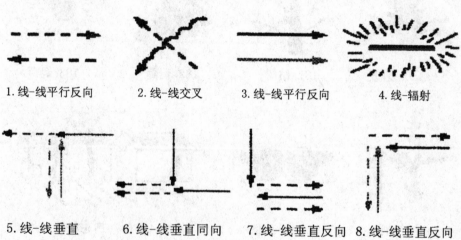

1.线-线平行反向　　2.线-线交叉　　3.线-线平行反向　　4.线-辐射

5.线-线垂直　　6.线-线垂直同向　　7.线-线垂直反向　　8.线-线垂直反向

二、圆运动

28.圆-圆三环　　29.圆-圆斜交　　30.圆-圆相交　　31.圆-圆垂直反
相交与相离　　　　　　　　　　与斜交反向　　　向运动

三、动植物

177. 类龙光图运动　　178. 类鱼平行运动　　179. 松树

180. 麦穗　　　181. 枯树　　　182. 葡萄　　　183. 葫芦

184. 枯树　　　185. 石榴　　　186. 小房与松树

图 2 - 8 - 1

157. 线-圆组合
类方位运动

158. 圆-圆同心相切

159. 螺旋同心变色
与辐射运动

160. 圆-圆同心组
合与辐射运动

161.圆-圆同心复合　162.心脏光图与辐射　163.类血管状运动　164.类血球状细胞
　　顺向与辐射运动

 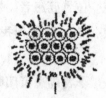 

165.类血球光图　166.类细胞形态　167.类血小板形态　168.圆-圆同心相
　　　　　　　　　　　　　　　　　　　　　　　　　　　　　离变色运动

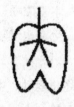 

169.类人体肺脏　　　170.类"蛇"形光图　　　171.圆-圆同心波

172.圆-线变色辐射　173.耳朵洞8个方位　174.类人体的光图象　175.类蝴蝶光图象
　　　　　　　　　　　出现不同形态

图 2-8-2

1980 年 10 月，我为一位肝癌患者治疗，钟××，最初我为他治疗时，在我的手掌上出现的是红色和紫色的光晕，一星期后，一次晚上我手掌出现是绿色的光晕，为了排除自己的错觉，让其家属和子女都再看，他们都说昨天还是红光，今天成了绿色光。次日晚上，我手掌出现的光图是蓝色的光晕，其子女们也都看见了，证实是蓝光，我即告诉病人家属，病情临危，第二天早晨病人去逝了。1981 年 8 月，华东师大一位肝癌患者，初治时，我手掌上出现的是红色的光晕，不久，手掌出现绿色后又转为蓝色的光晕，三天后去逝了。1981 年 5 月，江苏太州人民医院一位胃癌患者，初治时手掌为红色的光晕，不久即出现蓝光，在场的医生和家属，都看到我手掌出现的是蓝光，第二天病人就去逝了。

1982 年 7 月，山东泰安地区医院一位子宫癌患者闭眼能清楚觉察彩色光图。但病人回答："光图不转动"，我认为这是磁场运动将要停止，即告诉其家属，我无法治疗。第二天下午，病人就去逝了。

光是随着地磁场方向运动，人体光图运动，也是伴随着人体"磁场"运动的。因此，一旦光图停止运动，体现了磁场运动即将停止，生命也就要结束。

这些事实说明，蓝光的出现很可能是人体的"磁场"将终止运动，生命将停止的预兆。古人常讲："蓝色的死光"看来不是没有道理的，也许是生命停止的反照。

所以，古人讲：人死亡前往往会有一种灵光是蓝色的，这是凶兆之象征。闭眼觉察的光图停止运动了，生命将是临危的征候。

从空气中的惰性物质和化合物质的反应，对人体光图的启示，再从生物发光对人体光图的启示。生命运动与自然界磁场的关系是密切的，下面是我在临床中做了二个试验：

①当受试者闭眼觉察光图时，即令其停止呼吸，发现光图像立即消失，我们做了许多次试验，都是这个结果。也许空气不进入人体，生命的光图就没有了。我临床发现针刺的感传也减弱。

②当受试者闭眼觉察彩色光图时，即令其用一指压塞左鼻的鼻孔。空气

就从右鼻进入右肺，以蓝、绿光图的运动方向就往右方向运动（属阴），当另其松开左手鼻，手指压塞右鼻的鼻孔，空气就从左鼻孔进入左肺，于是有红色或紫色光图往左方向运动（属阳）。

这些试验提示我们，空气不进入人体，生命的光图就消失，人体磁场可能受自然界磁场的影响，生命的运动与正常的呼吸是密切相关的，气功中的调息，是提高人体体质的重要手段。

1983 年冬我又在上海复旦大学，有 100 多名科学家（其中有著名的光学研究所所长及人体科学研究院副理事长白崇宴、《科技日报》的一些记者。）在现场进行实验。

由上海第二医学院附属瑞金医院中医科特邀复旦大学物理系激光教研组协助。实验设在暗室，晚 9 时开始。

实验助手们将我的手用黑布包裹住，伸进一个用铁皮做成的箱内，里面有光电倍增管和灵敏检流计同时测试。

当我运气发功时，在场的人有的喊：白光！有的喊：红光！

接着：又由光电所专家们操控，让我再一次发"外气"，他们紧紧地按住我的手不准动。结果，这次比第一次要强。经计算，这一人体光电波流大于 120 毫微安，遗憾的是，每次试验，照相机都摄不到这光，想摄到这光，可能用一般较高级摄相机不行。这说明，人体光电波流大于 120 毫微安，人体光路这一生命之光是无屏蔽的，它可以穿透任何物质，是多维空间的多流电路，是不能够吸收的。当我做完实验后，上海一位在场观察的空军大校对我说，你站在墙里，我站在墙外，我看看能不能见到你的人体光图？我又再次做了一遍，他惊喜地说，果然看到了！

上海《科技日报》便将我做的人体发光现象进行了报道。

生命来自大自然。老子论，"道大、天大、地大、人亦大。域中有四大，而人居其一焉"。（25 章）其能量当然与宇宙相关。声、光、电均系于宇宙。

丹麦名医巴尔宁、英国著名科学家普利斯特里、意大利科学家普罗斯基以及苏联科学家柯利尔等人皆曾著书立论，认为这是人体内某些物质在细胞有丝分裂射线激发下，会发放出黄光的缘故，这是正常的生命活动的自然现象。苏联科学家柯利尔还用高频电场照相术，把笼罩在一人身体周围的彩色光图拍照下来，并说这种辉光可随人体部位、情绪、境遇的改变而变换颜色，通常手臂周围呈青绿色，臀部周围呈橄榄色，体表呈浅蓝色。人在发怒时，其辉光会加深且转为红色；恐慌时转为兰白色；醉酒时会变为苍白色等等。更奇妙的是，男女指尖接触时，女人的指尖辉光会向前伸展，男人指尖辉光则会向后退缩。

　　以上的实验曾请上海第二医学院瑞金医院中医科主任刘德傅参与指导，并由华东师范大学物理系教授游铭长作了科学总结，对此共同提出生命之光的理论，以备医学界同仁研究。

　　根据几十年的临床经验，我又深入研究发现，从化学反应来看：红光与黄光一般属酸性，也就是阳性，是动态的，其光图为左旋，证明血液流动较通畅，病情趋于好转；白光与乳白光一般属中性，病情稳定；绿光和蓝光，一般属碱性，属阴，静态，其光图不动，证明阴阳失衡，人体生物磁场紊乱，方向消失，人的生命也就真正停止。

　　我根据多年临床经验，对人体光图的研究后认为：人体生物场（磁场）的消失，才是人真正的死亡。一旦生命丧失了"光"，生命也就终止了。没有了人体光能的能量转化规律，其生命数码也就完全消失了。

　　人体光图是一种客观存在的现象。它色彩繁多，形态多变具有特异的穿透能力，这是一种奇特的生命之光。是物质客观存在的。

　　我们知道，光是电磁波，又是光子流；它具有波动性，又具有粒子性。光与其他物质发生作用时，表现了它的粒子性；由光电效应证实光在空间的传播，它的衍射现象，表现了它的波动由光的衍射和干涉现象证实。但人光的运动却具有新的形式。它有时是"波动"，是波浪式地推进，这说明人体的能量传播是一种连续性的运动；有时是脉冲式的，这说明人体的能量是一个一个的光子束组成的；有时是圆运动或线运动，甚至出现树林、山岳、花卉等形态。人体光的运动形式与自然界的东南西北方向和人体坐标系是密切联系在一起的。由此可见，人体光具有新的性质，这些现象，是有待解开的一个谜。

三、人体光图与信息

信息既不是物质，也不是能量；而物质或能量可以是信息的载体。信息通过载体，在与受体取得联系过程中，才得以表达，显示出来。生物之间、生物与环境之间，人与人之间的交往，都存在大量的信息活动，就生物的生长、生理活动的协调性而言，也存在着信息调控作用。

人的眼、耳、鼻、舌、身等感觉器官接受到的各种信息中，70%以上来自光。生命是蛋白质、核酸体系，这些物质的带电粒子的运动，都能产生电磁波，也就是光波。反之，当电磁波射入时，这些带电粒子就被激发而产生运动，发出光来。

光既然是生命活动的信使，那么人体中各脏器的功能活动的信息是怎样互相传递的呢？是否也就是光呢？大量实践证明，人体中确实存在着光，而且是各种彩色的光。

从人体光图象的形态、颜色、运动方向和能量转换等现象来看，显然就是光波作用的一种表现，人体中的信息载体，就是光！

我们做了以下几个试验：

第一个试验：目的是了解我们人的耳朵为什么这样灵敏，它与自然界的磁场和光有什么关系。试验发现，外耳道口的周围也存在着方位的排列和不同彩色光点。我们把耳朵外耳道圆形口分为八个方位，试验得出的结果是，八个方位色彩不同，光图的形态和转向也不同。

从其传感的体位来看，也不相同，至于耳朵外耳道口八个方位的光点与身体各器官有什么联系，这个问题有待于进一步研究。

第二个试验：我们在肚脐中央和周围测试磁向和光点分布，发现"脐中"出现的光图转速快，其光亮度比其它体位出现的光图高得多，我们还发现在脐的周围类同耳朵洞，八个方位上也排列着不同的光图，值得注意的是，在其周围八个方位点上反映着身体各脏器的病灶情况，我们将这个试验成果初步用在临床诊断上，发现用这处方法来诊断脏器的病灶，准确度较高，有很大参考价值，如不易发现的病灶，运用此法，也能查出来。人体各主要脏器在脐周围都有方位点。

看来人体上的"洞",都反应着不同的信息,如:遗传信息,代谢信息,生长信息,运动信息等,如人的耳朵、肚脐、鼻孔和嘴、眼睛等"洞眼"(开口),都是信息出入与往返通道。它们把人体的信息与自然界联系起来,所以对人体光图现象研究,不仅是对生命现象本身的了解,也是对宇宙的了解。

四、用光治病

我国古代早就运用日光来防病和治病。唐代名医孙思邈所著的《千金要方》中,曾指出儿童进行日光浴的重要性。随着科学技术的发展,光疗在医学中的应用范围越来越广泛。红外热辐射可以使身体局部组织温度升高,血管扩张,局部血液循环得到改善,带走组织渗出液,起到消肿、镇痛、消炎的作用。紫外线比可见光和红外线更能刺激细胞内 DAN、RNA 的合成,促进细胞的生长和繁殖,改善集体的营养与代谢。大剂量可用来杀菌和消毒,治疗各种疖肿、外伤感染疾病。激光现已广泛运用在临床治病,用它来做手术刀,可以进行胸外科、心血管手术以及肝脏、肾脏、脑部的大手术,还可以用来切除体腔内和浅表的肿瘤,并可以使癌变部分气化。

科学家发现,不同颜色的光对人的生理机能会发生影响。匈牙利研究了各种颜色对心脏跳动的影响,结果是在黄色房间里脉搏正常,在蓝色房间里则跳动减慢了一些,而在红色房间里,脉搏明显加快。一位法国生理学家,曾在不同颜色光照射下测量手的握力,发现在橙色下手的握力比正常态时增加 50%,在红光下增强 1 倍。德国一位心理神经学家还做过一个有趣的实验:蒙住人的眼睛,如果用红光照射,他的双手会分开,而在蓝光照射下,双手又合起来了。

一切生命现象都是跟光电现象分不开了,我们深信,人体光图的色光将会改变人体的生命活力。信息的使者——光,将把自然界的阳光和人体内的光图联系起来。在防病和治病中起主导作用的,将不是药物,而是生命之间的能量"回互"运动。光是生命运动的象征，它负载着生命活动的密码，负载着生命奥秘的重要信息。

人体光的研究和利用，将会推动有关科学的发展，如更多的应用于临床治疗，一定会有益于人类健康。

第七节　活体植物信息和能量

为什么活体植物在连接人体病灶使用双手行针治疗后，活体植物竟然枯萎死亡。而人却恢复了生命力呢？

千百年来我们都在沿袭着用干枯了的中草药给人治病。须知，干枯了的中草药因是死体，只剩下了能量而丧失了信息。所以，在治疗中是被动的，缺少活信息对人体的信息补给。活体植物在受伤后，皆能自己修复，那是自身信息和能量的作用。当利用活体植物给人治病时，它可以将自身的信息传递到人体病灶，将自身能量给予人体。这是"场"的作用，是能量和信息的交换。人和植物相比，人处强势，弱势的东西，必被强势的吸收和利用。我认为人是多维生物体不会受到植物体的干扰。

古人有事实记载着一位患背脓肿的病人与柳树接触后，病就传染给树了。而且过些日子树上的瘤脓化流出斗余，树就枯死了。把一盆铁树与一位肺癌患者用导线结通回路方法治疗，患者经七次治疗，铁树外围的七个叶片开始枯黄，两周后完全死去。中间有八个叶片生长仍然茂盛。又过了一周，从铁树的中央重新长出5个嫩叶。这5个嫩叶生长迅速，竟比原来8个叶片高出2倍，成了变异的铁树。不久我们又用同样的方法给一位白血病患者进行治疗，经9次治疗后，铁树外围的5个叶片枯黄了，仅5天时间，中央又生长出3片叶子，同样比原叶片高出2倍。两次试验的形式相同，效应也类似，患者闭眼觉察到光图除出现花草、树木、麦穗外，还有些类似血球、蛇状等动物形态光图像。

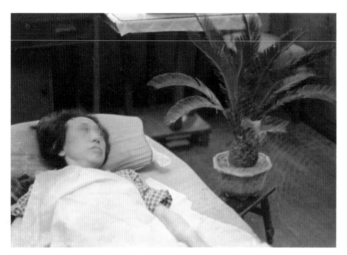

上海华东师大物理系教授王××患肺癌，黄仲林采用双手行针与活体铁树导线回路疗法，8 天后，铁树 6 枝树叶死亡，而中间却长出 5 枝新叶见发生异变，比原铁树长 2 ~ 3 倍。

电镜下见气功"外气"作用肺癌细胞后，周围起空泡，且大都坏死（杀伤率 58%）。

通过反复实践，我发现人体用"导线回路"的治疗方法，产生的光图像多以线、圆和螺旋等几何结构组合，而采用"脉管针植物导线回路"双手行针方法时，产生的光图则多以花草树木和动物形态显示的。如山、水、蝴蝶。临床实践证明，人体不仅有自身生命信息并内含其它动物的信息，也内含着其它植物的信息。

据实际观察，植物与人体接成回路后，对稳定情志，调整心率，平衡血压，降低血糖，防止癌细胞的转移，都有一定的作用。

因此，一种物体本身的生命力、一种物质信息可以与另一种物质匹配，但是能量和信息的运动，是相互作用的。没有信息传导，能量转换就失去次序和方向。没有能量转换的体现，信息就成为无序的乱指挥。

还应该在此强调一下，信息是一种"场"的运动，具体地说在人思维能量做功时，生命的信息开始了思维活动。它并不体现能量做功。因此人的生命活动，可以体现为信息运动和能量做功二个方面的运动。

据《中国人体科学报》报导：人体时刻都在发光。

我国科学工作者严智强在进行数十万次测量后证实：人体时刻都主动发出一种与温度变化无关的、肉眼看不见的超微弱冷光。这种冷光的强度只有二百公里以外一只手电筒的光那么微弱。他和他的合作者将人体发光的研究应用于中医经络学说及其临床研究，证明经络系统是客观存在的独立体系，并提出了一种快速、活体、在位和无损伤的中医客观诊断方法。这些成果分别获得中华人民共和国卫生部、北京高科技成果奖。（编辑部整理）

生物体具有宇宙全息性。

人体生物磁场呈多维空间，有多个极对，而地球磁场只是南北一个极对，植物磁场也只是木本部韧皮部一个极场。故地磁场，植物磁场表现为一维空间。

①实验方法：在人体颈部、踝部、腕部，植物的木本部，韧皮部分别扎上针，然后用0.23的漆包线将人体和植物闭合串联起来。

②实验结果：12盆铁树都发生变异，铁树新叶之间的距离增大；6盆罗汉松，枝端新生叶萎靡不振；5盆柏树死亡，而对照组的相同树种没有变异、

死亡。

③典型病例

施××，40 岁，江苏宜兴人，患冠心病导致二尖瓣狭窄，曾手术，瓣口面积，治疗前 0.7cm，经 30 次治疗，瓣口面积达 0.9cm。用一棵铁树，一颗五针松，与人体形成导线回路。治疗中，患者感到鼻中时有一股铁树的芳香味，长久不散。2 个星期后，铁树枝端新叶发生变异后，又过了近 2 个月五针松死亡。

④讨论与设想

从实验的结果看，人体场与植物场相互影响，而中药、西药都是死的是非生命的，只有能量没有信息的传递。而今用新鲜茂盛的植物，所有铁树都产生明显变异，病人病情却明显好转，说明植物与人体之间的确有信息交流，这是用活着的生命体解决生命体疾病的一种良好途径。人之所以能强势于植物，即使人病重无力，植物的能量也会毫无保留地输送给人，那是因为人是多维立体的，而植物磁场是一维空间的。由此而想造物主上帝的奇妙，所造的动、植物都是为人类而预备的。具体的治疗方法在第六章详细介绍。

⑤松树维生素

自古以来人们就知道，松树中所含的物质散发到空气中，对人的呼吸系统极为有益，这就是松树维生素最典型的效果，它起到了净化剂和抗黏膜炎症的作用。

存在依据

松树干上流出的油质液体所散发的香气，令人心旷神怡，七窍舒畅。这种液体几乎全是松节油精，它含有多种碳氢化合以及萜品油，萜品醇、萜品油烯等。"松树维生素"就存在于这些物质及其化合物中。它是一种防腐剂，杀菌剂，也是一种脂肪溶剂。

在感冒流行季节，德国和瑞士有个大钟表厂，工人因患流感几乎全部病倒，有的甚至死亡。然而，同样是德国和瑞士，在另一些专门使用以萜品油、萜品醇和萜品油烯为原料制成的溶液的钟表厂里，工人却非常健康，根本不患流感，原因是这些工厂的空气中充满着松节精油散发的芳香物质，工人们因呼吸到松树维生素而避免了病菌的感染。

⑥芳香疗法

几千年前，人类就已本能地采用了松树维生素的"芳香疗法"。天然香气对人体的各种组织及细胞活动极为有益；同时，它又不会象合成香气那样产生抗药性。因此，这种维生素不能用合成法提取，只有松树制造才有佳效而无副作用。

⑦人体与植物生命磁场

植物与人的磁体关系

地球——N、S两极

人体——N、S两极

植物——N、S两极

人是以肚脐为中心的"磁体"，脐以上是与天相应的南、北两极。植物也如此，也是分南北两极，树的叶枝往高空生长，树的根向土壤中生长，它的"磁体"中心，可能在树体、树心分枝的地方。植物的生长与人的生长非常相同，它的（树叶）吸收阳光和二氧化碳，呼出氧气。它的（树根）吸收水分和土壤中的养料。一个正常的人吸氧量要两棵灌木供应，而人是以水和阳光、食物为养料以及吸进植物吐出的氧气。由此可见，从生长的形式到生命的需要都与此息息相关。

日本的科学家曾作了一个试验，当人用手去折断树枝时，会引起树的"磁体"产生紊乱的"电波"。这说明它对人的信息是非常敏感的。有"磁体"，就有"磁场"，人是"磁体"，有"磁场"，把人与植物回路连接，很可能是"磁场"产生了信息，人的信息和树的信息产生回路互传，某种病体的"信息"影响了"铁树"，所以发生枯死和异变生长。据目前我们所做的实验来看，植物对人健康确实有良好的作用，这对于医学发展有极其重要意义，特别在研究中医中药理论方面，将提供新的研究方向。

生物"磁场"与方位

人体的躯干（上体）为正方位，四肢为负方位，因此人体的躯干为——东、南、西、北正方位，四肢为——东南、西南、东北、西北负方位。

　　花的方位与人体是类似的，从花的形状到花的叶和其数的排列都是与天体方位自然数编码是一致的。花蕊是正方位，花瓣是负方位，因此人体和植物体是同一的方位和能量转换天人合一。比如：

　　西瓜也是三维六合磁体

　　西瓜的三维坐标的方位排列：将西瓜切开可见到其三条方位线，类似三维坐标横、纵、竖的坐标线，西瓜与三条坐标线对称排列，而西瓜的发芽部位向心（螺旋圆）排列，而且坐标线是向内旋转，6 个螺旋圆周围的西瓜都是以 6 为数，6×6 = 36，西瓜圆也是 360 度，也是三维六合的一个生命磁体。

　　①西瓜也类似有三维磁体（六合）西瓜整体内在的图形也是三维六合的坐标。

　　②它的磁场运动方向是对称旋转的，而且是向内旋转。

　　③西瓜的发芽处，都是螺旋（磁场）运动方向，而且瓜种是靠旋转处排列。

　　④瓜籽的幼子是白色，排列在螺旋的中央处，而且也是发芽处向中央，我们可以得出瓜的幼芽生长是在螺旋（磁场）的中央生长的，成长后在螺旋（磁场）的周围。

　　总之，长期的探索，使我认识到生物体都具有全息性，有待于进一步研究。"双手行针""脉管针植物导线回路"方法的临床应用，对"针灸"治疗方法的进一步发展、创新具有现实意义和深远意义。

第三章　天体与人体三维坐标系

第一节　人体是五个磁偶极矩的三维各向异位磁体

人体是由液体、固体和气体三种物质组合的生命体，由于他们具有相互作用和转化的功能，并与天地相应，因此生命体内的能量运动还具有信息输送的活能量。这样就使得人体呈现出了带电的高级磁体现象，可产生正负、负正等组合。人体是一个多层次的电磁场，具有多磁向极性。

电性质：左（正），右（负）手为极

磁性质：①手掌向南为 S 极

　　　　②手掌向北为 N 极

在上海计量所和上海 701 研究所对我检测人体有否磁场时发现"毫奥计"的指针左偏，说明磁场减少，也就是说人体的磁向是具有逆向性的。

我分别用睁眼与闭眼进入功能态时，发现睁眼时磁场小，闭眼时磁场大。我在临床中，发现睁眼与闭眼时的磁场方向确实是方向不同。

人的上体从百会穴到会阴穴的长度相当于两臂（天突穴——手中指）的长度，约等于从会阴穴到脚的中趾上的长度。这是相互有区别而又密切联系的五个人体"磁偶极矩"。胸腔运气时，两手掌感应重，手背轻；脚背的感应重，脚掌轻。腹腔运气时，手背感应重，手心则轻；脚掌感应重，脚背则轻。当一臂举起或一腿抬高改变体位时，感应就有左右的分别。这说明人体的任何部位都是正、负或阴阳的对立统一体。

人的上体是生命能量的总源。心、肝、胃、脑、肺、脾，形成三动（心、胃、肺），三静（肝、脾、脑）的三个组合的能源。人体所需能量的原材料，燃料和养料，来自呼吸和饮食，并由各器官加工制造后吸收便于运输利用。

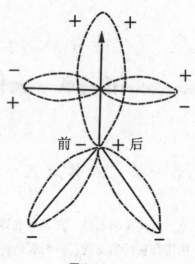

图 3－1

左右是相辅相成的能量运行互换，使能量运行于周身。早在 2800 多年前，大哲人老子提出的"天地人合一"的整体观；以日月运行来说明人体气血运行，"坎戊月精，离己日光，日月为易，刚柔相济"（《周同契》）以日月比喻人体左右能量运行，这是非常准确的。如果向病人体内发射"外气"，则受体对运气时左右手发射出的外气的温度感受也不同，左手放出的"外气"感受是热的（称为"阳"），右手放出的"外气"感受是冷的（称为"阴"）。左右有别，坎离易位，不但感传相反，而且还伴随着"场"的转换。

前后也有阴阳之分，前为阴，后为阳。人体以"脐"为中心，上为阳，下为阴；左为阳，右为阴。人体三维是各向异位的生命磁体。"八卦"的乾坤，坎离本体上就体现了人体方位，中间的黑白回互图案，就是人体方位中心——脐（磁场中心）。

体位"磁偶极矩"的正负电偶极子，我们用 + － 表示（见图 3－1）。因为"乾阳在上，坤阴在下"，所以乾是"＋＋"，坤是"－－"；因为"坎升离降"，所以坎是"＋－"，离是"－＋"；"脐"前后的阴阳为"＋－"。

为什么每个方位都是三个阴阳的组合？这是与人体能量运行的上下左右前后三维坐标系的能量运行轨道密切相关的。

第二节　人体阴阳二气运行对人体的作用

"阴""阳"是对立统一的两个方面。古人对于阴阳属性的划分是很复杂的；如：水为阴，火为阳；月为阴，日为阳；味为阴，气为阳；有的人从事物变化的特点和发展趋向分：阴为静，阳为动；阳为生，阴为长；阳化气，阴成形。

经多年临床观察，可以从下列三方面划分：

一、从人体体位来划分

人体体位有上下、前后和左右之别，还有内外之分。

人体能量流可以分为5个循环单位：躯干（包括头），从百会至会阴为一个循环；右臂，从大椎经手指至天突为一个循环；左臂，从天突经手指到大椎为一个循环；左腿，从急脉经脚趾到环跳为一个循环；右腿，环跳经脚趾到急脉又为一个循环。这是人体的五个阴、阳循环单位（见图3-2）。

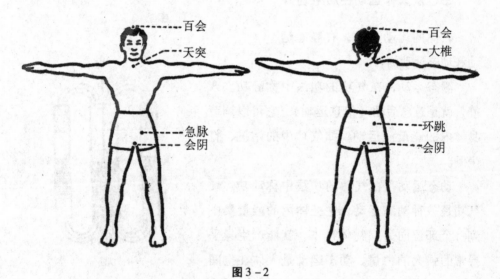

图3-2

自然界把地磁场划分为东南西北四个方位。如果把人体作为一个小宇宙——生命磁体，也划分为东南西北四个方位，则人体南北为正负，东西为阴阳两个相反方向的运动，分别代表相对静止的运动状态和相对强烈的运动状态。

二、从人体能量流动趋向来划分

人体存在两种相反方向的运动矢量，在左右、内外、上下的能量循环运动中都表现得很明显。在顺式呼吸情况下，左手表现为升力（向心力），右手表现为降力（离心力）（图3－3）。逆式呼吸则相反。这两种相互对立的运动状态表现在身体各个体位，就产生依存，相互转化的"阴""阳"规律，中医称之为内外阴阳平衡。

图3－3

三、从人体运动性质来划分

人体的运动方式，有静态运动和动态运动两种。

静态运动，在气功的功法中称静功。入静，就是意念活动（信息运动），它可以调节身体内的能量流运动，如气功中的站桩、打坐等。

动态运动，在气功的功法中称动功。硬气功是一种动态运动，它把体内的能量集中到一个部位向另一物体冲击，就能产生异乎寻常的强大的力量。动态运动是人体在空间的位移。静态运动和动态运动，也可以看作是相互对立的阴阳两个方面，在体内不停地进行能量交换。

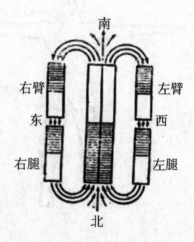

图3－4

人这个生命磁体是一个三维体的结构，它与"八卦"中讲的上为阳，下为阴；左为阳，右为阴；后为阳，前为阴是相吻合的。人体的三维磁体是根据躯干和四肢五个磁偶极矩的组合，运用五个磁偶极十二个阴阳的电极子，以三的形式组合，是与"八卦"类似的八个方位图案（12个阴、阳，计24个），按这个图案方位划分（见图3－4）。

把躯干视为一个大磁体量，躯体分为左侧、右侧和体前、体后，计八个阴、阳（正负，2×2×2＝8）。两臂为人体的小"磁场"，分为臂前与臂后，计八个阴、阳（2×2×2＝8）。

两臂和两腿四个小"磁场"的能量合为大磁场的总能量。

人体的三维"磁体"的二十四阴、阳组合（见图3－5）（1×2×3×4＝24）。

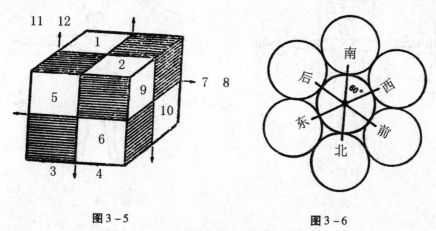

图3－5　　　　　　　　　　　　　　　图3－6

如果按三维"磁体"的六合模式，这个磁体的组合（如图3－6）。人体三维能量运行与八卦三字组合。细心体察就会发现胸式运气，胸起腹伏，腹式运气，两者结合，就成一个"8"字形。

左右两侧的能量运行也是成"8"字形交叉，是横、纵立方位的转换变化而形成的斜交。左侧，从左手的中指开始，沿内侧向胸至"脐"转至臂部，沿腿后侧直达脚的中趾，再沿腿的前侧向上，至"脐"转至背部，沿臂的外侧回到中指。右侧情况相类似。这两个"8"字形都以"脐"为中心。

人体能量运行是以中线为基轴的三线分流。因此上体和下肢的每个方位，各为三个"电偶极子"的组合，在八卦中就成了三字阴阳的组合。

乾坤对立，以脐为中心，各循着不同方向运行。写成正负式，"乾"为"＋＋＋"，"坤"为"－－－"，用阴阳爻表示，乾为☰，坤☷。

坎离相对应，写成正负式，"坎"为"－＋－"，"离"为"＋－＋"；

用阴阳爻表示，坎为☵，"离"为☲。

艮兑相对应，写成正负式，"艮"为"+--"，"兑"为"-++"，用阴阳爻来表示，"艮"为☶，"兑"为☱。

震巽相对应，写成正负式，"震"为"--+"，"巽"为"++-"。用阴阳爻表示，震巽相对应，写成正负式，"震"为☳，"巽"为☴。

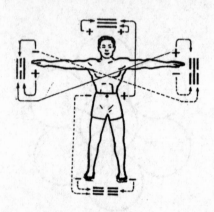

图3-7

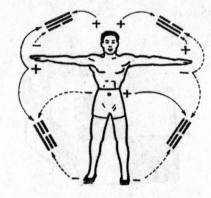

图3-8

把它们组合起来，就得到了一个完整的八卦图（见图3-7和图3-8）。从某种意义上说，八卦图是一个严谨的人体能量运行图。

从六十四个方位看磁场与数字排列。

人体的磁场的中心在肚脐，我们发现，针刺"脐中"（神阙）穴，感传以涡流式向脐周围扩散传播（见图3-9），与人体其它体位上的感传都不同。从光图中发现"脐中"

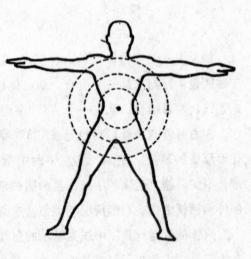

图3-9

是人体定位（向）点。根据"八卦"方位中的阴、阳"回互"排列在圆形中八个方位上，从中央小圆到大圆向外计（图3-9）。

第三节　人体光路的坐标系

人体光路，又称人体光图象，几千年来，这种生命现象一直被认为是"幻觉"。我们必须以实事求是的科学态度纠正这种错误。人体出现的彩色光图是生命之光，它不同于非生命之光。

众所周知，阳光是地球上生命存在的物质基础，是地球上能量的来源。阳光可使万物生长，使人类得以繁衍。伽利略说"光是来自其它星球的信使，我们获得的有关宇宙的知识，大部分来自于光"。所以光是我们同宇宙联系的信使，能传递大自然的信息。

一、人体光路的坐标系

在人体中确实存在着两种方向相反的力——即阴和阳，光图运动的规律性恰恰与自然界东、西、南、北方向，以及人体方位的坐标（横、纵、立）是联系在一起的。这样就给我们提示了人的生命活力和宇宙中的一切物质运动是相互作用和发展的。

我们平常讲光的运动，而人体中出现的彩色光图运动（红色是左旋，绿、蓝色是右旋）是有别于自然界光的运动。同时，人体中光图的运动，伴随着"场"的运动，从形态来看，具有数学结构的形式，从方位来看有着一定的坐标系——"横""纵""立"。从它们图标及其复杂性来看，比电子运动要复杂得多。

二、体位与光图的坐标系

《周易参同契》所载的"八卦"用八个方位来阐明人体与自然界方位的关系，它不但规定了人体的总方位，而且指出了人体存在的运动与自然界的磁向关系，把宇宙中的星体和时间相联系，进而把这些相互关系用到医学上来治病。它把人体作为宇宙中的小宇宙体，身体上为南，下为北的方位相当于自然界的南北两极；把人体的左指西、右指东，比作万物生长由于日月相交，并指出人体的能量转换由内外结合，说明人体的能量仅是一个矢量，在不同的时间，其流注的方向是不同的。表现为光图出现的坐标不同，而且光图的运动力方向也不同。

1. "纵"向坐标

右手往右圆形运掌，坐标是"纵"（平面）向运动，光图是顺时针转。

右手往左圆形运掌，坐标是"纵"（平面）向运动，光图是逆时针转。

左手往右圆形运掌，坐标是"纵"（平面）向运动，光图是顺时针转。

左手往左圆形运掌，坐标是"纵"（平面）向运动，光图是逆时针转。

2. "横"向坐标

右手往右直线运掌，坐标是"横"向，光图是顺时针转。

右手往左直线运掌，坐标是"横"向，光图是逆时针转。

以左手和右手对病体的作用，恰好是相反作用，这是左、右手对病体的电磁效应不同。

3. "立"向坐标

右手在病体上方往上提掌，光图往上运动。左手反之，则光图运动方向向下。

左手在病体上方往上运行，坐标光图往下运动。右手反之，则光图运动方向反之。

左手和右手的运掌对病体的作用，恰好是相反运动。

这表明运掌发放"外气"治病，是改变病体"磁场"运动的方位，达到调解"磁场"运动方向。

三、光图象的运动形态与人体坐标系（参考第二章图 2 – 7 – 1 – 2）

1. 光图象的圆运动

光图象的形态与人体坐标系有着密切的关系，也就是说，在作用不同的体位上，产生光图的坐标也不同。我们仅以平面直观的觉察，来描绘光图的形态。

测试中发现，人体光图象以圆运动和线运动两种形式最为常见。

以圆运动来说，也呈现多变性：

（1）横形的光环运动：

光环有时有顺时针转动，有时逆时针转动，其速度不相同：顺时针方向转动速度比逆时针方向转动慢，其颜色有差别：顺时一般为绿色或蓝色，逆转时一般为红色和紫色。

（2）水平方向的光环运动反映着人体前后、左右的平衡关系。

（3）垂直形的光环运动：这种光环，一般"外气"作用于人体的中线能量流时出现。

（4）斜形的光环运动：这种光环，反映着人体的上下、左右的平衡和协调关系。

（5）交叉的光环运动：这种光环，把人体的上下、左右、前后之间的关系组合起来。

气功师发射的"外气"作用于受体的不同部位，产生的光图的形态各不相同，它反映着不同人体坐标系（横向、纵向、竖向）。也就是说，人体上下、左右、前后不同体位出现的光图是有其规律性的，它是人体坐标系的反映。

2. 光图像的直线运动

人体能量的运动不但以圆运动形式出现，而且还以线运动的形式出现。线运动的形态也是多种多样的。

（1）沿水平方向的线运动，这种运动的存在，表明人左右运动的能力。

（2）沿垂直方向的线运动，这种动动是人体能上下方向运动的反映，也是人体向立坐标系的反映。

（3）斜线运动，斜线运动反映着人体上下、前后运动的能力。

（4）交叉运动，光的交叉运动，把人体的上下、左右、前后关系和综合起来。

有特殊的光图运动状态

（1）光图沿摆线运动，三个多层的光环同时向左沿摆线运动。

（2）光环由小而大。

（3）光环由大而小。

（4）光环互相吞吃。

黑色的圆环消失在白色的圆环里面，被白色的圆环吞食；接着黑色的圆环再度出现，将白色的圆环吞食。如此反复，循环不已。

人体光图像与受试体位磁向有密切关系。

"脐中"是人体"场"的中心也是人体能量转换的"拐点"。如：在受试者的脐中指压。气功师以手向受试者发功，他的指法、站立位置对光图像的出没、转动方向和颜色有很大的影响。下面是一些具体的试验结果。

第一，以右手中指指压受试者的脐中，受试者觉察光图很乱，无次序，也无定向移动。改用左手中指指压脐部，彩色光图像则上、下跳动。

第二，以左手中指触压脐中，右手中指依次在受试者的脐的东、西、南、北四个方位触压，其具体情况是：右手中指压触受试者脐左侧面天枢穴，则光环指西，向左侧方向移动；右手中指压受试者脐上的中脘穴，光环指东，往右侧移动；右手中指触压脐下关元穴，光环指北，往下移动。这证明了术者的左、右手与受体的"场"的关系，左手定位，右手决定磁向。

第三，以右手中指指压脐中，左手中指指压脐周围的各个穴位，光环都不转动。根据受试者的反映，当右手中指触压到天枢、中脘、关元几个穴位时，出现的光图很乱，无次序。术者以左手中指触压脐中，右手中指触压脐周围各穴位时，光环即开始转动。

针刺不同体位，光环运动方向各不相同。右天枢行针，光环向右运动；中脘行针，光环偏上运动；左天枢行针，光环往左运动；关元行针，光环偏下运动。

第四，在受试者脐的周围指压，右手指压左天枢，左右指压右天枢，左右出现两个运转方向相反的光环，右环顺时针转，左环逆时针转；右手指压中脘穴，左手指压关元穴，则出现两个运转方向相反的椭圆形的光图，右环往体后转动，左环往体前转动。

第五，术者左手中指触压受体的百会穴，随着术者体位改换，光图运转的方向也改换；术者用右手中指压百会穴，左臂下垂，光图向顺时针转。

术者的左臂上举，光图"立"向逆时针转。

术者的左臂平举，光图"横"向逆时针转。

术者的左臂前举，光图"斜"向逆时针转。

术者的左臂往后侧举，光图"横"向，顺时针转。

术者的左臂往后举，光图"斜"向顺时针转。

第六，光图的运转方向，不但与术者的体位有关系，而且与术者站立的方位有关系。受体面向南坐，术者右手按其百会穴，站立在受体的东、南、西、北四个方位，受体会觉察光环的运转方向各不相同。

第七，术者两手十指压受体的百会，光图的方向、颜色、形态各不相同。

右手大拇指按压受体的百会，光图的方向、颜色、形态各不相同。

食指按压，光图与人体成斜向运动。

无名指按压，蓝色光图由远及近，由小而大扩散开来。

小指按压，紫色和红色光波平行，由头上方往下方移动。

左手大拇指按压，红色光图垂直方向运动。食指按压，蓝色光图水平方向不转动，向四周放射出黄色光茫。

中指按压，出现一个停止不动的红色光带，与人体平行。

无名指按压，出现三个多层次光环，每个光图有三色，从左到右沿摆线运动，与人体平行。

我作了数十次试验，情况都相同。

从人体光图的运动规律中发现，左手是红色和紫色为主光图，以"波形"向心运动；右手是绿色和蓝色的光图为主，以"脉冲"作离心运动。这提示生命体内是具有方向性的，而自然界是波和粒子双重性的运动形式。

任何物质只要运动，就有其方向性。当物质受到相反方向的外力影响时，物质才能保持平衡。生命的蓝色和绿色光向右旋；红色和紫色的光向左旋，是符合物质运动的规律的。同时人体光还具有各种形态和不同的运动形式。对自然界光的研究还待进一步探索，生命体光图的出现，将揭开人体生命科学的秘密，解释新的生命现象。

第四节　人体场和植物场相互作用的研究

一、植物的生命现象

"植物有血型，可以说话更有表情"外国科学家报道：

1. "植物也有血型"

人们一定很新鲜，是不是也和人的血型一样呢？据研究报道，植物的血型和人类的血型是相同的。

人的血型为 A 型、B 型、O 型和 AB 型四种。据说根据人的血型可以分析出其性格。如属 O 型的人，性格坚强，开朗，讨人喜欢；属 B 型血的人，性格温柔，沉静等说法虽然未作科学验证，但不少人觉得这些说法很有道理。为此，有人提出，植物血型的发现，必定有进一步研究的价值。

蔬菜有血型，这是日本研究人员的一次意外发现。在这之前，已经证实植物种子和果实都有血型。但这一次，发现的是蔬菜也有血型，这是在一次杀人案中得到启发进而研究的结果。据研究报道，植物的血型也分为"A型"、"B型""O型"、"AB型"四种。

"植物血型的发现"是很有研究价值的。如临床发现用同样的铁树给患癌症的病人治病，有的铁树枯死的较快，有的铁树枯死的较慢，有的铁树看不出有什么变化，但临床的疗效是明显的。如果进一步研究，使动物的血型和植物的血型应用于临床治疗，使人和植物更好的匹配，什么样的病用什么植物。中草药的发展已有几千年的历史，形成了成熟的系统应用方法，相比如今我们所研究的"脉管针植物导线回路"双手行针的方法只是刚刚起步，任重道远。在探索中，发现人和活的植物连接后，不仅有能量传递，而且有活的信息传递。当人体场和植物场相互作用时，必然产生一种新的物质，这种物质属什么样物质有待研究。从现象来看，对植物而言，产生变异、枯萎、甚至死亡；对人而言，病情得以缓解、改善、好转或逐渐康复。因为人体是一个多维系统，不会象植物那样产生变异，就象人不管吃了什么蔬菜，都可以消化，为人所用。植物每年落叶、春天发芽、长大、枝叶茂盛，春夏秋冬重复。然而它的代谢期短，大自然是美丽奇妙的，又是不可测度的，不是人一朝一夕就能把治疗中植物的变异现象研究清楚的。它是需要更多的人，甚至几代人付出努力的。我相信，双手行针脉管针导线回路的治疗方法一定会使传统的针灸更上一层楼，对人类作出贡献。

2. 树木的语言

日本早稻田大学生物系教授三和广行等科学家曾经作过如下实验：

将电极插入植物的叶片内，并连接到电流表上，用以测量所释放的生物电能，然后再将所测量的电能放大，驱动喇叭用放大器播发出来，就听到植物发出的声音，如果将植物的叶片折断，或者让昆虫去咬它们的叶片，植物会因为"疼痛"而呜呜哭泣。

树木是有语言功能的。人喜欢听甜言蜜语，植物亦如此，如果你对植物多说点温柔的话，它们就会心花怒放，生长得更好。有些科学家相信植物有灵性，会听人类的话，特别是爱听温婉的话。植物能够回话吗？对于这个问题，没人敢肯定，据华盛顿大学生态学家说，柳树受到毛虫和秋天结网毛虫袭击，就会散发出一种化学物，传送给邻近的树木，提醒它们采取预防的措施。植物的根似乎不是讯号发射线，因为当科研人员在"说话"的树木下面挖掘的时候，他们找不到物理接触的迹象，生态学家相信，树木的讯息是由风来传送，鲁德斯说："一个有力的竞争者是乙烯"。无论是什么化学物质，这些化学物质是来自树的本身，不是来自昆虫。

加拿大的作物管理学家比特曼研究发现，当西红柿生长缺水时，它们也会发出"呼喊"声，如果"呼喊"后仍得不到水"喝"，呼喊声就会变成"呜咽"声。他解释说，这种声音是那些根部向叶子传输水分的导管在萎缩时发出的。当它们缺水时，这些导管内的压力明显上升，相当于轮胎气压的25倍，结果造成这些导管破裂而发出"哭泣"声，上述专家的实验也表明了植物和人一样，都是造物主的杰作。

二、生物"磁场"与方位

人体的躯干（上体）为正方位；四肢为负方位。人体的躯干为——东、南、西、北正方位，四肢为——东南、西南、东北、西北负方位。

花的方位与人体是类似的，从花的形状到花的叶和其数的排列都是与天体方位自然数编码是一致的。花蕊是正方位，花瓣是负方位；人体和植物体是同一方位和能量转换。

太阳光是开放式的离心向外的张力螺旋运动，它的螺旋运动的角度是 54 度，太阳内部温度是 1500～2000 度以上。压力是 2×103 亿个大气压，在探索中，我们认为生命的能量是一种超光速物质，比光速快九万六千多倍。（1988 年在西安国际会议上发表的论文中提出的）

1. 植物的信息

信息是一种场的运动，具体地说是生命思维活动。具有分析判断和选择的功能，也是活性载体物质，是一种能量转换的体现。生命的信息，是一种思维活动。（具有随意性），人（生物）的生命活动，可以体现为信息运动和能量转换两个方面。承载生物本身信息与其它植物的信息，这种产生生命力能量的植物叫生物载体。

信息是一种物质本身生命力。载体是一种物质信息，可以与另一种物质匹配。但是信息和能量运动是相互作用的。没有信息传导，能量转换就失去次序和方向，也就没有能量转换，信息无序，运动不协调。如：精神失常者，就是信息和能量转换无序的表现，如果选用活性的植物信息治疗，也许会得到理想的痊愈。

2. 光图与人体信息

爱因斯坦的分光学说认为"O"、"V"、"H"这三种颜色是分不出来的，但是在我们闭眼和运掌时能把彩色光环的色谱都能分出来了。O、V、H 三种颜色在人体光图象中出现较多。

我们闭眼就可能把产生的光图，负带的能量多少能通过光波的长短来推测。太阳是七色组成的，目前仪器已能达到分出灯光颜色。据科学证明人的（动物的）眼睛背面，是能够分出光的颜色的。如果把人的眼睛转过 180 度，也许能把太阳的或者其它的物质光的颜色分出来了。植物的品质不同，所吸收光的颜色就不同。比方说，玫瑰花的颜色、牡丹花的颜色、黑牡丹的颜色、绿牡丹的颜色、黄牡丹的颜色以及其它花的颜色，不都是吸收阳光中的各种单色滋养而成的，因此说，太阳光是由七种颜色组成，并不一定是科学的最后回答。

我认为天体运动是自然界一切物质的能量总源，各个细胞（包括各个器管）和各种元素，都将是光电的"波线"（不同的颜色）而互相传递着信息，又互相依赖，互相矛盾地发展。

第四章　人体生物场效应

第一节　生命现象——生物能量的物质基础

波尔指出，人体每一秒钟都在向外辐射一种"波"，这种"波"，就是能量。生命体无时不在需要能量来维持其生命的运动。人类（或其他一切生物）就生存在一个万有能量场中，我们通过自身能量场的介质，从宇宙万有能量场中吸取能量，同时，也向宇宙能量场发射能量。

西方科学家很早就认为，万有能量场遍布整个自然界。帕拉塞尔苏斯（Paracelsus）在中世纪就把这种"能"称为"依丽埃斯特"（Liaster），并说"依丽埃斯特"是由生命和生命物质组成的。赫尔蒙特（Helmont）设想了一种普遍存在的流体，它遍布于整个自然界，却并非一种有形的或可凝聚的物质，而纯属一种弥漫于所有机体的生命之本。莱布尼兹（Leibnitz）认为，宇宙的要素包含在其自身运动源泉的力的中心里。

19 世纪，赫尔蒙特和迈斯默（Mesmer）对这种万有能量现象的其他特性进行了观察，并指出，生命场和非生命场，都带有这种"流体"，并能间隔一定距离而相互作用，但这与"引力"有关。20 世纪，包瑞克（Boirac）和里标尔特（Liebeault）发现人类有类似的"能量"，它在一定距离内可使个人与个人之间产生相互作用。一个人只要在现场，就能对别人产生健康或不健康的作用。这种在一定距离内可以施加作用的特性，意味着可能存在一种在某些方面与电磁场类似的场。

冯·赖欣巴赫在 19 世纪花了 30 年时间对这种"场"进行了实验，称该"场"为"自然力"组成，类似于气流。他发现，人体内这种力也产生极性，类似于晶体中沿主轴方向出现的极性。根据实验证明，他将人体的左边说成是负极，右边是正极，这正是我国古代的阴阳学说。

现代西方科学家认为，人体能量场是一种万有能量的特征的表现，是与人的生命紧密相联的，它可以被描述为发光体，这种发光体向外辐射，常被称为"气"。1911 年，基尔纳根据他通过色隔板和滤色器所看到的现象，报告了有关人体能量场的研究结果。认为，沿着人体全身周围看到了鲜明的雾，分为三层，最靠近皮肤的 1/4 英寸厚的暗色层，它外面是 2 英寸厚的颜色较淡的一层，这一层的纹理垂直于身体；再向外是一圈外廓不清的大约 6 英寸厚的弱光。基尔还发现"气"的出现因人而异，取决于被测人的年龄、性别、智力、健康情况。某些疾病表现为"气"的斑点极不规则。

本迪特博士夫妇指出，"气"是由互相垂直的能流组成的，就象电场总是与相关的磁场垂直一样。他们观察到在人体"气"中的三种主要的能流。第一种，像交流电那样沿着相应于脊柱的人体中心轴线上垂直的能流，这些能流在脊柱与"气"外部边缘之间流动。

（1）人体为什么能发射电磁波呢？人体存在生物电，医生可用心电图、脑电图来诊断疾病。有电必有磁，但由于人体磁场太微弱了，所以一般人的磁场不易测出来。经过训练的气功师运气时，可以使自身的生物电磁辐射强度大大提高，所以在向病人发射外气时，有些病人会产生触电的感觉。

人体微粒流的发射，波段很复杂，射出的微粒流速慢，不会电离。如果在高频电场中将人体发射出的微粒加速，与空气分子激烈撞击，使之电离，人体周围就会产生一层生物能等离子气体，并发出雾状的闪闪辉光。

上海交通大学"人体场"小组，对"人体场"做了种种探索。他们认为：经过一定训练的人体（如气功师），能释放出某种形式的能量，能把它传递给另一人体，发挥出乎意料的医疗作用。他们用对红外线敏感的胶片，证明了人体生物能量的客观存在，并利用热象仪测定不直接接触者的手掌上的温度变化，证明了这种能量是能够经过空间和人体内的通道而加以传递的。当能量以联通方式作用时，还可以看到能量的增强作用。他们还发现这种释放出来的能量，受人意识的强烈影响，所以说，生命体与非生命体维系的能量，主要区别在于：非生命体所维系的能量是衡定的，不随意的；而生命体所维系的能量是不衡定的，是随意变化着的。在统一场的作用下，生命体由无机物演变为有机物，由有机物又演变为生命体的过程，其新陈代谢的途径依靠各自不同的环境而确定各自的生存方式，如果能量中断，生命体则不像非生命体那样可以衡定地持久地保存，生命体如果解体，便可以分解为各种单质元素。

（2）人体从宇宙统一场中吸收的能量，来自于太阳能，即光子。（阳光）光子被植物所捕获，在叶绿素中进行光合作用，将能量以化学键的形式储存在植物体中，植物体中的纤维素、糖、淀粉、脂肪都是光合作用的产物，这类物质分子的化学键中，储存着大量的能量。人体和动物通过摄取植物中的这些养料，通过酶系统，将这些物质分解，在打开化学键时，间接地获取由太阳传导而来的能量。

人体获取能量后，这些能量用来进行新陈代谢，维持生命，它们以辐射的形式，维持人体的体温和一切生理活动，而这种辐射是广义的，是由每一个细胞以生物超导电磁形式发出而传播开来的，现代科学告诉人们，构成人体的许多生物材料都具有一定的磁性。构成人体的主要元素钾、钠、钙、镁、磷、碳、氢、氮……而大部分表现为抗磁性和顺磁性。人体中一些过渡元素如铁、钒、锰、钴、铜、钼等物质，在一定的条件下，都表现为顺磁性。另外，由这些元素构成的生物材料，如含铁的血红蛋白、肌红蛋白和铁蛋白，含铜的血蓝蛋白和肝铜蛋白，含钴的维生素 B_{12}，在一定条件下，也表现为顺磁性。

（3）自然界大至宇宙、地球，小至原子、质子、中子、各种基本粒子以及组成基本粒子的层子和夸克，一般说来，都具有磁性。因此说，物质的磁性是物质运动的共性。然而在人体内，由于结构复杂，人体的磁性物质可以在周身流动，它们流动的快与慢、多与少，都会影响人体生物磁场的转化。

（4）人体生物"场"起源于细胞生物电，细胞生物电随着新陈代谢而不断变化，所以，人体生物"场"具有电磁场的特性。生命在进行活动的新陈代谢过程中，不断地进行物质交换，产生物质之间的相互作用，即人体各部位、各脏器之间的"场"的互相影响。

　　我 1985 年 8 月在青岛医学院和国家第一海洋研究所进行测试，不发外气时仪器指针表示为 43r（伽马），发外气时为 80r（伽马），而本实验室的张同志仅为 2r，同我不发外气时比较，相差 21 倍，同我发外气时比较，相差 40 倍。因此说："外气"是人体序化的生物磁场能量的一种表现。

　　综上所述，人体生物超电磁场是人体生命的体现，生命运动就体现在信息运动和能量较换：

　　信息运动——内场运动

　　能量交换——外场运动

　　通过气功态可以序化，信息和能量转换互相依存，没有信息导向，能量与转换就失去方向性，呈无序化，没有能量转换的体现，信息就成为无序的"钦差大使"瞎指挥了。

　　现代科学检测手段已经证明：

　　①人体能够发射能量，人体生物超电磁场是客观存在的，是一种生命物质的基础。

　　②人体生物超场磁性能够通过训练而序化，并向体外部空间辐射。

　　③人体生物超场磁波能够在空间或通过人体传递，并为人体所接收。

　　④人体生物磁场的发射不受传统经络制约，可以任意在全身各部位运行和向体外放射。

　　⑤序化的生物超强磁场，能使病变部位破坏了的电磁场得以序化，而具有一定的医疗作用。

　　⑥人体不是电磁效应，而是超导电磁效应，我认为在气功态时的光速震荡应是超光速的物质。

第二节　人体生物场的能量效应

　　生物学的发展经历了一个从宏观到微观，从形态分类到结构分析，从定性至定量的发展过程。100 多年前，生物学就研究动植物的形态和分类，建立了细胞学说，才使生物学开始进入微观领域。尽管如此，但还无法解释中医的基础——生命组织看不到的经络现象。现在不少科学家又在进一步探讨，试图从原子、电子的水平来观察生物现象和研究生命过程。

在自然界里，实物和场是相互依存的。它们在一定条件下能相互转换。我们对实物客体的研究是完全必要的，我们不能片面地把生命现象的物质基础仅仅归结为实物，而且还要接受和理解"场"的概念。

人体磁场可分为：

内磁场——心血管和淋巴系统，运动方向以右手为指向。

外磁场——肌肉和神经系统，运动方向以左手为定向。

心是内循环——能量转换。

肺是外循环——物质转换。

（1）活的生物体的"场"与自然界的场，虽然同是客观存在，但两者是有差别的。自然界的场不是随意的，而生物体的"场"的活动是可以控制血压的升降，控制体温和心率的快慢，以及脾脏、肝脏等脏器的功能变化，还可以产生强大的能量，并能使呈现等离子态而发光。

当气功师发射"外气"时，这种电磁波既是细胞活动的信息，又反过来影响细胞的新陈代谢。目前，发射外气有两种方法：一种是采用"松静"法，一种采用"憋气"法。气体受到压缩，就要放出能量，当这种能量进入肺静脉血管时，由于上、下器官在憋气过程中都关闭起来了，因此，它就沿着静脉返回心脏，血流冲入血管，逆行而出，我们把这个发放"外气"的程序归纳为吸气、憋气、运气、放气四个过程。

①吸气，可使肺泡充盈氧气。

②憋气，对进入肺泡的氧气进行压缩，关闭呼吸道，让肺泡收缩，会产生一定的能量。

③运气，把肺脏产生的能量压送到肺部的静脉血管中，沿静脉血流的逆向运动，使之在血管中产生可逆性反应。

④放气，把静脉血管中的能量汇集起来，向体外发射。

⑤发射"外气"，就是空气通过肺的活动，把产生的能量往血管里流动。静脉血流回心脏，是与淋巴活动有关的，而淋巴的总源头是脾，所以发放

"外气"与脾脏的活动有关系。我在平时练功中发现，每次发放"外气"时，脾脏总有发胀之感。1982 年 7 月在上海瑞金医院超声波室，用 EUB——22 型日本直立式超声波仪，对我的脾脏进行测试，直立胸腔运气前脾脏为 42 毫米，待运气后，增至 52 毫米；卧式胸腔运气后，脾脏由 28 毫米猛增至 53 毫米，增大 25 毫米。当发功结束松气时，脾脏在 3 分钟内逐渐恢复原状。

这一测试说明，气功师发射"外气"不仅与肺脏关系密切，而且，同脾脏也息息相关。

因此，可得出结论：吸、憋、运、放的过程，也就是肺脏与脾脏的能量转换的过程。

（2）按照生物学的观点，人吸进的气（主要是氧气），呼气在肺内交换，转换为另一种能量，通过心脏血管输送到人体的周身，供给我们生命活力之需要。这种"气"，是一种具有能量的物质。但是，"气"不能直接在人体周身运行，它必须通过血液转换成能量，这种能量与电磁现象有类似之处。

（3）人体就是一个电磁场，它来自地球总电磁场。

地球磁场代表地球物理电能的强度，我们已知地球磁场强度为 0.5t 奥。人类生存在地球表面，在长期的进化过程中，适应了这种磁场强度，稍有变化，就能干扰人体生物磁场的平衡。现在人们已经发现，月亮的圆缺不仅直接影响海洋潮汐变化，而且对冠心病、高血压患者也产生明显的周期性变化。这是因为月球的运转，地球和月亮的万有能场相互作用，导致地球磁场的改变，从而使人体生物磁场对此作出了敏感的反应。

（4）那么人体生物电和生物磁场相互作用关系又是怎样的呢？

通过对人体的研究发现，人体磁场是顺磁性的，流向为右旋转。生物电在肌肉深层组织，而生物磁场在皮肤浅层相对较大。

人体顺磁性生物材料，在血红蛋白中的含量最多，由于它有流动性，加上分布量不一致，因此，人体生物磁场是多层次的，各层次的传导波型、强度是不一致的。神经冲动受生物电的作用，在此过程中，同时产生生物磁场，而生物磁场又可反馈兴奋激发生物电，因而人体能量关系为：

人体能量信息的传导和接受可分为感觉到的和无感觉的。从电子理论上看，信息是变化的，而变化速度有快、慢。

（5）感觉到的有视觉、听觉、触觉、味觉、嗅觉、温觉、痛觉。

①视觉和听觉，以光的频率和它的纯度变化为依据以及音频的强度为依据。

②温觉，是电子、原子、分子的热辐射波动的形式为依据。

③味觉和嗅觉，是以化学反应物质的交换为依据。

④触觉，是以单项的机械触动为依据；压觉是由于长时间压迫作用，神经和血管暂受到阻断，影响了局部代谢的正常进行而产生压迫感。

⑤痛觉的形成很多，表面擦伤的刺痛，无伤痕的疼痛，无肿胀的神经痛，等等。按细胞极化理论，细胞不论受哪一种损坏，细胞的极化电流仍固有（除味觉、听觉、视觉外），其它一般伴随触觉的同时，可能有其它感觉的信息。一次触觉在分析器上产生一次性电效应，多次形式的触觉在分析器上产生多次电的效应。连续性的无变化的刺激强度，感觉也就失去了（如针刺的埋针实验）。

触觉是细胞的几何体积由外部机械接触发生变化时，引起的电流变化传到分析器上形成的感觉形式。

人体（包括动物）自身运动引起细胞组织间的牵动、挤压、触磨的单项反射都要以电的形式转入分析器，进行适当的调制处理，以达到人体在空间位置的平衡定位，都是触觉形式的同一原理完成。

压觉和触觉的区别在于压觉比触觉压力大，触压的面积和深度大，以至使传导系统的神经纤维阻断，进而影响了膜两面的 Na、K 离子配率，因而增大了电阻率，使中枢和局部间的电传导性随压力的增加函级变差，时间不太长而有麻木感。时间过长由于远端神经得不到补充电流而坏死，失去传导作用。

⑥1886 年，达松纳（M. A. d'ArsonaL）发现人眼受到变化磁场的作用时，会产生闪光感觉的磁闪效应，中国气功界把这种磁闪现象称之为"开天目（眼）"、"内景"。在我给病人治疗时，当生物功能态作用病体时，病人会在眼前觉察各种各样的五颜六色的光图，这种磁光效应是由于人的眼部受生物交变磁场的作用而出现的。由于生物功能态的序化生物磁场势能增高，当能

量向患者作用时，可以改变患者的生物交变磁场，出现各种不同颜色的数字、几何图形。由于视网膜神经具有对"外气"特殊的接受能力，而在人体其他部位，仅有温热寒凉的感觉，因此，磁闪光效应是个体自身检查生物能量流的特殊信息。

生物能量态序化时，也可用这种方法来检查自身能量流的释放及其大小、强弱。这种生物信息也可以用来鉴定生物能量的大小。光图颜色和生物能量的变化，有一定的大小比例关系：白色光 > 紫 > 黄 > 红。

将医用磁疗机疗效与生物能量态作用病体治病的效果相比较时，人们惊讶地发现生物能量治疗的效果要高于磁疗机。当然，这不排除患者的心理作用，但根本的区别是，磁疗机是自然界非生命电磁场，而生物功能态时，是生命能量活性生物磁场对生物体有特殊的生物效应。

人体生物电所激发的生物磁场，在各部位是有差别的。实验观察到的血液、心脏、肌肉、大脑、神经、肺……等所产生的生物磁场频率各异，说明是个多层次的人体磁量分布，导致了机体各脏器之间的特殊效应。这些部位的生物磁量发生变化，各脏器就会起变化。还测得肿瘤细胞的磁化率大于正常组织磁化率 5% ~ 7%。由此可见，生物磁场反映了生命活动的客观规律，认识和掌握这些规律，可用生物能量治疗人体疾病，用非生命能量解除人体生命疾患是个研究方向。

⑦人体是一个有生命的磁体，它同地磁体一样，在其周围有磁场。地球磁体在宇宙中围绕太阳运行，在不停的运转和自转过程中，向空间放射各种能量，吸收各种能量；生命磁体同样在随地磁场运动，具有其本身的旋转和运动规律，不停地与大自然交换各种物质，向空间放射各种能量。生命体与非生命体同样都受宇宙间的电磁场的作用，生命体的存在和发展，必然有其自己的运动特性。人体生物场对于地磁场，既有依赖性，又有非同一性。

第三节　人体能量转化和生物磁场效应

迄今为止，人们对非生物的磁场研究比较透彻，取得较大的成果，但对生物磁场的研究刚开始，许多生命现象还不能作出令人满意的解答，是由于人体科学研究的实验落后。目前，人们对人体微观世界的认识，还比较抽象，虽然已经了解到组织的基本结构和基本功能，但彼此间的功能靠什么来维系？如何维系？这是一个值得探索的课题。

生命现象的根本特征是——新陈代谢

人体新陈代谢的最基本单位是细胞，每个细胞每时每刻都进行着能量的生成和转换。人的某一器官是由某一种细胞组成，在能量的驱动下，体现出人体某一器官的功能特性。搞清楚人体内能量的传播、转换方式及其所呈现的生理功能，应是生物科学和人体科学及气功界研究的主要课题。

植物从外界摄取水、二氧化碳和阳光，进行光合作用，生成它本身生长所需要的营养物质，这是新陈代谢中的同化过程。

人类和动物界不能仅从太阳那里获取能量，还须从外界取得食物，经过体内的消化吸收（相当于植物的光合作用）而获取营养物质，是新陈代谢取得能量的过程，是细胞获取营养物质及同化过程。

①人体吸收的物质不断地被转化和分解，是由体内各种酶系统去完成的，它们把大分子化合物不断地分解成小分子化合物。这些大分子化合物被分解时，大量的化学键能被释放出来，它们由化学能转化为热能、机械能、辐射能，这些能量用来供应体内代谢的需要。所以，物质分解而放出能量的过程，称为异化作用。

②同化作用为获取能量阶段，是营养物质进入细胞阶段，是细胞内代谢废物的排出和营养物质摄入的过程。营养物质由消化道进入，通过消化酶系统和胃肠道机械运动，将食物最终分解为脂肪、氨基酸和糖类等。这一过程是耗能的，而只有这些营养物质在细胞内进行生物氧化，才放出能量。

③异化作用为能量分配阶段，进入细胞的脂肪、氨基酸、糖在细胞内线粒体中进行生物氧化三羧酸循环。在这过程中，由6碳化合物分解为1碳化合物，在打开大分子化学键时，需要能量，但在化学键断裂时，又放出大量的能量，放出的能量大于消耗的能量。这些能量并以生物磁能的形式向外辐射和激活人体生物功能。由此说明：生物磁能的能源由细胞生物氧化时所释

放的能量来维系，而生物功能又需要生物磁能来激发。

④生物信息和能量的转化，只有在生命体内，能量才能转化为生物信息，这就是人体生命的奥妙所在。中医学把人体生理功能称为"气"。这个"气"，是人体生命活动的总称，就是生物磁场的实质生物信息。能量和信息磁能，两者相互依存，缺一不可。

⑤细胞生命氧化是生命体的产能形式。生成的能量以 ATP 的形式储存和转运。这是已被生物化学所证实的。当 ATP 的高能磷酸键断裂时，所释放的能量，瞬间以什么形式传播，还不太明了。这是化学能转变为物理磁能的过程，这种能量是互相转化的。

物理能←———→化学能

生物空间医疗实践表明，这种能量是以生物电磁波的形式来传播的。键能（8000 卡/克分子）是化学能，化学能转化为热能，热能转化为光能、机械能，这是物理现象。能量是可以相互转化的。

生物信息对人体系统的影响

人体每一个细胞都可产生能量，这是人体能量的主要来源，细胞在产能过程中，也需要消耗能量，这样才可满足细胞的新陈代谢。这是细胞的正常生理功能，这种功能是在神经系统的支配下，在酶系统的参与下进行的。参与这种调节的微观实质是什么呢？用生物空间医学的观点来解释，就是生物信息。生物磁场的活动，主要调节神经系统、酶系统、血管系统、淋巴及免疫系统。这种调节具有整体性，彼此互相影响，不可分割，构成了人体生物磁场的感传特征，一定的规律性。可以这样认为，生物磁场是一切生命活动的原动力，神经、血管、淋巴系统，则是生物磁场的活动场所，具体表现为生物能量的序化。

生物磁场对神经系统的影响

神经冲动的传导，神经膜上和细胞膜上生物载体的激活，以及体内一些重要的生物氧化还原反应，是因生物电流促使细胞膜上的电子传递而发生。

化学和生物化学告诉我们，生物的氧化反应是加氧、去氢、失电子；还原反应是去氧、加氢、得电子；电子的得失，都受着磁场的影响。

神经膜的电传导

神经系统的结构和机能单位是神经元，它的主要作用是传递生物信息，神经细胞接受外界的刺激，产生兴奋，这种兴奋顺一定的方向传导。通过电测定，刚刚能引起组织发生扩布性兴奋的最小刺激强度，称为阈电值，高于阈强度的刺激为阈上刺激，而低于阈强度的刺激为阈下刺激。一次阈下刺激不能引起组织发生扩布性的兴奋，能起局部兴奋，这时，仅为部分（组织）去极化效应，如果连续给予一系列阈下刺激，则刺激总和使部分去极化发生叠加作用，使神经膜电位由 50~90 毫伏逐渐降低；当降至 15~20 毫伏特时，膜上的钠载体活化，膜对钠的通透性暂时增大，膜外钠的浓度较高（30 倍），顺着浓度差，向膜内转移，使膜出现去极化，从而引起扩布性兴奋。这种扩布性是有方向性的，不能逆向传导。

（1）正常神经静息电位。

（2）阈电值叠加效应。

（3）去极化引起神经兴奋冲动。

（4）神经膜就是一种生物磁，是由一个个磁偶极子排列而成。

当外界刺激达到一定阈值后，磁场顺着磁力线运行，这种生物电的扰动同时引起磁的扰动，引起刺激部位产生区域电场变化，而在电场邻近区域引起磁场新变化，这样持续不断地进行下去。这种变化的电场和磁场在神经生物膜上的连续不断地，有方向性地激发，由近及远，借助于体内 Na^+、K^+、Ca^{++} 离子的变化而传导，产生神经的冲动，这种传递速度、方式和电相近。

生物磁场对酶系统的影响

酶系统是人体生命活动重要的环节，任何生理功能都离不开酶。酶的专一性非常强，这种专一性决定了人体各个器官的特殊功能。因为每一种器官都含有它相应的酶系统。酶是由酶蛋白和辅酶组成，酶在细胞内合成或初分泌时，没有催化活性，称为酶原。当被激活时，酶原去掉，暴露活化中心，才呈现作用，这种激活也受磁场的影响。

电子的能量大小，取决于外加给电子能量的生物磁场，而电子能量大小又影响分子的活化程度；酶分子也是如此，这主要是通过酶分子原子间的化学键来影响的。

在外加磁场比较大的情况下，这种能量就比较容易影响分子间的化学键，使化学键角度偏移甚至断裂，引起生物效应。

组成生物分子的化学键能的大小不一样，特别是酶类，酶的活化中心就是它们的特殊结构，酶的磁性强，化学键被移动或断裂而呈现作用，而通常易于打开的键是氢键和离子键。

胰蛋白酶在生物磁场作用下：（如图4）

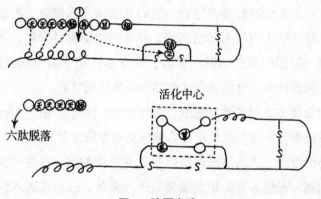

图4　胰蛋白酶

以上是胰蛋白酶原的激活，由于胰腺分泌的胰蛋白酶原没有生理活性，当受生物磁波作用时，离子键或氢键断裂，暴露出酶的活化中心，而发挥生理作用。

生物磁波还能促使酶的释放和生成。气功调息时，所激发的生物磁场对脑垂体、胸腺、性腺、液腺有不同程度的激发，促使这些腺体的分泌。

生物磁场对血液的影响

血液中含有许多蛋白质，发挥着各自的生理效应。血液含量最多的是血红蛋白，含铁的血红蛋白对高等动物尤为重要。它一方面负责向组织细胞提供氧气；另一方面将二氧化碳由血液中进入肺，在肺进行氧化还原反应，这一过程是在肺微循环中进行。

进入毛细血管进行 O_2 交换的是血液中红细胞，血红蛋白是组成红细胞的重要物质。血红蛋白含有大量的铁，铁离子以游离状态和血红蛋白构成细胞的有形成分。人体中铁的含量较大，铁又表现为顺磁性。人体的生物磁场对血液有重要的影响，血液反过来促使生物磁场的改变。

生物磁场对淋巴系统的影响

淋巴系统的主要功能是产生淋巴细胞和人体免疫力。淋巴系统是血液循环的辅助结构，包括淋巴管、淋巴结、淋巴液、脾脏等。它们彼此连结，构成独特的淋巴循环。淋巴液在淋巴管中循环，淋巴管起始很细，散布于各组织中，逐渐集合成较大的淋巴管，最后汇合成两条大的淋巴导管，左边的叫胸淋巴导管，右边的叫右淋巴导管，它们在颈部注入静脉。淋巴管经过一些部位有淋巴结，它可以制造淋巴细胞，并能吞噬细菌及异物，当身体某处有细菌感染时，附近的淋巴结就会肿大。全身淋巴结主要分布在颌下、颈部、腋窝、肺门和腹股沟，分别收集这些部位的淋巴循环液。

脾脏的功能主要制造淋巴细胞、单核细胞，同时也是贮存血液的器官。

淋巴系统参与人体免疫反应。人体的免疫系统主要是由淋巴组织所组成，包括中枢淋巴组织，周围淋巴组织以及免疫活性细胞。这些组织最初产于骨髓内的干细胞，先进入到中枢免疫器官——胸腺，以后又进入到周围淋巴组织——脾及淋巴结内定位，由此不断地产生两类免疫活性细胞，T细胞和B细胞。

在临床上运用"双手行针""脉管导线回路"方法对病人进行治疗实践发现，淋巴系统和人体免疫功能也受着生物磁场的控制。人体生物磁场当闭合电场时，磁场中心胸腺，磁轨为顺时针方向运转，而且磁场效应明显增强；数据体现，人体免疫功能和生物场对免疫系统功能的促进作用上升，这首先表现在淋巴循环加速，淋巴结有不同程度的缩小，人体各种免疫功能提高，从而达到防治因免疫功能低下而导致的疾病。

第五章　生物空间医学

第一节　生物能量与生物空间医学

现代科学特别强调的就是信息和能量。

我经过几十年的生物针刺双手行针临床试验，认为人体和植物体在空间也有共同的物质基础。植物具有一切生物具备的属性，和人体一样有 O、A、B、AB 四种血型。人体需要植物吐出的氧气，植物需要人体呼出的二氧化碳。那就是人体和植物体之间的生命信息和能量，有着相互效应和互补作用，用漆包线将人的病体连接活性植（动）物，利用它们本体活的生命信息和能量，来医治解除人的疾病，实现以"生命能量（活的）解除生命疾患，区别以非生命能量（死的）解除生命疾患的研究"。中草药是死的，只有能量没有信息，而活的植物，既有能量又具有信息。实践证明用活性树木、花木等植物作用于人体治病，无任何副作用，是大自然一种和谐的治病方法。

现代生物空间医学将人与宇宙看成是一个和谐的整体，即生物场理论……用显、隐"场"的能量流的场效应的共轭理论来探讨宇宙……生物场的能量流场的时空动态平衡。用这一观点解释生命的经络、遗传、生物激光、生物等离子体、生物的常温超导现象等等。提出生物的空间效应即轨道过渡的负式能量的负熵理论。

目前，对于人体生物场的思考向现代化医学提出了一系列具有创新性的问题，我们必须以中医的整体观来创新中医学，贯彻落实科学发展观，掌握生命发展规律。十几年来，我与上海复旦大学，华东师范大学和上海瑞金医院用物理的方法，通过多次科学检测，认定了人体生物能量（气功能量）是有物质基础的，是区别于非生命能量的。

　　生命活动是一个新陈代谢过程，而新陈代谢又必然要进行物质交换，物质之间必然要相互作用。现代医学认为这种相互作用只能是实物直接交换而不能间隔交换，即通过空间作用来交换。利用生物能量态来治病，其临床疗效是现代医学理论无论如何也无法解释的，人体生物场的存在从根本上动摇了这种传统思想。

　　从我多年来对人体生命能量的研究中，发现实物不仅可直接将能量与病体发生关系，而且还可以通过空间相互作用。这个"空间"不是一个真空的空间，而是一种物质，它就是"场"的生物能量的运动，并具有物质的一切属性。质量、动量和能量，有微粒性和波动性，在一定的条件下是与实物的基本粒子相互作用，所以，人体生物场的存在和作用过程是可以加强人体的调控机能，使人体内部与人体的外环境密切联系组合为一个统一的整体物质运动的。

　　长期以来，人们对身体以外的自然界的物质研究颇多，从蒸汽机的发明到发电机、无线电，直至原子能的开发利用，电子计算机、激光技术的问世等等，已从单纯地解释自然，深入到改造自然、利用自然为人类造福。而相形之下，"人体"这个自然界中最伟大的课题，却仍然停留在被动的和被描述性的阶段，大有"不识庐山真面目，只缘身在此山中"的尴尬。人类至今并没有完全"认识自己"。

　　人体生命能量是包括心理的、生理的和病理的综合活动的产物。研究生命能量的物质，可以分为基础的和临床两部分。研究的对象应从生物能量态的人和所治疗的病人双方面去工作。对前者进行各种科学测试，从构成人体物质基础活的生命现象进行研究，要搞清活体的生命原理。从医学的角度便于临床推广和模拟，在加速中医理论本质和论述的同时，也为中西医结合找到共同语言，这对于西医侧重传统的生理解剖和病理解析的临床方法，要有一个重新认识过程，以便重新认识运用整体生命能量来解决生命疾患的研究。

　　人体生物场起源于人体细胞生物电，而细胞生物电又随着新陈代谢和自然界电磁场对人体的影响，不断地发生着变化。人体生物场的能量运动的特性，既是细胞活动的信息，又反过来影响细胞的新陈代谢。这种生物能量是具有高度的有序性，体现出生命的能量和信息是可以进行自身调控的。

生命运动是一个高级运动形式，用某种物理学方法来研究生命现象，反映出来的只能是它的一个侧面，或者只是一种表面现象，而不是本质，因此，必须经过一个相应的"变换"才能复现生命活动的本质。这就是为什么生命能量和信息的物质基础有时会表现为低频调制的红外辐射，有时又表现为静电富集或微粒流等，所以，对生命能量和信息能量的认识，决不可以简单地认为"能量"（气）就是红外辐射或者就是静电富集，也决不能认为人体生物场与自然界电磁场及其相伴的能量和信息之间只是一种"交换"的关系。

科学发展史已经告诉我们，由于"场"的存在不易被人们所知，所以人们对"场"的认识远不如对实物的认识更深刻。我认为，生物的场有其影响发展运作本体生命的规律。麦克斯韦的电磁场理论促进了电磁波的发展，医学界也开始重视了对人体生物场的研究，这将给予生命现象的研究一个大力度的推进，也将对自然界的电磁场和有生命的生物场的相互作用进行研究，再通过现代科技对生物场与实物的相互能量转换进行研究，这对发展现代生物空间医学，造福人类，肯定会有一个质的飞跃。

从生物空间医学的角度来看，人体内的生命系统的阴阳对称现象，疾病现象就是表现人体内的某个层次水平上的生命系统的阴阳对称失衡，任何疾病都可以用阴阳概念去分析，疾病发生的部位层次不同，则病理、生理过程也不同及运用治疗的方法也截然不同。

活性物质不仅有能量，而且有信息，对疾病的作用不仅是能量的组合，同时还有信息的匹配。比如用一盆景松树与肺癌患者×××用"脉管针植物导线回路"法串联一起，经14次双手行针治疗，松树开始枯黄，患者赵××的右肺肿块中央坏死，一年后，坏死的中央肿块处长出新的肉芽。另一例是肝癌患者李×（北京3家权威医院诊断为肝癌），用铁树、桃树和松树三株盆栽的活体植物，也利用·"导线回路"双手行针，将植物与人体串联一起，经20次治疗复查，已转为良性。临床发现，癌肿转移率显著下降，这足以证明了，阴阳升降平衡是决定着癌症的活性，是可以调控转换癌症的生长和发展的。

目前的医疗手段大都以杀灭为主。在杀灭癌细胞时，也同时杀灭了正常细胞。这种以药物或化疗对人体细胞采取"宁错杀一千，不放过一个"的治疗方法，使癌患者后遗症频发。利用生物空间医学的"和谐原理"，调动宇宙活的能量与信息对患者进行补益，是完全合乎人与大自然和谐共存、共荣的。

人体生命的任何方位都是对称互补的双向和谐调控系统，按照阴阳升降的对称互补原理进行调谐，可在人体内不同层次和体位发挥不同的功效。这是生物空间医学与其它自然科学所不同的。

第二节　活性植（动）物与人体感传效应

日本科学家曾作过一个实验，当人们想用手折断树枝时，树的磁体就会产生紊乱的电波。所以树对人的信息感应是很灵敏的。

生命磁体是一个总概念。植物是有生命的，它当然也能成为一个独立的磁体。地球是一个大磁体，我们可以把地球上的一切有生命之动物和植物视为一个一个的小磁体。

从物质的微观结构层次看，各种层次的物质都具有磁性。地球有磁性，月球、太阳都具有磁性，磁性是物质的一种普遍的性质。对人体的认识，现在还只停留在宏观方面。我们习惯于从解剖学的角度来认识人体及其运动规律。现代电磁学的发展，促使我们从微观方面去认识生命。脑电波的测量，磁疗的应用，就是实际例子。生物针刺实际上就是运用"电磁波"调节人体生理功能，以达到治病强身的目的。

功能态时生物电磁场对生命有一定的影响。蜜蜂能依靠地磁场安全返回蜂巢；鸽子能辨别地磁场的强度和地球自转产生的科氏力（转动系统中出现的一种惯性力）的细微差别。凭借这种特殊本领，准确无误地飞回家。最近人们发现磁场可引起细胞减数分裂，畸变数增大，细菌在一定的磁场强度下也会受到抑制。"电磁波"对离体癌细胞具有很强大的杀伤力。

电磁对植物生理功能的影响也很明显。放置于电视机旁的盆栽花木容易枯死，用磁处理过的水来灌溉豆类、萝卜、西红柿、玉米等作物，可使开花和成熟期提前，产量提高。

蛋白质之所以具有执行运动、支持、运载、免疫、调节、遗传、记忆等功能，这同它内在的电磁场的电子活动有着密切关系。人体内的"密码本"——微粒染色体组在蛋白质内的"群居"，靠的是生物场的空间方位电磁场的转化，细胞的正常活动，靠的是蛋白质的电子规则的游动。如果电子运行紊乱，细胞即发生病变。在生物的遗传和进化等过程中，磁场无疑有着特殊作用。

通过现代科学实验手段发现，人体内各脏器磁场的强弱及其运动规律是不相同的。美国的戴维德柯更等人，运用超导电量子干涉仪，在人体外测出了心肌所产生的磁场，并发现，这种磁场的产生和人的心理状态密切相关。人的喜、怒、哀、乐、悲、思、恐，七情六欲的产生，心理情绪的变化，都会影响磁场的强度。也就是说，人可以通过意志的控制、情绪的抑制来改变体内磁场的强弱。

实验证明，不同人的心脏磁场强弱是不同的。不仅心脏存在磁场，而且肝、肺等其他脏器也存在磁场。人体生物磁场的强弱跟职业有一定的关系。如电焊工人的肺磁场就比一般人强，运动员的肌肉磁场比一般人强。这说明人体磁场的强弱和运动规律除了同心脏因素有关外，还同人体功能机制及职业、环境有关。

人体的生理运动是生化的表现。研究物理运动和生物运动之间的渗透关系的科学，目前称之为"生物物理学"。研究磁性和磁场与生物特性之间关系的科学，就叫做"生物磁学"。这是一门新兴学科，有着广阔的研究前景。可以预料，人体许多不解之谜，将会随着生物磁学的兴起和发展而逐步被解开。

动物、植物都具有"场"的功能，在自然界中独立而又相互依存。根据其属性特点，在临床中，我用"脉管针导线回路"的方法，将刺入植物和人体的针灸针用线串联起来，采用双手行针的方法，利用生物磁场的性能，而出现较强的感传效应（得气）达到比预期更好的治疗效果。具体方法在后面的第六章中详叙。

第三节 生命整体现象——对称与平衡

人体的各脏器之间的相关性和各脏器的功能协调性，在各个不同层次的组织相互作用的规律性，都体现了生命是一个整体，决不能用机械的观点把生物活体看成为若干脏器拼凑起来的生命活体。因此在解决生命问题上不能忽略它的对称互补性。应强调树立生命的整体观、相互性和有序性，及所表现出生命的动态性。

凡生命体的发展和变化，都具有阴阳对称性，人是高级的复杂的生命体，其阴阳对称的形式，也是高级的复杂的。病体同样有阴阳对称性问题。《八卦图》的阴阳对称匹配，体现了物质运动保持平衡的普遍规律。任何物质的平衡，都必然反映质和量，整体和局部，内部各因素各环节互相依存，相互制约。也只有这样才能保持本身的平衡。这就是说任何物体的平衡都存在着两种相反的属性及相反运动的力。

阴阳两种力的平衡与变化，决定了物质平衡态的开放系统，总是处于物质不断运动与变化，影响着阴阳动态平衡的稳定性。太极图中央的回互"～"曲线，描绘了天体物质往返运动的规律，处于物质不断运动变化和运动平衡，当这种曲线不能维持阴阳平衡时，物质运动即产生升降变化，导致阴阳平衡失调。当人体失衡后就会导致疾病发生。我们把这种平衡失调称为无序态，用天体自然数编码说是一种密码排列的错乱。平衡与失衡状态是体现阴阳升降的对称互补性，对生命系统的研究是十分重要的。分析与控制病理变化过程的对称互补性也是生物空间医学研究的核心问题。机体阴阳升降平衡，用数字化施以控制，使功能方面和器质结构方面表现为"零"态，即相对平衡态，是人体健康的重要因素。

生命与非生命是自然界中动的物质和静的物质，也是生物空间医学理论的研究对象，以对称互补原理为核心，以信息论、控制论等学科为研究方向，揭示生命运动及疾病现象的本质，从而有效地对生命运动实施调谐和控制。

　　阴阳二气，是活的生命体都具有的能量与信息，非生命体指自然界的正负电磁场的能量，是没有活性的物质。生命体内的阴阳二气能量序化与非生命体的能量序化是有区别的。中国有许多传说："神仙"治病用手一摸，病就好了，其实没有神仙，"神仙"也是人，是用活性的能量给病人治病，疗效可能出现奇迹，因为活性物质不仅有能量，而且有活的信息，对疾病的作用，不仅是能量的组合，同时还有信息匹配。从临床发现，经双手行针"脉管针导线回路疗法"治疗，使人体活性的阴阳二气升降得以平衡，这对病体的康复，"重病"的缓解，痛苦的减轻等起到了积极作用，效果非常明显可靠。

　　以老子和"易经"的阴阳学说为代表的哲学思想是我推出的"生物空间医学"的理论思维核心，认为自然界中一切物质和生命无不处于对称互补的矛盾运动中，阴阳学是描述宇宙天体运动万物变化的根本规律，揭示了物质的自身系统性的变化以及相关性物质的整体相互作用，符合辨证统一的理论基础，"生物空间医学"突出空间概念，强调三维空间以至多维空间是整体观和系统论，在解决生命科学问题上具有前瞻性。

　　《易经》的阴阳对称互补，八卦图的阴阳匹配，体现了物质运动必须保持平衡的普遍规律。运动平衡又遵循了对立统一的关系。《八卦图》阴阳24爻对称组合排列，对认识人体的体位组合对称排列有着深刻的意义。人体的体位组合，与《八卦图》阴阳24爻的对称排列是相同的，由此确立了针刺的对称性。人体三维空间与针刺组合感传的多维性，是用生命能量解决生命疾患的针刺新疗法体系的基本原理。

第四节　双手行针原理

　　针刺疗法是祖国医学的宝贵遗产，至少已有2600多年的历史。《史记》中的《扁鹊列传》就生动地记述了扁鹊如何运用针刺疗法让虢太子起死回生的事。针刺疗法在流传的过程中，逐步同气功的运气疗法结合起来，就形成了气功针刺疗法。气功与针刺结合，可以使气功师行功时发出的生物电直接感传到病体，从而提高医疗效果。

千百年来，我国针刺疗法皆为单手行针，由术者在患者身上选取相关穴位进行针刺，以单手（习惯用右手）捻针，使患者产生某种感传效应，亦即患者病灶产生类电磁效应。这种效应沿着患者病灶经络系统，按人体磁场轨道运行，可以沟通内脏与内脏之间、内脏与体表之间、体表与体表之间的通道，来提高功能活动的协调性，使人体阴阳恢复平衡，从而达到治病的目的。

单手行针感传只是朝着一个方向，如针刺曲池穴，感传到手指，却不能往另一臂传导；针刺环跳穴，感传可到脚趾，却不能传到另一只腿的脚趾；上肢与下肢不能沟通，而前后的互通就更不可能了。而双手行针，就能达到互通的效果。

单手行针时，术者的电磁信息只有通过地磁场导行，才能使受体接到信息形成闭合回路。这样一来，术者发出的电磁信息，由于必须通过非生命体——地磁场，使人体"生物电"能，在传输过程中受到损耗，可能会因此而影响效果。

"双手行针"疗法，使人整体产生对应的有规律的能量感传和正负两极效应，上、下、左、右纵横交叉感传。通过双手行针能有目的地使病体某器官或病灶产生"机械运动"、温度转换和生物电磁场的运动。使"外场"促进"内场"功能的就序。根据不同的疾病，选择不同的方位，不同的穴位而行针。双手行针产生的生物电磁感传很强，是可控的，而且是双向的；可使四肢、身体的前后、左右、上下的穴位感传相联，增强了体内分子的运动，使内脏到体表，体表到内脏，由无序向有序（正常）转化。

在进行"双手行针"的治疗中，发现病人对行针时的感传也存在一定的差异。有的敏感者，在行针后，感应强烈，感传扩散快，连接迅速，但有的病人却在第二次捻针后（每次在治疗时间内，一般采取2次，有的甚至3次捻针）对感传才敏感，甚至有的病人在接受第二次治疗后，感传才逐渐敏感起来。

感传伴有许多形式，部分敏感者可出现彩色光图，光图的形态变化和运动方向、颜色的转换都与体位和感传方向及术者手法的变化有密切关系。

右手行针时，感传是以脉冲的形式，向人体两端展开，左手行针时，感传则以波的形式向人体中心移动。这就是左手和右手放出的物质不同。我国古代提出的"左手青龙（即阳），右手白虎（即阴）"之说，不仅指出了体位上的区别，而且指出了阴阳的差异。

双手行针时，患者可以感觉到：当术者右手行针所产生的脉冲和左手行针所产生的"波形"类电流感传导相迁后，形成以术者左手为定向的体内"类电流"回路。有些病人可明显感到"波形"类电流传导是在肌体浅层（皮肤和肌肉之间）；而"脉冲"类电流传导是在深层（肌肉）。同时还发现既使用同一只手、捻针的方向不同，产生的传导的旋传方向也不同。

人体的血液循环，物质代谢、组织、细胞、肌肉、神经、脏器及整个生命的一系列物理的、生理的、生物化学的运作过程，存在着电子传递的离子的迁移——生物电流的现象。

当针刺入受体穴位，神经开始兴奋传导，形成机体磁场的"共振"，产生了"电流"——感传。不行针不产生感传，故认为行针而升起传导现象才是治病的关键所在。

用"双手行针"方法，对病体产生较强的"电磁"效应，根据病症，结合气功发放的"外气"（即一种能量）会加强感传效应，这是体内的"生物电"的一种传导现象。藉着针刺的作用，这种感传所表现的是体内能量在血液、肌肉和脏器中运行及转化而形成的能量序化，所以说，针刺感传也是一种信息的传导，是人体能量的载体。

这种传导现象与自然界中的一些传导现象有类似之处，自然界中风、雨、云、雷声、光电用不同的传播形式，与外界的物质传播发生效应。人体内部的变化是用另一种传播形式。这样内外往返转化，使生命和非生命不断地进行着互相传导和互相协调作用。

总之，我所开创的"双手行针""导线回路"及"脉管针导线回路"方法（方法后面详叙）其原理是受"八卦图"的启示，根据"天、地、人"合一的整体观，阴阳匹配，对称互补的原理，在单手行针的基础上发展起来的。

在临床治疗中，根据病情，而采用不同方法。每种方法，可独立应用，又可互相组合，并在行针手法上，用不同的手法组合后而捻针产生从点到线、到面的三维立体感传和多维空间感传，并能在不同的体位上产生多道传导（1～5道）且含有相反方向的序化能量传导和能量回互，达到双向调节，升降平衡，病体由无序状态向有序状态转化。

针刺是研究中医气血医理和组织学说的重要内容。我认为如能将气功锻炼并结合"双手行针"理论来进一步研究，施用于临床，对于探索人体科学中无法解释的一些生命现象，一定会有深远意义。

1981年12月，我对上海华东师范大学干部刘××行针（刘患的肝硬化）。当左手持针刺入"颈臂"穴，右手持针刺入"天枢"穴，两手同时行针时，他感觉到肝脏上下振动，并有热感，闭眼所见光图是红色的；当持针的两手相互换位行针时，患者肝脏左右摆动，伴有冷感，光图为绿色。

1982年1～4月，我在上海瑞金医院中医科对7位子宫肌瘤患者进行临床观察。病者反映双手行针时，子宫上下振动，或左右摆动。经上海同济大学测量系摄影测定，其中一位姓李的病员子宫上下振动幅度为6毫米。

针刺为什么会产生"机械运动"？这是我很关注的问题，愿大家一起研究。根据分子生物学研究，生物体内大多数分子和原子具有永磁性，由于分子和原子形成一定有序组织排列人体自然数码而呈现铁磁性，而铁电物质都处在自然的激化状态，因而所有铁电物质也都是压电物质。压电物质是一种可逆的压力——电能转换器，在压电体的对立方向加上压力，就可在另外两个对应方向获得电压。相反，当在压电体的对应两个方向加上压电，则在另外两个对应方向可产生压力变化——"机械运动"。人体的细胞和组织同样具有压电性质，所以可能在进针以后的相应部位会产生压力变化，从而引起机械运动。

在临床实验中，我发现，如让病人面向北坐，术者与病人同方向，术者左手在病体的左手捻针（行针），右手在病体的右手捻针时，对应感传不相连接。病人面向南坐，术者与病体同方向，用左手捻病体左手的曲池穴；右手捻病体的右手曲池穴，病人体内对应感传也不能相连，如果术者与病体反

向（面对）时，左手捻病体的右手曲池穴，右手捻病体的左手曲池穴，病体
感传就通过大椎穴，产生回路传导（左、右手的感传相连接）。我认为这种
现象，是人体中产生的感传受到磁场影响和体位的变化，而产生多变的感传
形式。

第六章　运用人体三维生物场实施
生物针刺新技术

第一节　运用"八卦"思维模式创造双手行针新疗法

　　人体是一个由 5 个磁偶极矩分布着 24 个极位组成的一个三维立体的生命磁体。人体的活能量现象，可产生感传现象，从点到线、到面的三维立体及多维空间感传，其传导的方向和感传坐标系均可由医生来控制。

　　人体能量转换中心称生物"磁场中心"，这就是人的肚脐（丹田），能量可循着"8"字回互转换，这就是"八卦"的方位图。人在行走时，其 8 个方位的三字组合也是一个"八卦"方位图。

　　人体的整体性决定了针刺的整体性，生物针刺三维双手行针、"脉管针导线回路"等针刺医疗新体系，均与《八卦图》方位、阴阳阴三维组合排列是一致的。左手能量是左旋（阳），右手能量是右旋（阴）。人体确实分阴阳二气，并发现人体是 12 阴阳、24 个人体部位组合的，是 5 个"磁偶极矩"、10 个电"偶极子"组成和各向异位的三维立体的生命磁体。双手行针，病体不仅有阴阳匹配，而且形成医生——病人——"地磁场"三者"闭合"组成的整体，这与传统针刺仅以病人为整体是迥然不同的。因此，研究人体生命现象时，应当坚持人与人、人与自然界的互相性，即包括医生在内的整体性。

　　生物针刺和生物空间医学双手行针的三维感传，直接作用于病灶，使无序的"有极分子"序化，与传统的单手行针，以经络感传效应有所区别。

　　临床发现，非生命电磁场是阴阳对称，与生命体生物场阴阳阴三维对称循环平衡是有区别的。阴阳是对称电磁场，特点是"同性相斥，异性相吸"，所以它是以杀灭为主要医疗目的。而阴阳阴是三维立体坐标系的生命生物场，其特性是"同性相吸，异性组合"所以，它可以使矛盾转化，最终达到和谐统一，并达到治疗病患的目的。

第二节　生物空间针刺感传与能量序化

生物空间医学"双手行针"临床发现，感传是由医生捻针病体内才能产生能量序化，针刺病体产生的感传沿经络传导，医生不捻针即不产生感传。如果该医生捻针是"外因"，病体内产生感传是"内因"，那么感传是否沿经络传导呢？我在临床工作中发现用生物针刺，医生运用不同的手法捻针在病体内可产生多向多道次的感传线路，而且具有三维立体传导。那么经络是否存在三维立体多道次的通道空间，这是大家关心研究的问题。

1. 能量是不能移动的，信息是运动的，信息与能量具有阴阳动静关系，针是非生命物质，而医生和病体是活的生命体组合，所以医生捻针，病体内才产生能量序化——感传，如果医生不捻针，没有医生活的生命信息和能量输入，病体内就不产生感传，因为活的生命既有能量还有活的信息，针是非生命体只有能量没有信息，因此，病体能量序化运行，需通过医生活的信息与病体能量和信息匹配，病体能量才能运行。这就是提示生命与非生命的能量都伴有信息，但两者是不同的。生命的能量是超光速物质，非生命能量不是。

2. 感传和经络是二个概念，感传是由医生捻针与病体信息匹配产生的，经络是人体内不依赖条件自身固有的，都有自身的导体功能，能量可以通过导体输入机体的各个脏器。如果经络是人体内固有的经络通道，能否治病呢？只有医生捻针产生感传，才能治病！因此，生物空间医学认为：针刺产生感传是医生捻针与病体的信息和能量匹配为条件才产生的，是一个"超场效应"作用，是治病的主要因素。

实践证明，感传作用于某个脏器，使失调或受损的脏器得到改善和恢复健康；感传是生命体内的一种能量序化形式，是感受的物质，因此，探索研究感传与研究经络有着重要意义。怎样从理论模式和实验研究，来进一步的认识"经络"和针刺感传的关系，是一个大家应共同关注的有深远意义的研究课题。

3. 感传是人体能量的有机物质，同时也是人体调控机能的一种运动形式，离开机能组织与能量转换，感传是无法传导的，正象神经反射不能离开细胞一样。

研究揭示人体产生感传与经络系统的相互联系，包括经络实质与感传效应之间的联系，了解感传怎样通过相互作用而传递信息，使病灶得以根除，感传信息的基本形式怎样与人体各脏腑器官进行相互作用的，包括经络通向人体各个器官，又怎样网络各器官对复杂的感传信息进行处理的，在感传的信息网络中既有信息的前提，又有信息的反馈。这是我历时20余年的临床实践，继承祖国医学"天人相应"阴阳、正负相匹配和"全息统一"等整体生命观的理论，采用现代医学科学的测试和验证手段，逐步发展并完善成的一套独特的针刺综合医疗新技术。它包括：以人体三维生物磁场为物质基础，以我创立的"方位静动"去强化医生的生物磁场。序化是可控地作用于病体磁场，并在实践中揭示了人体能量以肚脐为中心呈"8"字形回互运行和人体多维"磁场"的运动规律，绘制出独特的人体方位编码穴位图，行针方法改单手行针为双手行针，如将气功与双手行针相结合会使感传加强，提高疗效。还可以形成方位、正负对应关系，组织两个以上的医生，一人两手，二人三手，四人四手，多人多手行针，形成"闭合回路"，集体行针，强力激发病灶，逆转并促进电极分子重新序化。

4. 在临床治疗时，可根据病情取穴，也可在病灶周围按方位取穴行针，以双手对称持针捻转提插，形成三维一体的立体空间结构，前后、左右、上下（即空间横、竖、纵三维六合），使双手充分发挥正负关系的相互作用，即阴阳互补互用、相互对立统一的作用。双手行针时，左右手各为阳极和阴极（即正负极），医生——地磁场——患者三者形成"闭合回路"，医生左手为定向，右手为指向，由右手向左手有选择地产生矢量运动，传导能量，增强针刺感传的目的，针感可以随术者的手法调控，手法调控即可平面亦可立体，即可温热亦可凉冷，既可强急亦可弱缓，形成独特的传导及所需的刺激量。行针时，循针施以外来生物能量，提高了生物磁场的生物电能量，使患者被破坏或失调的生物电磁场运动得以正常序化。当人体与植物（活体）连接形成"闭合回路"，共同产生较强的生物"电磁场"，使病变部位和被受损的"电磁场"得以恢复成有序化运动。可得到人体与植物体两者生命信息相互作用，人体病变物质转移给植物体，导致其枯萎或死亡，植物体的生命物质促使人体受损的病灶好转或康复，以达到"阴平阳秘"动态平衡效应。双手行针时，可以一人双手操作，也可多人多手同时操作，以序化生物"超场电流"传感（能量）运动，对病体产生调控的高能量闭合磁场效应。同时双手行针能充分调动病体自身潜在的能量，或者所发生的正负两极作用产生的电磁信息可以全部转入给病体，通过生物反馈原理，使病体产生自我调控效应，充分发挥自我修复能力。

5. 人体不同于无生命的磁体（N－S）。人体是以"脐"（丹田）为中心，上下阴阳、左右阴阳和前后阴阳的三维立体的有生命的磁体（三对磁极），从方位来划分人体有24个体位组合的立体结构。我认为，地磁场是双极体具有开放性结构。前者体现同性相斥，异性相吸的物质作用，后者具有三维立体组合为单极体具有"封闭"性模式，同性相斥，异性相吸的物质组合相互转换作用。

人体磁场的大小，各有差异，但不是本质上的差异，仅是生物能量大小的差异。经过强化训练的练功者，放出的生物电磁强度为80～100r，而正常人仅为4r，相差将近40～50倍。

6. 现代医学发现，营养机体各种生理功能的物质，其性能与其内在电场和电子活动，有着密切的关系。其功能活动势必受外界"生物"的影响。术者通过捻针，将生物信息输入患者，使病体中紊乱的电子沿着"外场"序化。由于双手行针可以调整人体生物能量流按一定方向传导（定向传导），可疏通机体紊乱的电磁（规律）流向而获得疗效。

我在临床中发现，患者"闭眼"时出现了"彩色光环"，这是患者生物磁场受交变磁场作用，眼的磁闪光效应。这种效应的强度和特性与交变磁场的频率和强度有关。依据这种原理，我在患者身上刺入两根针，然后令其闭眼，双手作为"电极"，同时捻针，患者惊异地说："在眼前出现红光"。捻针方向改变时，又惊异地说："有彩色光环转动"，同时，酸、麻、胀感增强。实践证明，双手行针产生的电磁感应大于单手行针，并且，能定向感传，使四肢与身体前后各部位的穴位形成等效感传。医师可以针对不同的疾病，选用不同的部位和穴位，按阴阳、正负相对应下针，使生物场能量的流向畅通无阻，这就可以诱导病灶和脏器的生物电流，产生感传效应，提高疗效。

7. 双手行针时，随着术者左右手的换位，使病体能量序化呈现"反冲击"。这种"反冲击"力是由术者采用不同手法行针，增强生物磁场能力来提供的，具体表现为可以使病体的脏器或病灶产生上下跳动，左右摆动或前后摆动等三维机械运动，并有冷与热的温度变化，临床经验告诉我们：对于较复杂的病，除采用肌肉针刺，再配合采用"脉管导线回路"方法，疗效更好。

总之，人体的生物能量运行规律，支配着人体的思维、内脏和人体的体位运动，当这种生物能量电磁运行规律被干扰或紊乱，就必然导致人体内脏、各器官的病变。如果我们能够帮助患者恢复被干扰或被破坏的人体生物能量电磁运行秩序，或者能够有目的地控制（加强或抑制）这种生物能量运行的频率，疾病就会逐渐痊愈或好转。

临床发现，缺血坏死的股骨头，用一般单手行针，"生物电流"是难以穿透的，而采用生物双手行针再加上"脉管导线回路"的方法，所产生的感传（电流）则很容易将其穿透，多数病人在治疗中，对股骨头局部有发热、酸胀、麻旋转之感（回路）。因此，对人体的感传这一活的生命现象，用电磁效应理论是无法解释清楚的。我认为人的活的生命信息现象是一种"超导效应"。

在生物针刺双手行针中，我发现人体生物场序化被打乱有以下几种情况：

①某一部位生物能量序化传导被干扰。

②生物场之间的回路正常运行和转化遭到阻抗和破坏。

③某一部位电生物场本身传导序化被干扰。

④生物能量序化减弱。

⑤生物能量序化增强。

这几种情况有时可两种以上同时存在。人体生物能量序化传导的强弱，紊乱的程度、部位不同，就出现不同的症状；且病情轻重程度亦不同。

根据人体生物场传导轨迹，诊断患者的病情以及其他有关情况，就可以选择不同体位上的穴位，并根据体位和方位确定穴位之间的对称效应关系。再根据患者身体状况，病情轻重程度，采用"双手行针"或用不同方法及手法有机地组合起来进行治疗，这对疾病整体治疗，有显著的疗效。具体方法及手法在后面章节详叙。

第三节　　生物针刺感传的新现象

人体的整体性决定了针刺的整体性，在生物空间医学双手行针，生物针刺"脉管针导线回路"等针刺医疗体系中，均与《八卦图》方位及阴阳阴三字组合排列是一致的。在病体针刺不仅有阴阳匹配和阴阳阴三维坐标系，而且存在医生、病人和地磁场三者"闭合回路"组合的整体性，是区别于传统针灸仅以病体为整体性的新理论。

人体生命系统的功能都是分阴阳的，人体内的调控功能也都是双向的。临床实践证明，生物空间医学"双手行针"是通过生命体的"闭合"而产生能量序化，是以"生命能量解除生命疾患，区别用非生命能量解决生命疾患"的新理论。

人体作为一个三维空间，人体的能量也是三维的和多维的空间感传，其传导的方向和感传的坐标系，都可由医生调控。

凡生命体的发展与变化，都具有阴阳对称性，体现了物质运动保持平衡的普遍规律，运动平衡遵循了对立统一的规律。任何物体的平衡都存在着两种相反的属性及相反运动的力。由此，确立了生物针刺对称性。

一、生物针刺与能量序化——感传

临床验证，感传是沿经络通道传导的。所以，生命能量和信息运动是一种活的能量序化运动，人体所有的脏器，都有自身的导体功能，能量都可以通过导体达到机体的各个脏器，经络是人体内固有的通道，至于治病呢？当然还是医生捻针产生感传，才能治病。因此，针刺产生感传是医生的能量信息与病体的信息和能量匹配而形成一个"磁场效应"，这是治病的主要要素。

现代医学的发展，需证实感传与经络的关系，当医生捻针时病体内才产生感传，医生就是产生感传的条件……外因。

1. 生物空间医学感传研究的重要意义

研究提示人体产生感传与经络系统的相互联系，包括经络实质与感传效应之间的联系，了解感传怎样通过相互作用而传递信息，使病灶得以消失。

2. 医生与病体

医生与病体都是生命体，医生捻针使病体无序态的病灶向有序转化。医生捻针与病体相串联，病人的病气、病人的坏信息等能否传给医生，我认为医生是"外场"，病体是"内场"。医生的信息与能量可以调控"内场"；内场的信息与能量必须沿"外场"就序（"电子"重新排列），就是说"外场"可以调整"内场"，"内场"不能干扰"外场"。所以，病体中的信息是不能干扰医生正常的信息的。

举例说：医生捻针，病体有麻胀的电传感现象，但医生在与病体同一导体上病体有"电"传感觉现象，而医生并无"电"传感现象。

3. 针与药是二个物质，但都是非生命物质

行针由医生作用于病体，二者都是活体，用生命能量解除生命疾患，药由病人服用进入机体，用药治病是非生命能量解除生命疾患。用活性能量解除生命疾患主要以转换生命疾患为主；用药是以非生命（没有活性）能量解除生命疾患是"杀灭"为主，这是临床治病的二种方法。

二、生物空间医学针刺感传的新现象

1. "双手行针"感传的坐标系

中医理论：人体以肚脐为中心，与天相应为阳，与地相应为阴；左为阳，右为阴；前为阴，后为阳的人体三维立体的坐标系。

　　两手持针左右相对、两手持针上下相对和两手持针前后相对，恰好是形成一个三维六合的坐标系，是人体各向异位的生命磁体。

　　单手捻针，没有上下，左右和前后三维阴阳对称互补，不能形成三维空间体系，不能体现人体三维空间性，也不能体现人体三维感传和多维感传，因此生物针刺是具有三维空间性和具有宇宙多维空间的一致性。

　　2. "双手行针"感传与阴阳

　　讲阴阳，就涉及"平衡"问题，临床发现用右手捻针，感传的方向右旋；左手捻针，其感传方向左旋。两手同时捻针，左手为定向，右手为指向产生回互旋线运动——"场"。

　　3. "双手行针"感传的整体性

　　人体是一个有序的物质结构和有着内外匹配运动规律的小宇宙体，是一个矛盾的统一体。从生理和解剖学的观点来看，人体是有着严密的对称和有序运动的生命体。活体（病体）和自然界之间都存在着运动矛盾的整体性。临床证明，医生、病人和自然界（宇宙场或地磁场）相互存在着"场"的作用和效应，我们把这三者的相互作用认为是一个矛盾的统一体。

　　单手行针整体性——单手行针其产生的感传是通过非生命（地磁场）的"闭合回路"，其能量是单向运动。

　　双手行针整体性——双手行针其产生的感传是通过生命体（医生）的"闭合回路"，其能量是趋于双向运动。

　　4. 生物针刺感传与穴位

　　医生捻针，受体内产生感传；医生不捻针，受体内不产生感传。临床发现，医生在病灶周围任意取穴行针都能产生感传取得很好疗效。人体周身经络（十四）穴位是 360 个，目前已经发现的"经外奇穴"是 2000 多个，并且临床实践中不断发现新的穴位。

　　因为人体是一个生命磁体，针刺体位处时都能形成"场"，能量序化产生感传。其针刺受体任何部位都是穴位，即能产生感传。

　　传统十四经络，360 个穴位对体位来说都是人体的主要部位，具有对称性。

5. "双手行针"感传

传统的针灸学说，认为感传是一种生命能量，是沿经络传导的。我在临床发现，医生在病体捻针时，体内才能产生能量序化——感传，医生不捻针时，病体内是不能产生感传的。故认为：病体内产生感传是有条件的。

生物针刺，医生在病体上捻针是产生感传的条件——外因。病体内产生感传的基础——内因。没有外因的条件内因是不能产生感传的。

针刺感传使体内产生能量序化和能量运动，能量是信息的载体，信息是能量的传导，能量没有移动的能力，信息具有运动能力。也许两者是动与静的不同物质。

6. 生物空间医学针刺感传的空间性

人体是一个 64 维空间的结构，同人体 DNA 遗传密码 64 之数的排列一致。"天人合一"之道是有道理的，人体空间维数与宇宙空间维数是相同的。

当针刺入病体的位置即称为"穴"。因为任何一个物质，任何一个点或穴，在其周围空间都有 360°。就象一块石头掉入水中，水就起一个个圆向外扩展，这块石头投入的点就是中心，所起的波纹向外扩展就是场的运动（图 6-1）。

进针就象石头起波纹的道理一样，病体上这个点（穴）被激发，人体细胞电荷就围绕这个点，电子重新组织，能量外延即产生感传。

针刺产生的能量序化与水波纹产生的能量是有区别的：

①针刺产生的能量序化是由医生捻针——活性条件激发病体细胞而产生的，是细胞磁场无序到有序的运动，是电子重新排列。医生在捻针中采用不同手法、连续激发，"场"就连续双向或多向运动，形成的传导是生命的能量，是可逆的。

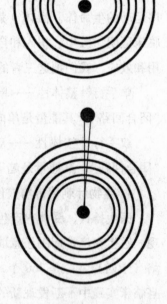

图 6-1

②水波产生的能量运动，是水的电力子受石头外力的激发而振动传导，是单向的传导，是非生命的，是不可逆的。

7. 生物空间医学针刺感传的对称性

凡是生命的发展与变化皆具有阴阳对称性，人是高级的复杂的生命体，其阴阳对称的形式也是高级和复杂的。对称是体现物质运动保持平衡的普遍规律，体现了物质运动保持平衡的普遍规律。运动平衡遵循了对立统一的规律，任何物体的平衡都必然反映质和量、整体和局部、内部各因素各环节的相互依存，相互制约，也只有这样才能保持本身的平衡。这就是说任何物体的平衡都存在着两种相反的属性及相反运动的力。人体是左右、上下和前后的三维各向异位"磁体"。左手为阳是向心运动，右手为阴是离心运动。并以左手为定向捻针是左旋，右手为指向捻针是右旋的能量运动规律。

八卦图阴阳 24 爻对称组合排列，对认识人体的体位组合对称排列有着深刻的意义，人体的体位组合，也象八卦图阴阳 24 爻的对称排列。由此确立了针刺的对称性，人体三维空间与针刺组合感传的多维性，是经过生命能量解决生命疾患的针刺疗法新体系的基本原理。

运用八卦思维"模式"，医生持针作用病体，采用对称互补的原理正确地进行阴阳三字组合，按人体坐标系固有的排列和医生的行针相匹配，恰好是一幅八卦图象。

三字组合的基本因素如下：

①医生持针的手为第一爻；

②病体左、右侧体位为第二爻；

③病体上、下体位为第三爻。

按八卦图进行三字组合，可分两个图示说明：

医生持针针刺病体右侧（图 6-2-1）。

说明：阿拉伯数字①②③④为说明顺序。A、B、C，如 A 是表示医生持针的手，B、C 为病体体位。"-"即负，阴爻；"+"即正，阳爻。

①☳震

A. 右-：医生右手持针为阴爻（--）

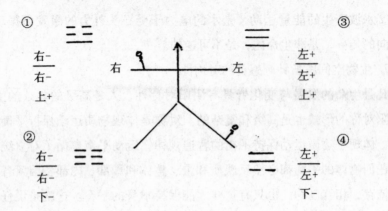

图 6 - 2 - 1

B. 右 - ：病体右侧为本位的阴爻（ - - ）

C. 上 + ：病体右臂体位为阳爻（——）

②☷坤

A. 右 - ：医生右手持针为阴爻（ - - ）

B. 右 - ：病体右侧体位为阴爻（ - - ）

C. 下 - ：病体右腿体位为阴爻（ - - ）

③☰乾

A. 左 + ：医生左手持针为阳爻（——）

B. 左 + ：病体左侧体位为阳爻（——）

C. 上 + ：病体左臂体位为阳爻（——）

④☴巽

A. 左 + ：病体左侧体位为阳爻（——）

B. 左 + ：病体左侧体位为阳爻（——）

C. 下 - ：病体左腿体位为阴爻（ - - ）

医生持针针刺病体左侧（图 6 - 2 - 2）。

说明：号代表的内容如上

⑤☲离

A. 左 + ：医生左手持针为阳爻（——）

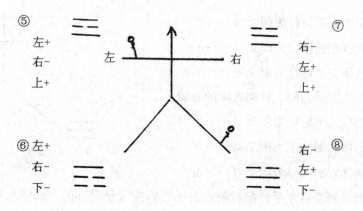

⑤　　　　　　　　　　　　　　　　　　　　⑦
　左+　　　　　　　　　　　　　　　　　右-
　右-　　　左　　　　　　　右　　　　　左+
　上+　　　　　　　　　　　　　　　　　上+

⑥左+　　　　　　　　　　　　　　　　右-　⑧
　右-　　　　　　　　　　　　　　　　左+
　下-　　　　　　　　　　　　　　　　下-

图 6 - 2 - 2

B. 右 - ：病体右侧体位为阴爻（- -）

C. 上 + ：病体右臂体位为阳爻（——）

⑥☶艮

A. 左 + ：医生左手持针为阳爻（——）

B. 右 - ：病体右侧体位为阴爻（- -）

C. 下 - ：病体右腿体位为阴爻（- -）

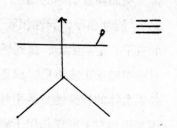

⑦☱兑

A. 右 - ：医生右手持针为阴爻（- -）

B. 左 + ：病体左侧体位为阳爻（——）

C. 上 + ：病体左臂体位为阳爻（——）

⑧☵坎

A. 右 - ：医生右手持针为阴爻（- -）

B. 左 + ：病体左侧体位为阳爻（——）

C. 下 - ：病体左腿体位为阴爻（- -）

气功师双手行针进行阴阳三字组合，体现了人体的对称性、立体性和针刺感传（能量序化）的统一性。医生持针在病灶周围选择方位，依照三字作用组合的原理，调控感传，体现出医生与病体能量序化的组合与转换。

以医生右手为例，针刺病体的左手。

①医生右手持针为阴爻（－－）

②病体左侧体位为阳爻（——）

③病体左手体位为阳爻（——）

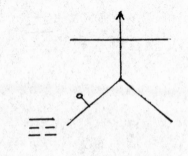

以医生左手为例，针刺病体的右腿。

①医生左手持针为阳爻（——）

②病体右侧体位为阴爻（－－）

③病体右腿体位为阴爻（－－）

从图举例说明左手针刺右腿，右手针刺左臂是对称的，病体左臂为－＋＋（阴阳阳）；右腿为＋－－（阳阴阴）。

因此，医生针刺病体的任何体位，都可以得到阴阳三字组合能量序化，体现了医生将本身序化能量通过针体输入到病体，激活病体的"场"产生感传，从而导致病体的能量序化。

"同性相斥，异性相吸"，这是电学的规律，那么医生右手持针刺于病体的右手，是阴阴阳，属同性，是否相斥？不然。八卦中各爻组合是三字组合，三字中的正正或负负，或正负，可以相互匹配，而不排斥和抵消。这可以说是生命体的特殊性。运用气功和双手行针结合，证明了临床疗效显著。医生用左手和右手同样作用于病体的某个穴位时，产生的能量不同，疗效也不同。运用双手对称行针对病体产生的能量比单手行针能级要高，更重要的是这种新的针刺医术找到了调控和自我调控人体能量和序化的规律，这是针刺医疗领域，根本性的突破，将逐步形成一种新兴的具有中国特色的理想医疗体系。

8. 生物空间医学针刺感传的方向性

人体是一个小宇宙，同样有其方位和方向性，医生不同的手法捻针，其方向也是不同的。由于人体是一个各异的生命体，具有复杂和多变性，影响人体的能量序化。医生位于病体不同的方位和体位，其感传的方向和能量序化也随之变换，就是说医生处于病体不同的方位时，病体内产生感传的方向也随医生的方位而转变。因此，体现双手行针的双向效应。

9. 生物空间医学针刺感传的层次性

人体是一个多层次磁场的三维组合体，从机体的细胞到分子的结构都是以三组合，对受体用不同手法针刺，体内就出现感传的不同层次性，如运用左手捻针产生的"波形"感传在浅层（皮肤与肌肉层）传导。右手捻针，产生的是"脉冲"感传，在深层（脂肪与肌肉层）传导。从临床发现针刺肌肉层，其感传方向是左旋，针刺脉管，其感传方向是右旋，人体是一个多层次"磁场"，说明肌肉与血液是不同的"磁向"。在解除病体疾患时，针刺肌肉和针刺脉管导线回路有不同的效应。

10. 生物空间医学针刺感传的可控性

生物针刺疗法，在临床应用中发现，对病体施针治疗效应，医生是可调控的：

①感传的线道路：双手行针的感传路线是多道的，医生可控 1 至 5 道。

②感传的方向性：由医生调控病体传导方向性。

③脏器的机械运动：脏器的机械运动由医生三维调控，跳动/振动/摆动。

④感传的同步性：医生不同的呼吸形式可以使病体内序化的能量随医生呼吸同步传导。

⑤感传与调息：不同的调息（呼吸），产生序化能量传导的形式也不同。

⑥感传的层次性：生命体是三维立体，具有多层次的生物场，感传层次由医生调控。

⑦感传的空间性：具有三维和多维的能量序化传导。

上述产生的感传，多可由医生运用不同的行针手法来调控。

11. 生物空间医学针刺感传与"人体光路"

生物针刺与双手行针作用于人体，均可出现"光图像"，光图色彩都是五彩缤纷的，形态有几何图案和植物花卉等多种变化。1981 年 7 月我们在上海第二医科大学的四年级学生和扬州卫生学校毕业生以及教师，共 209 人在场时做了一次"光图像"试验，据统计为 38.9％的学生闭眼后可觉察到"光图像"。总结了一条经验：能觉察光图者，感传一定敏感；而感传不敏感者不一定觉察到光图像。

临床运用"生物脉管导线回路"疗法出现的这些"光图象"的运动方向，往往与医生行针的体位和手法互换有关，其运动方向是沿感传方向而运动，我们称此光图象为"人体光路"。

"人体光路"每个生命都存在，从临床发现：人具有自己的信息，也有其他动物的信息，同时也有植物的信息；植物有本身的信息，也有其他植物的信息，也有人的信息和动物的信息，这就是"宇宙信息场"。

12. "生物空间医学"针刺与调息

人体具有阴阳二气属性，调息就是调整呼吸。"逆式"呼吸为阳，"顺式"呼吸为阴，医生采用不同的呼吸形式产生的能量也不同，其感传的方向也随着转换。医生用"顺式"呼吸，病体内感传的方向为右旋；医生用"逆式"呼吸，病体内感传的方向为左旋。调息可直接影响行针的感传方向和能量转换。

医生行针，病人惧针或其他心里因素，体内感传即减轻或消失，病人怕感传强憋气，感传就受影响，会影响疗效，故劝病人放松（如可深呼吸放松），越放松配合医生行针，效果越好。

13. 生物空间医学针刺与能量转换

医生运用双手行针，在病体不同的体位针刺和不同的"闭合"与"开放"就出现不同的感传方向和不同的能量序化，也随之变化转换。

①医生左手捻"足三里"穴的针；右手捻"悬钟"穴的针，再两手换位捻针，其能量随之转换，温度也而随之变化。

②医生用不同的调息，在病体捻针，患者体内产生的能量序化也是不同的，如逆式调息为阳，顺式调息为阴，其感传的方向也不同。

14. 生物空间医学针刺感传与机械运动

生物针刺以方位取穴行针，使感传直接用于病灶（或脏器），达到治疗的效果。在临床中发现当感传作用病灶或脏器时会产生跳动、振动和摆动三维立体的机械运动，而且这种三维运动都由医生调控，这种现象的出现，也许是脏器接收来自医生的信息和能量，使细胞的分子产生能量而作功，作功的本身就是分子运动，我们把这种振动、跳动和摆动称作机械运动。

15. 生物空间医学针刺感传与同步性

医生与病人配合是治病提高疗效的一个条件，医生和病人都是活的生命能量，又具有良好的信息匹配，临床发现医生行针时调息的形式与病人呼吸动作协调起来，同步呼吸疗效较好。

方法：就是病人用"顺式呼吸"医生也随之用"顺式呼吸"；病人用"逆式呼吸"，医生也随之变换为"逆式呼吸"。这样同步呼吸达到医生和病人能量组合和信息匹配，提高疗效，其机制有待研究。

单手行针没有对称性，因而产生的感传（信息）是单向传导；双手行针及多人多手行针是用阴阳阴三维对称循环，是有往返回互"∽"传导，是多向传导。

生物空间医学双手行针是阴阳阴对称，三维对称"动态"循环（是随意的），能量级高。单手行针是阴阳对称"回路"是"静态"循环（不随意的），能量级低。生物空间医学双手行针能量高，从病体的"静态"转"动态，能量级转高，这决不是简单加减问题，这体现在其作用和疗效的提高。故生命体与生命体"闭合回路"比生命体与非生命体"闭合回路"的疗效要好。双手行针通过生命体的"回路"是双向调控，要比单手行针通过非生命体"回路"的单向"回路"的疗效要好。

单手行针所产生的感传信号是分散的，单一的（不受医生调控），不能同时将一组各根针的信号同时聚焦于作用点（病灶或器官）上而"达到回路"，因此能量较小，而且即感传不能由医生调控，缺乏针对性，达不到使各感传信号定位和定向的目的，而不能同步，达不到三维循环的疗效。单手行针的疗效是有限的。生物空间双手行针是左阳右阴同时行针，使两手捻针产生的感传信号直接形成"回路"，作用于病灶处，通过作用点实施定向和定位作用，病体感觉也强烈。使病灶达到更高的能量级，针对性强，提高疗效。

双手行针医疗技术简便，由医生在患者病灶周围按三维坐标选择好方位，针刺人后在行针中两手采用不同的组合手法，以调控感传的方向、层次和坐标系，使感传在医生的操作中显示出主动、随意和可控性。

临床证明，这一医疗技术，不动手术、无痛苦、无任何副作用，不出现并发症，在较短的时间内得到理想的疗效。更令人鼓舞的是，这一技术对治疗一些国际公认的疑难病症均有较显著疗效。如：患者张某，男，58岁，在青海省西宁市矿山建设工程公司工作。1990 年 10 月发现走路无力，蹲下起不来，连乘汽车也上不去。1992 年 4 月，青海某医院确诊为"进行性肌萎缩"。同年 8 月 11 日开始用双手行针阴阳三字组合进行 3 次治疗，即血管充盈，肌肉开始有力，经 10 次治疗，不用手杖走路 500 余米，体重增加，锁骨处、肱二头肌和腓肠肌都明显增长，病人行走自如。临床上，得到如此预想不到的疗效的病人太多了。

结论

生物空间医学双手行针作用病体是体现阴阴阳、阳阳阴、阴阳阴、阴阴阴……等的三种形式能量的组合（三字组合），体现了医生和病体的阴阳组合与相互作用。实践证明，病体只有受医生的能量激发，自身才能产生能量序化（感传）。针刺作用于死体上（非生命体），是不能产生感传的。所以说，"双手行针""血管针导线回路"的医疗方法是以生命能量去解决生命疾患，它不同于用非生命能量解决生命疾患的治疗方法。

第四节　生物针刺的感传形式

人体是上下、左右、前后三维坐标，体现三维立体经络线路导向，临床发现，运用双手行针，左手捻针感传的方向是左旋，右手捻针感传的方向是右旋，两手同时捻针（行针），左手为定向，右手为指向。1983 年，我在江苏南通医学院用 ND—82 脑电仪测到了以左手为定向的电位变化。两手按三维立体相互换位双手行针，感传具有可控性，受体内会产生多种感传形式：

1. 回路传导

一般在臂或腿部出现回路传导（图 6 - 3 - 1）。

图 6 - 3 - 1

2. 分向传导

把刺入受体臂上的穴位和腿上的针，通过双手行针连接起来，感传则往两端传到手指和脚趾（图6－3－2）。

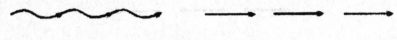

图6－3－2

3. 弧形传导

一般在人体的胸腹部位出现（图6－3－3）。

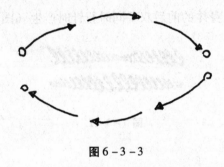

图6－3－3

4. 直线传导（脉冲）

一般出现在人体胸腹，（与双手行针平行）和四肢（图6－3－4）。

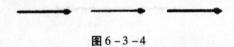

图6－3－4

5. 螺旋形传导

一般在人体胸前和腹背后相对部位双手行针时产生（图6－3－5）。

llllllllllll

图6－3－5

6. 平行同方向传导

在臂或腿前后相对双手行针，就会出现平行感传到手或脚（图6－3－6）。

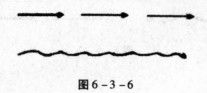

图6－3－6

7. 弱减传导

在头部的两侧或身体的前后双手同时行针时产生（图6－3－7）。

图6－3－7

8. 波形传导

一般出现在四肢和腹部等部位，单手行针时这种传导形式出现得多，一般分"纵"、"横"两种波（图6－3－8）。

图6－3－8

9. 脉冲传导（直线）

一般出现在四肢、腹部和头部等，单手行针时出现较多（图6－3－9）。

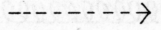

图6－3－9

10. 曲线传导

主要在上肢和下肢同时行针时出现，有时在腹部和胸背部行针也会出现（图 6 – 3 – 10）。

图 6 – 3 – 10

11. 震源传导（涡流形）

（涡流形）主要在腹背部出现。如肚脐（图 6 – 3 – 11）。

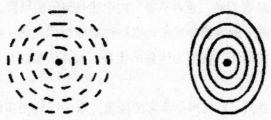

图 6 – 3 – 11

12. 波形和直线逆向传导（图 6 – 3 – 12）。

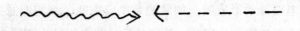

图 6 – 3 – 12

13. 多向辐射传导（图 6 – 3 – 13）。

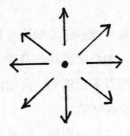

图 6 – 3 – 13

多向辐射传导，主要是在肚脐行针会出现这种现象。掌握了生物针刺感传方向，就能恰当地选穴组合去调控流向与线路，使之通过预定或病灶部位。

上述种种形式的传导，也反映了患者的病情的变化。不论是哪一种传导形式，只要导通，患者就感到舒适，病情减轻。

在治疗中发现，①当患者病情较重时；②多数病人在第一次接受治疗时；病人对针刺传导感觉不完全一样时，有的感觉不太明显，这可理解为：病重患处"电阻"大，"电流"不通。然而随着治疗，病人的症状减轻，病人对针感传导的敏感度增强。理解为"电流"通，病轻——"电阻"小了。这也证实了：中医"痛者不通，通者不痛"的论述是何等的精辟。

传导是生命的一种电传导现象，也是物质能量代谢的一种运动形式。人体中血液和淋巴的循环，统称为体液的传导。人体依赖这些传导的调节，进行能量代谢。

生物学告诉我们，任何兴奋都需要能量，双手行针使病体某部位处于兴奋状态，因而兴奋是能量转换的一种形式；传导是能量传播的路线的轨道。人体具有两种类型的兴奋。一类兴奋是由触发引起；另一类是自律性的。如心窦房结和胃底部等自发性节律，是由自律性细胞本身生物氧化所产生的能量，自发转变电磁冲动形成的。如果能量供应中断，细胞即意味着死亡，更谈不上发放什么生物磁波。因此，可把传导的起点假设为两种现象：

①细胞本身能量转化为电能，此指自律性细胞，向外放出电磁冲动。

②细胞由于外来的磁波（外加磁场）激发而放出电磁波。此为非自律性细胞。

自律性细胞自发放电现象可能是这类细胞生物氧化的能力较强。这是在进化过程中形成的独特形式，如心窦房结的自律性细胞主要来控制心率；胃底部的自律性细胞主要来调控胃肠道蠕动。其他部位的细胞均不具备这种能力。如果出现，反而表现为疾病征象。

如：脑部细胞出现高频发电则为癫痫；心脏细胞出现自发性兴奋则为期前收缩；胃肠道平滑肌细胞自发性兴奋则为胃肠痉挛。

因此说，人体细胞大部分是属于触发型。当能量积聚到一定的阈值，就可以导致传导的开始，生物电波从起点传播，由感受器至效应器细胞；由磁能转变为热能辐射出体外，传导即终止。

另外，机体无时无刻地在向外辐射着能量，能量的活动轨迹是离心的，电磁波也是如此。当外加磁场作用在哪个部位，引起感受器的兴奋，哪个点就是感传起点。起点向四周扩散传导，至效应器细胞作功，磁能转变为热能辐射，传导终止。由于人体部位复杂，感传也是不一致的。

一、生物空间医学针刺的特点

人的生命体充满了阴阳关系，每个细胞都是由正负电子组成，人体的调控功能也都具有双向性，如人左为阳，右为阴，上为阳，下为阳等等，生物空间医学针刺的最大特点，就是采用"双手行针"和"脉管针导线回路"的方法，依据阴阳学说理论，应用于临床。双手行针是双向传导，区别于传统单向传导的单手行针。这种方法行针时可产生较强的感传效应，使病体不同部位的"磁场"按固有的规律由无序向有序状态转化。

感传是人体一种能量序化和转换形式，体内生理生化反应不能脱离电子的传递和离子的跃迁，而生物电的调节又不能完全脱离活物质，特别是神经——体液调节。人体内的物质运动，在感传指导下使能量不断地从一种形式转化为另一种形式，以保持身体内能量序化统一平衡。

采用生物能量结合双手行针，当银针刺入病体后，术者的"磁场"就影响病体的"磁场"，这种生物磁场受激发力，并具有方向性，是一种矢量。这种生物"磁共振"使人体能量转化为电能。在生物针刺双手行针中发现，人体生物能量的运动方向，是正极为向心传导电流；负极为离心传导，恰好与自然界电流的运动方向相反。

生物空间医学双手行针与电流的流向：右手捻针，术者向受体发出的是一种离心场力，它向电势低处流，受体的"场力"向术者方向传导，与术者的"场力"产生效应，这就产生一种排拆力，这种电势流速很快，因为获得的能量大，所以，右手捻针是脉冲（传导）电流的形式向人体两端展开，表现为深层的肌电脉管生物电，传导较快。左手捻针，术者的"场力"是向心的，受体的"场力"与术者的"场力"同一方向，产生一种引力，这种"生物电流"的流速慢，所以，左手捻针是以波形往人体的中心传导。

生物空间医学双手行针与传统的单手行针效应的区别在于，单手行针是单向感传，而双手行针是双向感传，后者使受体在外加生物场的作用下，局部病灶的表现为机械运动的温度，进而改善病灶的血供情况，使局部组织营养物质与代谢废物的交换得以增强，从而使紊乱的生物氧化功能得以调整，转为正常，以达到防病治病的目的。

人体生物场效应：

①左手为向心是单向传导；

②右手为离心是单向传导；

③双手同时行针是以"回路"双向传导。

右手行针时，感传是以脉冲的形式向人体两端展开，表现为深层的肌电，脉管生物电，传导较快。

左手行针时，感传是以波形传导，向人体中心移动。多见于皮肤生物电和体表末梢神经的传导。

生物空间医学双手行针时，患者可以感觉到，当术者右手针穴所产生的"脉冲"和左手针穴所产生的"波形"类电感传相遇后，形成以术者左手为定向"回路传导"，有些病人可以明显感觉到"波形"感传是在病体深层（肌肉间）；而"脉冲"感传是在病体浅层（肌肉、血管、神经）。同时还发现，即使同一只手，如果捻针的方向不同，产生传导的旋转方向也不同。左手向前捻针，感传是逆时针旋转传导；左手向后捻针，感传顺时针旋转传导。右手向前捻针，感传顺时针旋转传导；右手向后捻针，感传逆时针传导。

古人在《金针赋》中谈到："……欲气上行，将针右捻；欲气下行，将针左捻；按之在前，使气在后，按之在后，使气在前"也就是说，如要感应向上，可将针向右捻转；如要感应向下，可将针向左捻转。这种行针法是单手行针法，术者的电磁信息是通过地磁场（无生命磁体）导引与病体产生闭合回路。这种感传电阻大，况且是生命体和非生命体的感传，效应小。但古人能从现象上解释单手行针的感传，在当时，具有重要意义。

　　传统的单手行针对病体的作用不是三维立体能量序化，可控性差；而双手行针对病体的影响，是三维能量序化，可以依据病灶的部位，采取不同的体位和相应的穴位三维坐标立体行针，其可控制性强。信息通过人的生命体产生"闭合回路"，这种感传是在生命体之间进行，两者机制显然不同。

　　由于人体是一个活的生命体，人体中生物场运动方向，还受到呼吸的影响。在顺呼吸时，以左手为定向；如果是逆式呼吸，则以右手为定向，也就是说人体的体位与"磁场"方向是可逆的。能量序化可以改变方向的。

　　双手行针：双手行针具体地体现了左手阳、右手阴的正负两极关系，当两极闭合产生电流，患者可以感觉到术者右手行针时产生的"脉冲磁波"和左手行针时所产生的"波形磁波"，两者相遇后，就形成以术者左手为定向的体内"能量序化，回路运动"。有些患者明显感到"波形"传导是在体表浅层（皮肤末梢神经和肌肉浅层），而"脉冲"传导是在体内深层（深部血管、神经和肌肉）。

　　两极感应：以左右手分别代表两极，并以左手为正极（阳），右手为负极（阴），术者随意调换针刺位置，可任意改变极性。物理学告诉我们，在磁体的两端，能量序化的功率都是最大的。在人体的两端，同样也有着自然磁体相同的表现，人的手和脚，是人体能量（磁力线）密集的地方，"功率"也大。所以，在行针治疗时患者四肢部位的针感较其他部位的针感强。能量态强调气沉"丹田"，"丹田"是人体能量序化的密集点和起点，经过有素训练，可以使能量序化明显增大。

　　如果在病灶的周围，用上四根针刺分别于东西、南北、东南、南西阴阳对称，医生换手捻针可以改变能量序化方位，可以改善血供，增加微循环的血流量。临床疗效有明显消肿，可使肿瘤体积明显减小。

二、针刺对人体电位的变化

1. 双手同时行针

证明人体内的电位有着阴、阳属性。

左手定向，右手是指向，使电位产生方向性的运动。

2. 生物功能态时，两手持连接的导线

1982 年上海复旦大学、瑞金医院和上海科大学等单位的 60 余位科学工作者在场，用仪器——光电倍增管接荧光屏，受试者为西宁市印刷厂女工张××，38 岁，接受了测试。

医生左手持患者右腿"承山穴"的导线

医生右手持患者左腿"承山穴"的导线

将导线连接于荧光屏示波器，3 分钟后出现——低频涨落有规律的电信号，而且电讯号很强，证明气功态时可以通过针刺将医生的能量输入受体，并取得有规律的低频涨落的电讯号。与氦——氖液光照射穴位，取得的电讯号相比，基本是一致的，都属光电效应。

3. 如果该医生捻针是"外因"，病体内产生感传是"内因"，感传是沿经络通道传导？还是源于医生捻针？我用生物针刺，用不同的手法捻针在病体内可产生多向多道次的感传线路，具有三维立体传导，经络是否存在三维立体多道次的通道空间？这些都是大家应进一步研究的问题。

传统的针刺，沿用经络学说研究，历史悠久，而在现代科学发展的今天，需证实感传与经络之间的关系，将医生捻针，病体内才产生感传，医生不捻针不产生感传，这一感传条件——外因加以认识，故我认为研究经络的同时，把医生捻针的条件也应纳入研究，这必将使沿袭了几千的传统针灸有所创新和发展。

第五节　"导线回路"的生命现象

"导线回路"疗法，是打破传统针灸模式而采用的极具治疗价值的新方法。用导线把扎入穴位的肌肉针、血管针，甚至还把植物连接起来形成一个"闭合磁场"，其对稳定病情、医治和康复都有很好的效果。

一、人体光图

我们在运用"导线回路"方法中，发现有些病人特别敏感，是接受外气治疗的敏感者，更易出现光图、在留针其间，当闭上眼睛后，病人眼前会出现多种光图像。从病人出现的图象所画出的近千幅图形看，有多种多样的几何图形，有山、水、植物、蝴蝶和一些不知名的物质形象，这说明人身上既有动物的信息，也有植物的信息，既有生命的信息也有非生命的信息，即全息论。

人体光图是有一定的方向和运动规律的，从光图的许多图案来看，也有一定的联系，它反映着生命物质的现象。值得注意的是，光图象的形态把生命与非生命物质运动现象组合起来，用光图的形态来表示，也就是说，人体的生命之光是反映宇宙物质的一个缩影，世界上的生物形态千变万化，体现着生命运动的复杂性和统一性。

一切生命现象都是跟光电现象分不开的，我深信人体光图的光将有助于解决人体自身的生命活力。信息的使者——光，将把自然界的阳光和人体内的光图联系起来。未来在防病和治病中起作用的，将不光是药物，而是生命与生命之间的联系运动。光是生命运动的象征，它承载着生命活动的密码，承载着生命奥秘的重要信息。人体光的研究和利用，不仅会推动生命科学的发展，而且将会促进人类能更早地认识自己，大大造福于人类。

二、人与植物信息

信息是一种场的运动，具体的说是人的思维活动，具有分析判断选择的功能，因此人的生命活动，可以体现为信息运动和能量做功两个方面。

载体是生物本身的信息与其它植物的信息，能产生生命力的植物叫生物载体。因此信息——一种物质本身的生命力；载体——一种物质的信息可以与另一种物质匹配。信息与能量运动是相互作用的，没有信息传导，能量转换就失去次序和方向；没有能量转换信息则无所传送。如经神病患者就是信息与能量转换无序的表现。

用"植物和人体相连"，即采用"脉管针导线回路"的方法应用于病人，当人体场和植物场相作用后，必然产生一种新的物质，这种物质为何物有待探索。从实验现象来分析，对植物而言，产生变异、衰败或死亡；对人而言，病情得以好转或康复，因为人体是一个多维系统。

双手行针的实践，已证明了人体生物场存在的客观性，导线回路则进一步揭示了人体电磁场的存在。它不同于单手行针的地方，就是病体电磁场的运行和转换可以通过术者，也可以不通过术者这个导体，而是利用自身这个导体。给病人扎上针连线后，除了气功的"外气"能激发受体的电磁场外，双手行针和导线回路同样能激发受体的电磁场，使之有规律地运动，表现为病人有多种不同的有益反映。

导线回路和双手行针可以在肌肉层进行，也可以在血管内进行，血管内"场"的运动不同于肌肉层内"场"的运动。导线回路应用于肌肉层，对肠、胃、神经衰弱、心血管等，对慢性病疗效显著；如同时使用"脉管（血管）针导线回路"方法，对多种病的治疗效果更好。

1. 肌肉层的导线回路与光图

将患者的中脘、印堂、左内关用导线连接起来，医生右手捏住患者左内关穴针的导线，患者闭眼看见光图不转动；医者右手捏住患者右内关穴针的导线，光图转动。如果换位，把左内关导线取下，系在右手内关针柄上，连接起来，左手捏住左内关穴针，光图旋转；左手捏住右内关穴针，光图不转。

2. 人体光图与颜色的关系

①针刺合谷→百会→合谷，光图呈紫色，逆时针转动。

②针刺鱼际→百会→鱼际，各穴位用导线相连。右手捏住右鱼际传导，呈绿色光图，顺时针转。左手捏住左鱼际导线，呈紫色光图，逆时针转。右手捏住左鱼际导线，呈绿色光图，顺时针转。左手捏住右鱼际导线，呈紫色光图，逆时针转。

③我们把两臂和两腿设为磁体的四个小磁场，针刺左右内关、左右涌泉、两侧天枢，以及中脘和关元，用导线连接起来。

病者自述的感觉是：腹内的肠子有时逆针旋转，但有时也会往顺时针旋转；开始时四肢发凉，逐渐全身发热，感到轻松。

三、导线回路的生物场效应（临床观察）

1. 人体是三维立体的坐标系

针刺肌肉，其体位反应感传具有上下、左右和前后感传的效应。针刺血管（静脉），无感传效应，但具有热、胀、皮色红润和脏器的蠕动等生理反应。针刺肌肉具有"电磁场"传导的现象，针刺血管无"电磁场"传导现象，而是全身脏器出现各种物理和生理反应。临床实践提示，针刺血管与传统肌肉针刺的效应是不同的。针刺肌肉是局部组织或脏器起作用，其能量序化感传单一，作用局限；针刺血管是通过改变人体血液的"磁场"序化运动，达到调整全身及脏腑功能的作用。

2. 生物空间导线回路的生理效应

在进行"脉管针导线回路"治疗同时施以气功外气，可以使病人进入不同层次的气功状态，显现出各种奇异"光图"，也可出现凉、热、麻、胀、沉、酸、蚁行及针刺样等种种感觉，甚至个别患者出现全身刹那间悬起腾空感。这一切都说明血管针易出现多维空间效应，增强生物场序化作用，对调整整体和局部血液循环、提高免疫系统功能有特效，使失调的生命磁场重新恢复有序平衡。

3. 针刺与能量转换

人体运动和变化随着时空的运动和变化而转换，使阴阳平衡。怎样体现人体的能量转换，不仅要讲阴阳（正负）关系，重要的是理解整体概念，不仅病体本身是整体，还应当包括医生在内的相互整体的效应，更重要的是与自然界"天地人合一"的整体观。这种整体观还要注意生命与非生命、生命与生命的相互作用，是研究用生命解决生命疾患的途径。

物质运动都存在一个正负关系，也存在整体相互关系。西方医学在治疗上不讲正负，也不讲整体，而东方医学讲阴阳，讲病人本身的整体观，这是目前两种不同的思路所产生的医学方法。人体运动平衡也是对称才能平衡。从临床角度来看，病人与医生是对称互补的关系。因此讲针刺治疗，医生与病体是一个整体。没有医生捻针，能量就不能通过银针输给病体，病体体内的能量是不可能有序感传的。只有在病体的能量与医生的能量匹配的条件下，病体才能产生能量有序传导。因此人体能量的转换，应当包括生命（病体）与生命（医生）和非生命（地磁场）的三者关系，才能完成人体能量的转换。实质上从能量序化来说，活的是有序的，死的是无序的。我主张在解决生命的问题上，应当重视用生命的能量消除生命疾患的研究。

例一：著名电影演员白杨患心率不齐、心动过速多年，于1983年8月住进上海瑞金医院。我们从上海体院请了一位运动员，其心率甚好，每分钟心率为48次。将其肌肉串连的导线回路针与白杨身上的肌肉针导线形成闭合回路。半个小时后白扬说："我感觉非常舒服"。其心率由86次降为72次，而且心跳也平衡，没有再出现房颤现象。

例二：国家地震局张××，女，45岁。1987年2月在北医大化验血色素为8.9克。1987年3月，用"脉管针导线回路"疗法，经过六次治疗，血红蛋白指标增加到12.4克，恢复正常。

例三：山东济南市康复药店刘××，女，32岁。已患3年低温，一般在35.2℃~35.5℃，3年来没有上升。其先生说："我爱人患的是'冷血动物症'"，长期用中、西药都无疗效。1987年6月，经"脉管导线回路"疗法1次治疗，次日早晨的体温即上升到36.7℃。10次治疗后体温保持于36℃~36.7℃。患者自我感觉非常好，其机理就是改善了微循环，提高和改善了植物神经的调节功能。

第六节　"双手行针"导线回路和手法

应用"双手行针导线回路"方法的医疗实践，证明人体是由若干电磁场相互连接成的一个电磁体。人体的电磁场有其自身固有的规律，有时强，有时弱，有时各磁场之间相互影响，相互转化，井然有序。人犹如一个由"电极分子"（电偶极子）组成的机体，而"外气"则是一个外场。介质中有极分子，如果没有外场的作用，是杂乱无章排列的，因此不显电性。如果在均匀电场的作用下，则电偶极子受到力偶矩的作用而发生转动，直到与外场方向完全一致为止，这样就显出电的方向。"外气"就是一个外场，它可以使病体中的"电偶极子"沿着外场的方向排列，在这个有规律地排列过程中必然伴随着电信号。我曾经作过这样的实验，不接触金针而对金针辐射"外气"，示波器上即显示脉冲电信号。有人用控制论解释"得气"是使人体内部从失控到有控。从极化的角度来看，我认为"外气"的作用是促进人体从无序（患病）转化为有序，这也是气功能有一定疗效的内在原因。气功结合双手行针，既发挥人体自我调节的作用，又有外场促使其加速调节到正常运转的作用，序效更为显著。

实验中的特殊"得气"者有感传方向的只有55.6%，还有44.4%的人没有感传效应。在某些条件下它与人体的"有极分子"发生作用，具有电磁场的特性。所谓某些条件，即指"外气"的场与人体作用的"匹配条件"。凡能"匹配"的，就呈现出电磁场性质，疗效更显著。人体是一个较为复杂的电磁体，人体的电磁运行规律支配着人的内脏、思维和体位运动。电磁运动规律的被干扰或被打破，就必然导致人体各内脏、各器官的病变。生物磁场的有序运动构成了人体内环境的协调平衡，即"正气内存，邪不可干"（《素问·遗篇·刺法论》）。当病邪侵犯人体，首先破坏阴阳的协调平衡，使阴阳失调而发病，即"邪之所凑，其气必虚"（《素问·评热病论》），即人体生物磁场遭到破坏，机体功能发生障碍而失衡，出现某种病理状态。邪气虽然发于阳和发于阴不同，但发病的关键还在于人体正气的强弱。正气，是指人体机能活动（包括脏腑、经络、气血等功能）和抗病、康复能力，即免疫能力。免疫力低是疾病发生的重要原因。生物空间医学"脉管针刺导线回路疗法"和"脐针"的基本原理，就在于调节机体及局部的血液循环，促使微循环开放，重建生物磁场的序化运动规律，以增强机体免疫系统的功能，使正气充盈。卫外固密，病邪难于侵入，达到驱病防病的效果。

在双手行针"导线回路"结合气功治疗各种疾病的实践中，我发现人体电磁运行秩序被打乱后有如下几种情况：一是某一段电磁运行的轨道受阻；二是电磁场之间的正常联系、转化受到破坏；三是某一电磁场本身运行规律被打乱；四是电磁场能量衰退。这几种情况有时两种以上同时存在。人体电磁场运行规律被打乱的情况不同，就出现不同的病，程度不同，病情轻重就不同。根据患者的具体病情以及其他有关情况，就可确定医疗方案，选择不同体位上的穴位，根据体位方向确定穴位之间的对应关系，再根据患者身体状况，病情轻重程度，把双手行针和气功有机地结合起来进行治疗。经过治疗都有比较显著的疗效，有的病例效果特别明显，甚至多年经过许多著名医院治疗毫无效果的疾病，通过双手行针，症状有了明显缓解，有的很快痊愈。如能在行针中结合气功治疗，疗效会更好。

1. 导联

双手行针的两针作为两个极，双手捻针形成术者与受体之间的导联，这样，术者的生物电磁便会直接影响受体的生物电磁。

2. 捻针

生物场的运动

当生物能量作用人体时，病体内就能产生生物场（磁场），但不等于生物场运动。如：医生在病体针刺后，医生不捻针，病体内就没有传导，当医生捻针病体内就产生能量感传。磁场的运动，必须是物质的运动，病体内才能产生生物场的运动，也就是说不捻针能量是不动的，就是生物场不运动，磁场就没有方向运动。能量的方向就是速度的方向，物质不动了也就没有方向。所以医生的捻针就能产生生物场的运动和方向，左手捻针是左旋方向，右手捻针是右旋方向。因此捻针的方向和捻针的手法和速度，所产生的能量也就伴随着能量的增大和能量的方向传导。

电磁的感传方向是受术者控制的，术者可根据受体在行针过程中的反应，调整行针穴位坐标和捻针的方向、速度。患者感应最强时便是最佳行针时机，充分发挥行针手法，如摇针使得气更充分，疗效会更好。当然也要根据病人的耐针敏感度而决定施手法的量度。

生物空间医学导线回路疗法是在传统针灸的基础上发展起来的，是一种简单实用而又行之有效的新方法。临床上粗略分以下四种：

（1）肌肉层导线回路：将针留于肌肉层，用导线连接起来。

（2）脉管层导线回路：将针刺入静脉血管之内，再用导线将针连起来。

（3）肌肉层和脉管（血管）组合导线回路：将"肌肉层导线回路"和

"脉管针导线回路"的导线串连接起来的方法。

（4）人体与植物导线回路：把患者身上已连接好的"导线回路"的线与植物再连接起来的方法。

上述方法，在下面的章节中分别详叙。

下面我讲"双手行针导线回路"的连接方法之前，先讲下"双手行针"在临床应用中的几种方法。这是我积几十年的临床经验，结合细细观察病人对感传的反应，从实践中感悟出来的几种手法，我愿和大家分享、切磋，愿更多的医生掌握它，使更多的病人能减少痛苦，脱离被病魔的折磨，治病救人，实行人道主义。

生物双手行针的持针捻针技术是阴阳对称和阴阳组合的手法。在前面章节中，我反复讲并强调了认识阴阳对称并应用于临床治疗的重要性。用以手掌面为阴，以手掌的背面为阳，以左阳右阴，上阳下阴和前阴后阳组合的三维持针捻针的手法。在临床发现，不同的阴阳组合持针，所产生的感传方向和磁向就会出现不同方向传导。正象前面第六章第四节中已讲过了感传形式：单向、多向；弧线、直线等等多种形式。当医生运用较娴熟的扎针捻针手法，在治疗中就能发挥最佳的感传效应，提高临床治疗效果。下面所讲这几种方法，在行针中可双手同时应用一种手法，也可两种方法组合应用。比如：右手可采用"O"型左手可采用"W"，也可一只手用"W"型，另一只手用"H"型等组合方法。大至分为六种。

在治疗中，我一般都是应用无菌针灸针，血管针是用一次性的。

规格：血管针多采用：0.25 × 25mm 或 0.3 × 25mm；肌肉针：根据部位不同，病人胖瘦不等来选针的粗细、长短，一般多用 0.25 × 40mm，0.25 × 50mm，0.25 × 75mm，0.3 × 40mm，0.3 × 50mm，0.3 × 75mm。

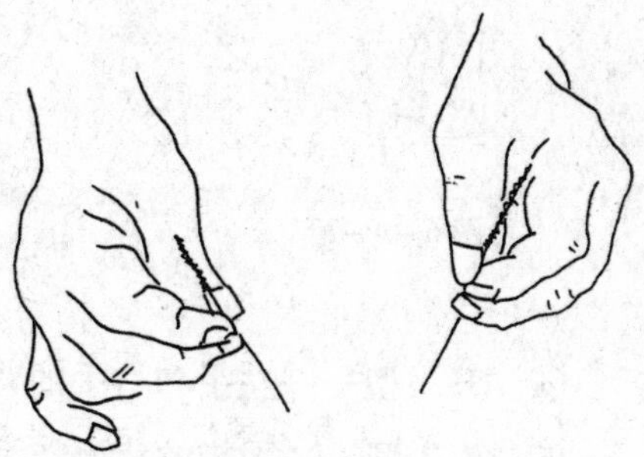

图 6 - 4 - 1

双手行针见图 6 - 4 - 1。

①"O"型——手指的掌面持针，即：拇指、食指、中指，三指掌面握

针（见图6-4-2）。

图6-4-2

图6-4-3

②"M"型——单手以食指掌面和中指的背（反）面交叉持针，即：中指的背面和无名指、食指、姆指的掌面交叉持针（见图6-4-3）。

③"W"型——单手以食指的背面和中指的掌面交叉持针，即：以食指和无名指的背面和中指的掌面交叉持针（与M型反之）（见图6-4-4）。

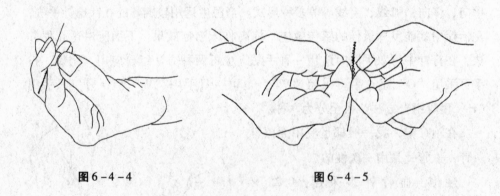

图6-4-4　　　　　　　　　　　　　图6-4-5

④"H"型——左手和右手的背面合力持针（见图6-4-5）。

⑤"K"型——手指的背面与手指的掌面合力持针（见图6-4-6）。

临床中也可采用食指的背面和中指的掌面合力持针，然后左手右手同时行针（双手行针）；或一只手也可用另一方法组合。

⑥"N"型——左手指的背面与右手指的掌面合力捻针（见图6-4-7）。

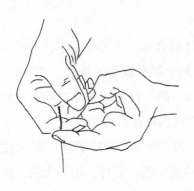 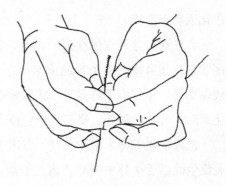

图 6 - 4 - 6　　　　　　　　　　　　　　图 6 - 4 - 7

双手行针手法组合：

A　"O - O"　"O - M"　"O - W"　"M - M"　"M - W"
"W - W"

B　"H - H"　"H - V"　"H - K"　"N - N"　"N - K"　"K - K"

C　O - 左　O - 右　O - 前　M - 左　M - 右　O - 后　W - 左　W - 右
M - 前　N - 左　N - 右　W - 前　K - 左　K - 右　W - 后　N - 前　N - 后
H - 前　K - 前　K - 后　H - 后

第七节　脉管针刺导线回路疗法

脉管针导线回路方法是我经多年对人体科学的探索和实践总结出来的一种针刺血管的新型方法。在我国几千年传统的针灸学中，没有提及将针刺入血管的治疗方法，只是提到放血疗法。我经过长期临床实践，认为针灸针不但可以针刺肌肉，更可以象静脉输液一样，将针灸针刺入血管而留针。这种方法是源于生物磁场序化学说。血液是人靠着心脏有规律的跳动，输布全身，供应人体的需要，支撑人体生命活动所必须的物质，其流经的脉管是维持人体生命功能序化运动的独特通道。人体（包括所有生物体）是一个不断序化的运动体，这种不断序化运动，需要消耗能量，而消耗的能量需要不断的有新的物质补充，以保持能量守恒。这种消耗和补充的过程，都必须在血液的序化运动下完成。

当患病时这种守恒受到了影响，甚至遭到破坏。使机体有序状态转为无序状态。使身体的各个系统或某个系统或某个器官发生了病变、功能减弱、代谢障碍、免疫力下降等。"脉管针刺导线回路"疗法，是通过促进血液序化运动，改善微循环，提高机体免疫力，使疾病得医治的方法。

血液生化于脾，藏受于肝，总流于心，输布于肺，化精于肾，泳为血之。血流生成以后在脉中循环，内至脏腑，外达皮、肉、筋骨，如环无端，运支不息、不断地对全身脏腑组织器官起着充分的营养和滋润作用，以维持机体正常的生理活动。"脉管针刺导线回路疗法"正是应用血液的这种生理功能和特点。在病人血管内扎针，用铜丝导线连接，形成闭合回路，如同血液一样周连全身，如环无端。病人带针短则一个小时，长则带针入眠一夜，改日黎明取下。这种方法在临床治疗上不但有很好的疗效，而且对身体有很好的保健功能。

在应用该方法治疗中发现：在肌肉层捻针，感传效应明显，具有生物"电磁场"传导现象，在疗效上看，因为是局部扎针，所以表面看好象只是对扎针的病灶区起明显作用，其能量较单一，作用较局限。针刺血管（静脉）捻针，虽无感传现象，但在留针 $30' \sim 40'$ 针以后，患者会有脸部开始潮红、虫爬感而痒、浑身发热、血压和心跳有双向改变、胃肠蠕动等现象。这就是说：在对血管针，单独行针时好象无"场"传导现象，但对全身却有整体反应。因此，在临床上，对全身性的顽症的治疗和调理常用"脉管针导线回路"和"肌肉针刺导线回路"组合方法，效果很好。

这种"组合"方法，不象药物有太强治疗的针对性。针灸是一种活的生命能量去医治活的生命现象，而药物是有能量但无生命的信息，是非生命的物质对有生命的活体。如：治疗肝病的药物不能治疗肾病，治疗心脏病的药物不可能治关节病，这是不随意的，而我们的这种方法是针刺血管通过血液的序化运动，从而达到调正全身，改善微循环，提高免疫力，平衡阴阳，从而提高脏腑的功能。有它的随意可控性。

人体是一个多层次、多方位的三维立体的生物磁场，从临床实践证明，肌肉层能量序化运动方向是左旋，血液能量序化运动方向是右旋。从其属性来看，肌肉层的磁场方向是"开放性"的，脉管内磁场方向是"闭合性"的，前者属阳，后者属阴。这也应了古医案中记载："血为母，体为精"所描述的阴阳关系。

我们在临床治疗中，特别对慢性疑难杂证采用"组合"方法，因"组合"方法较单一的方法所出现的感传更易激发多维空间效应，从而对患者内环境的调节更全面、更复杂、更深邃，能量序化平衡更直接，治疗效果也就更理想。常常出现连我都想不到的效果。在这里我决不是在吹牛，否则，也不会多次出国，给针灸界的朋友讲学。应美国中医工会邀请 1994~2006 年光去美国旧金山就有了 5 次。在这里，我呼吁专家们，重视研究这种方法，针灸已延续了几千年，我们不要光遵循旧的模式，也应创新以造福人类。

一、导线回路的连接方法

1. 双人连接法

即用一健康人和一患者分别用"脉管针导线回路"方法连接后，再把两人的线连接起来（左手连左手，右手连右手）形成双人闭合回路——以健康人的生物场来调节患者无序的生物场（根据实验：病人的血压、心跳等得到双向调节，而对健康人无影响），这种方法，临床上不常用，在此只略提。

2. 单人连接法

（1）肌肉针导线回路：在患者病灶区选用适当尺寸的针和穴位，扎针后，用 0.23mm 粗细的漆包铜线，栓在针柄处将所扎的针连起来，形成 8 字型，或螺旋型的交叉型闭合回路连接。

（2）脉管针导线回路：用一次性灭菌银针 6 根（一般用规格 0.25mm × 0.25mm 或 0.3mm × 0.25mm 的针），按向心方向左右对称分别刺入患者左、右踝关节处内侧明显静脉血管中（如：大隐静脉）和左右腕关节处较明显的静脉血管中（头静脉），及左右颈颈静脉血管中（注：就象打点滴输液消毒后将针刺入）。然后，再用漆包铜线将针依次串联起来，如患者是心血管病，或有脚、腿部水肿的病人，也可在明显的血管处多扎 1~2 根血管针，以帮助改善血循环，而后消肿。

3. 脉管针、肌肉针导线回路的组合方法

任何做局部肌肉针导线回路治疗的病都可配上局部血管针比如治疗膝关节炎，取穴扎针后，可在两踝关节处配扎上血管针然后用导线把针连起来。用双手行针法，在留针期间，可行针 2～3 次，一般留针 1 小时左右，可长可短，临床发现留针时间长的比时间短的效果好；多行一遍针比少行针的效果好。

下面重点讲一下全身血管针与腹部针组合的方法。在用这种方法的同时，对待不同的病种，在四肢关节有疼处或头部有疾患部位取穴扎针，配合治疗。并用导线和腹针连接起来。在这里我只讲一下最基本的连接方法。

（1）先扎血管针（上页（2）－脉管针导线回路已详述。）

（2）扎"肚脐针"即在脐中穴直刺一针、中脘、关元、天枢分别取双穴位进针，针尖均以 45° 指向丹田进针。说明一点在中脘和天枢之间；天枢和关元之间也可分别对称取穴加一根针，这样腹针可 5 根也可 9 根，随势而定，一般用 9 根针，脐中进针时认真消毒后直刺，一般用 0.25mm × 40mm 或 0.3mm × 40mm 规格的一次性灭菌银针，当进针时让病人放松，深呼吸病人感到有胀感或麻时即可，一般进针 0.8 分左右。腹部针扎好后用漆包线按照太极图形连接起来形成八卦闭合，然后与"血管针"的导线连接，交插于脐中为中心。"8"字回互形成一个整体的闭合生物场。脐中穴又名神阙穴，历来被视为禁针区，但经我几十年大量实践治疗，发现这是一个提高疗效的重要穴位，是一个能量的拐点，有独特的治疗价值。下面把连接的方法再祥细交待。

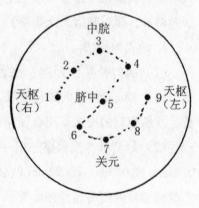

图 6 - 5 - 1

①腹部针（见图 6 - 5 - 1）。

图 1　扎好针后，用 0.22mm 漆包钢线连接右天枢 1→2→3（中脘）→4→5（神阙）→6→7（关元）→8→9（左天枢）注：2、4、6、8 点可随意取穴。

②全身血管针与脐针的连接法（见图6-5-2）。

用0.22mm左右规格的漆包铜线A连接先从血管针开始A→B→1（天枢穴）

1→5→D（颈V）$\xrightarrow{绕头}$C（颈V）→5（脐中穴）→9（天枢）→E→F，当把最后一根针连好后再把A，F两踝处的线连接起来，形成闭合。

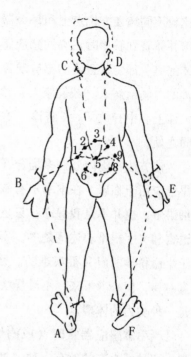

图6-5-2

二、脐诊

脐诊是我多年在练功和治疗实践中摸索出的一种查病的方法。（肚脐是人体的中心，也是人体三维及至多维能量流的转换点，生命体尚没有离开母体时就担负着唯一和外界进行物质能量交换的重任。是人体特异的部位。人体的肚脐四周按照《易经》八卦方位分别对应了人的五脏六腹及其它器官。）我探测肚脐周围（有气功功夫的检查准确率较高），即可诊断人体器官是否正常，这是我所创立的"方位静功"和"双手行针"是以"肚脐"（丹田）为中心的"8"字回互（拐点）学说的具体运用，并提出能量流的方向必然是相反"回互"（往返）运动，而使生命的成长和能量转化保持平衡。人体各主要脏器在脐周围的方位点见图6-5-3，这些方位点都是信息出入与往返的通道。笔者认为人体能量的运行有：三动、三静。三动即心、肺、胃，三静即肝、脾、脑。肝补心（内能）、脾补肺、胃补脑（内能）。

用"脐诊"方法诊病，了解我的人都知道，并认为这是我看病的"绝招"。对于所谓"绝招"或"绝活"而言，我认为每个人都能练成。因我原来也不会用这个方法，只是"熟能生巧"。在临床实践中，多接触病人。最重要的是练好基本功，掌握好健康人在"脐中"穴周围方位点的正常"感应"，知道正常的，就能分辨出病态的，要用心慢慢体会，细细琢磨，善于比较不同病在方位点上和每个器官上表现出的现象。功夫到位了，肯定能悟出并体查到脐诊时正确的感应感觉。经验有了，当给人查病时，手掌触到人体的有关部位，正确的感应现象一定会有，并会做出正确的诊断。当用几分钟的时间给病人（或健康人）检查完毕，就会对这个人的基本健康状况做到大体上心中有数了。"脐诊"这个方法，与中医把脉有相似之处，但又有不同之处。

　　该方法在国内外许多场合（如学术讲坐、学术会议）我都做过示范，并早已应用于临床。在本书中有叙述。但是这么多年来，在公开场合还没有详细讲解。这并不是我保守，只是因在给病人诊病时出现的一些感应现象，是语言和文字很难表述清楚的，不象做几道数学题，讲一下你就会理解了。对于生命科学的研究很艰难的。要有敬业精神、有耐性（心）、要去悟，需认真对待，使心静下来，不浮燥去研究之。这个方法是经验的总结和体会，也是一种功力的体现。

　　当手掌感应器官时（或病灶区）要细细体会和捕捉器官发出的感应现象。那种感觉有的似有一种"冲击波"的力，有热、有冷，有温感；有的病灶部位发出一种微弱的波，有直射、辐射和飘波之感。还有似"雾"，毛毛雨似的，对有的重病人（如患恶性瘤的病人）会明显感到。从病灶区有一种冲击手心力的感觉，有的"冲击力"似乎带有"毛毛刺"似的感觉。在此望大家今后一起更深入的去研究，对这种感应现象，有个更正确的定位。

　　我认为，作为一名医生，给病人检查时，要有鉴别诊断的能力。这就需要我们提高技术，因为不同性质的疾病，病灶上所发出的波的性质也不同，故手掌（心）的感觉也不一样，所以当技术达到了一定水平，就会对疾病有鉴别诊断能力。比如：面对一个患肝病的人，是什么性质的病，是肝硬化、肝炎还是癌症？医生要有一个初步诊断，这方面更需要经验的积累，如在2000年左右，我的一位好朋友，姓郭，当时在山东省泰安市中医医院和山东泰安市中心医院（三级甲医院）做了 CT 检查，均没有排除患肝癌的可能，要转到济南省立医院进一步确诊。去济南的头一天，我去看他，并给他做了"脐诊"检查，对他说："老弟，放心去济南治疗，你得的是肝脓肿。"结果在济南进一步检查后，确诊为肝脓肿。

2007 年 3 月，受学生们的再次邀请，笔者再次去了美国旧金山，与学生们一起切搓针灸的技术和手法，他们相互作为病人（模特）进行实践练习，学习提高"脐诊"和双手行针等技术。每位学生都是很优秀的医生，认真学习新的知识，并很刻苦，有悟性，很敬业，很有爱心，这是做一名医生必须具备的品质。有理由相信，他们一定会掌握"脐诊"技术的，这是一点小插曲。下面讲讲"脐诊"操作的具体方法。

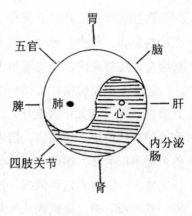

图 6 – 5 – 3

首先让病人平躺（枕头不用高），手也下垂贴身放平，全身完全放松。然后用无名指中指并拢，触摸方位点，手指不用太大的压力（见图6 – 5 – 3）。

注：1. 脐中外面的这些方位点在离肚脐中的 1 指处，心：其点在脐中穴的左侧。肺：其点在脐中的右侧。

2. 脐中穴（神阙穴）看似八卦图。

比如：你查脑部，就将手指触压放到脑的方位点上，如有病，手指会有感觉，然后你在用手掌（手掌心比较敏感）去感应头部，你通过感应会分辨出病灶区是左侧还是右侧，是额前还是脑后部位，如他右侧有血管硬化现象（病人会有头晕、头痛病史），那你手掌心的感觉似有一股股微热的波向上（手心）冲；如其他部位正常，你的手心感觉到的"波"会很平和。

如查肝，用无名指和中指并拢，触压方位点，有异常感应，可用手掌去感应肝区部位，因病情程度不同，肝区放射出的"能量波"的强弱不一样。如果患了癌症，波感强硬些，"波"温度高，象有毛毛刺似的"冲击波"冲向手心。当然在检查时一定要静心，细心体会。如果有功夫的人，他一"出掌"，便可根据出的颜色，大体了解病人病情的分期什么颜色。

再如：查四肢关节，除查方位点，你可用手掌感应身体每处的关节，如右膝关节有病，左侧健康，那么感应右膝关节时会有异常。因病情不同，手掌感应现象也不尽一样，一般会有高温、湿热、毛毛雨等"波"感。

以此类推，每个方位点均可配合相应的器官来诊病，有的朋友开玩笑说：

用黄教授这个方法真好，简便、省时、省力又省钱，几分钟就检查好了。然而这些经验，象中医把脉，这不等于数据，在崇尚科学的今天，对病人的一些检查，还要藉助西医的鉴测手段。

　　还有一点要说明：比如一位先生（或女士）找我们看病，我们当然先为其检查一下（就如中医把脉），然后告诉他身体各方面比较不错，但有一点，您心脏有些情况，较弱些，望以后在心血管方面注意保健。医生好心的提醒，他可能不以为然，还可能认为你查的不对，并说：我从没有什么感觉，心电图正常……。遇到这种情况，医生不必争辩、解释，更不要不自信自己所诊断。其实没有错。根据我几十年的经验发现，当身体有病的迹象时，是能感应到的。不象在医院作血液化验检查：当血液指标超标了，就说有病了。指标没有超，就宣布无病。单以"指标"高低来判断有病无病，是不太科学的。我常碰到这种情况。如：我的一位朋友，找我看病。（实际上他也是想考我）我给他作过检查后说：其他情况还不错，心脏有点不好，去作心电图。可他不承认，说："每次查体我一切很正常，能吃能动，哪有病。"我只笑什么也没有说，然而过了几个月后，他来找我说："真叫你查准了，最近我做心电图 T 波有点倒置"。从上述说明，不管身体是否健康，身体每个部位，无时不在释放着不同性质的能量（波）。不同的能量释放，是身体健康状况的标签。

　　笔者今年已 80 多岁了，愿把所有的经验和体会传授给大家，多年来，笔者太渴望、期盼更多的同道一起努力，为祖国的中医学和中医针灸技术的突破添砖加瓦。

第八节　人体与植物体针刺导线回路疗法

　　中西医临床治疗，主要是依赖药物，中药治疗还讲些辨证、调理。西药主要是以"杀"灭的手法来解除疾病。而今"生物针刺"主要是运用生命能量和信息医治疾患，其疗效高，无副作用。因为活性的能量是有序的，具有双向调节；而非生命能量是单向调节，在解除生命疾患上，用活的生命能量和信息，加快病人自我调谐修复能力（免疫功能），这是区别用非生命能量

"杀灭"生命疾患新的治疗方法。符合"和谐医疗"理论。

据《南史》列传第二十二章记载："伯宗善徒痛，公孙泰患发背，伯宗为气封之，徒置斋前柳树上。明旦瘤消，树边起一瘤如拳大，稍稍长二十余日，瘤大脓烂，出黄汁斗余，树为之瘘损。"

古人以雄辩的事实记载一位背生脓疮的患者与柳树接触后，使病患传给柳树，使树上的脓肿化脓流出斗余，树枯死，而人却恢复了健康。可见，古人早就知道了人体生命能量与植物活体生命能量，通过活的信息而相互作用。正是这个历史典故，启发了我，于是开始了艰难的研究历程，开始了植物和人针刺疗法的应用。如果第一次试验不成功，也就没有下文了，可偏偏让我看见了肺癌病人和铁树连接后几天内树发生了独特异变现象，使我产生了浓厚的兴趣。

人体与植物针刺"导线回路"疗法是利用人体和植物两个生命信息的相互作用，将人体病变物质通过信息转移给植物体导致植物枯萎或死亡，植物体的生命物质（活性）则促使人体病疾的好转或康复。利用能量转化原理，用铜丝导线将病体上的"脉管针"与植物连接起来，形成植物－地磁场－病体三者之间的"闭合回路"，利用生物场进行能量交换，进一步揭示了人体生物场与宇宙统一场之间的"闭合"和"开放"的关系，从而达到调控与自我调控的生物场效应，使生命磁场由无序（阴阳失衡）恢复到有序（阴阳平衡）。

生物空间针刺疗法在应用中，不仅可用一种植物，也可同时连接 2 ~ 3 株不同的植物进行组合，象中草药配方那样：多味药组成一个药方。中草药已有上千年的历史，早已形成了今天成熟的医疗规模。而我们今天在临床治疗中，对于什么样的病，应组合什么样的植物，尚需要继续努力的探索，现今还处于起步阶段。这是需要更多的人参与其中研究的大课题。上帝造万物，各从其类，各有功用，有待我们去开发、利用，而造福于人。

目前，我在治疗中多采用生长茂盛的、生命力强的木本植物，草本植物也用，可借鉴中草药的药物性质，根据病人的症状选用中草药植物，如古书曾有记载：梧桐树、苹果树色赤入心，杨树色白入肺，柏树色黄入肾。另民间也常说枣树入肝。木本树耐用些，生命力强，而草本植物生命力弱，特别是重病，如癌症病人，用草本植物，几乎 2 ~ 3 天就凋谢，用木本植物，衰败慢，一般植物用 10 天 ~ 2 周就要调换新的。（如有条件把线引到屋子外面的

大树更好，可连续用），有的不用后，植物靠着自身的修复能力重新慢慢生
长，但一般不会恢复到使用前的模样。多数是逐渐衰败甚至死亡。从临床上
看，尤其癌症病人用过的植物异变比较厉害。我的这种方法使人和植物发生
了信息和能量的转换，使植物的基因突变，象癌细胞一样，不规则生长所致。

　　经验证明：接受这样方法治疗，效果可靠，无副作用，花钱少，使病人
痛苦少，使症状减轻、延缓、稳定、好转或康复，这一方法对多种疾病都有
积极的治疗作用，它是运用序化能量去激发和调节一个失去序化能力的生物
场（病灶）；以活的能量和信息匹配去医治一个活的生命，从而体现了"天、
地、人合一"的整体观。

　　介绍将"脉管针刺导线回路"组合法与植物连接的方法如下（图6－6－1）：

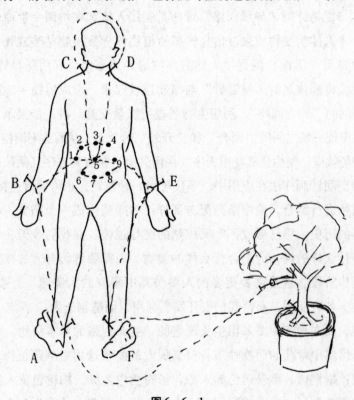

图6－6－1

树心→A→B→I→5→D→C→5→9→E→F→树皮

首先把患者身上的"脉管针刺导线回路"和腹部的肌肉针导线回路连接

好，具体在第七节已详述（见图 6－5－1、6－5－2），然后我们以植物的树皮（为阳），植物茎（树心）为阴，将针分别插入树皮和树心，用漆包铜线缠绕针柄后，再将线与病人脚上的导线连接。树皮（阳）与左脚处的导线头连接。树心（阴）与右脚踝处的线连接（见图 6－5－1）。

注意：线在 5（神阙穴）处交插

为了进一步能理解人和植物连接后所能发生的生物场运动关系，我们分别于 2000 年 5 月 9 号在在北京和山东用同样的仪器做了实验。在北京军区总医院，由张忠辉主任主持用 WP－95 型医用红外热像仪对人和植物连接前和连接后做了温度的测试，结果见下图及说明（图 6－7－1、6－7－2、6－7－3）。

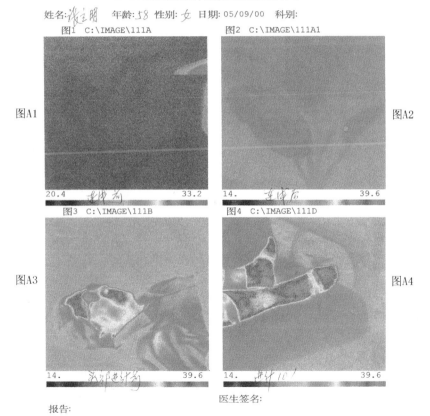

图 6－7－1

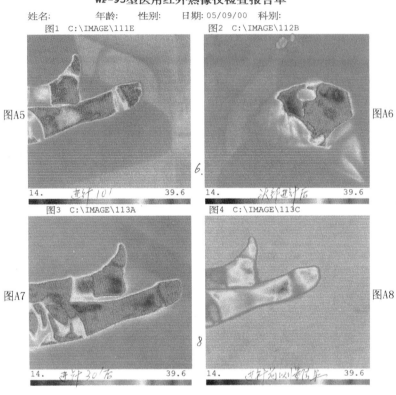

图 6 - 7 - 2

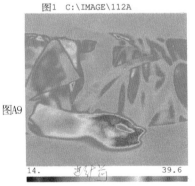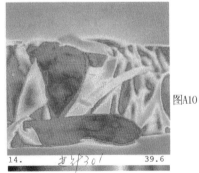

图 6 - 7 - 3

山东省医学影像学研究所

WP-95型医用红外热像仪检查报告单

姓名：虞明蔚　年龄：65　性别：男　日期：05/19/00（2000年）　科别：

图1　C:\IMAGE\519YU2　　　　图2　C:\IMAGE\519YU4

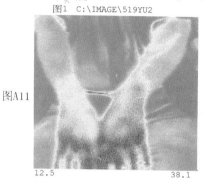

图A11

12.5　　38.1

图A12

12.5　　38.1

图3　C:\IMAGE\519YU7

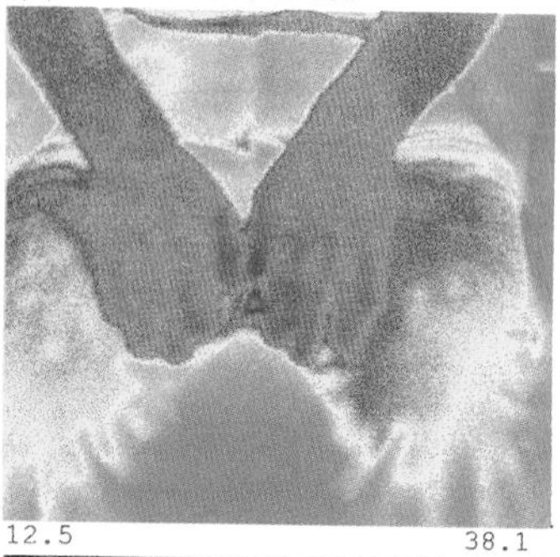

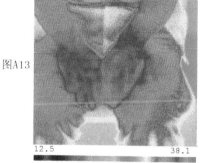

图A13

12.5　　38.1

医生签名：

报告：

体温增高为3.8℃

图6－7－4

图 A11　连线前体表温度为24.8℃

图 A12　连线6′体表温度为27.6℃

图 A13　连线10′体表温度为28.6℃

北京军区总医院

Wp－95 型医用红外热像仪检测报告。

1. 在人与植物连线前，Wp－95 型红外热像仪与周围环境相同，故热象图无法显示植物和人体图象（图 A1）

2. 植物与人体连线 2 分钟后，热像仪图像清楚显示出植物和人体。

3. 头部与植物连线前，脚部体表温度为基数的 26.2℃。

4. 人体与植物连线（进针 10′）后，皮温上升 2.8℃。

5. 头部与植物连线 30′后，脚部温度增长 3.6′。

6. 结束实验，温度为 29.8℃，总计增长 3.6℃。

检测人：张忠辉

根据上述报告的内容，可说明。

1. A1 看不见图像，是因植物没有与人连线，故在图像仪上什么也不显示。

2. A2 当植物和人连线后，植物显示了。

3. A3（头部和胸部）A9（上肢、躯干部）A8（下肢）是刚连接、温度还未上升，身上表现出的"黄"颜色重，而红颜色少（淡）。

4. A6（头部）A10（上肢躯干部）A7 下肢进针后，并已和植物连接，随着进针时间的延长，皮温不断升高，而且身体各部位所表现的红颜色更鲜明。这说明了是由于血液循环的改变，微循环加强所致。

5. 图 A11－A13 是在山东医学院影响学研究所做的实验，与北京重复试验，取得了同样的效果。

典型病例：

例 1：1994 年 1 月在新加坡为一位白血病人治疗时连树的情况，树叶从里面向叶尖处枯烂，但临床发现，也有的树叶从尖开始枯，有的花朵从心开始枯烂，但有的花朵也从花瓣尖处开始枯烂。（图 6－8－1）

例 2：司徒××，男 62 岁，中华医学会英文杂志副总编，1965 年在平安医院诊断为"风心病"。1986 年经北京医院、北京协和医院、北京阜外医院确诊为风湿性二尖瓣狭窄和关闭不全、冠心病主 A 瓣钙化性狭窄病。医院叫

治疗后　　　　　　　　　　　　　　治疗前

图 6 - 8 - 1

苹果树叶全落，还有两个苹果，
留在树上，颜色仍较鲜艳

图为中华医学会英文版杂志副总编司徒奋生在治疗中

图 6 - 8 - 2

他做手术，他不愿做，经多方医治，效果不大。来我处采用盆栽苹果树与病人连接8次后，苹果树中部树叶枯黄，20次树就枯死，当时看到这棵苹果树枯萎，力量不大了，正好屋外有颗几十年树龄茂盛的松树（当时在理工大学校医院病房做治疗，窗外就有粗大松树）正好用于病人的治疗。经28次治疗后，去医院复诊：二尖瓣口由治疗前1.7mm增宽至2.3mm，左心房内径由治疗前58mm缩小至40mm，心尖部舒张期杂音由3级降为1~2级，钙化的主A瓣未见改变（附图6-8-2）。

例3：郭×，女81岁，住北京市海淀区中关村科学院。该患者30年前无明显诱因出现四肢关节肿胀，晨僵以小关节明显，经解放军总医院、北京医院检查确诊为"类风湿性关节炎"先后在国内外求治，并口服非甾体类及糖皮质激素等药物。病情未得到抑制，近几年加重，四肢关节强直，并畸形，功能严重受损，行动受限，需人挽扶，双手第2~5指的掌指关节及端指关节出现"鹅颈"样畸形、上肢抬举不过耳垂，双下肢重度浮肿，以双膝关节为著、双足拇趾外翻畸形，四肢关节呈现对称性功能障碍，腰不能直立。

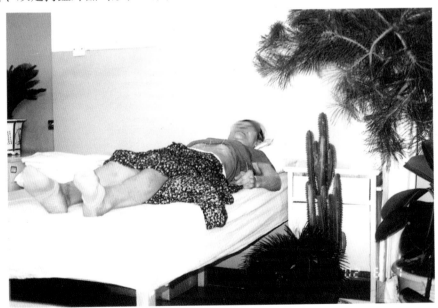

图6-9-1　治疗前的铁树、松树盆景

用"双手行针""脉管针 + 植物导线回路"方法治疗，植物选用铁树、龙骨（龙骨变化不大）、松树、芍药花，一组用三株与病人连接，形成"闭合回路"。经两次治疗发现正盛开和含苞待放的芍药花瓣全部凋谢。先后连接的铁树、松树叶子逐渐枯黄，到第六次治疗后病情大有好转，双臂能高举、腿肿消退、关节能伸直。上楼（因为她治病的诊室在三楼）由原来要 2 个人扶（挽拉）着改为自己能上楼（图 6 - 9 - 1、6 - 9 - 2、6 - 9 - 3）。

随着每天的治疗，铁树叶子枯黄，变异叶子疯长，每天可长4-5寸左右，松树叶子也枯黄

图 6 - 9 - 2

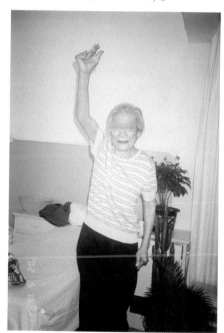

脉管治疗6次双臂能举高

图 6 - 9 - 3

上述病例，所用植物或叶黄、枯死、花落、凋零，有的花从中心坏起，有的从花瓣边缘坏起，有的还疯长，也有花还长大了。这项研究的确很吸引人，且很有意义。结果是病好了树死了。

例4：一位台湾人，肝硬化腹水，在美国旧金山探亲时，患者突然病情加重，伴有腹水，病危无法登机回台湾。经旧金山中医针灸师，我的学生王啸平，运用"双手行针"和"脉管针刺导线回路法与针刺植物导线回路法"

疗法选用一棵松树，治疗 4 次（松树叶很快枯黄后逐渐枯死），患者病情稳定，腹水消退，各种临床症状都好转，一周后返回了台湾。

例 5：一贵州女孩，李×，28 岁，在北京打工，2003 春节前，洗燥时发现乳房有肿块，经中日友好医院，活检确诊为乳腺癌，住院手术。小姑娘经过深思，想自己是个姑娘，手术了这辈子就完了，决定不作手术，坚决出院。家人没有办法，医生也做工作，她态度坚决。正好他弟弟（在北京某大学）认识我的朋友季游先生。然后请我给他妹妹扎针治疗。治疗十多次后，B 超显示，肿块已消失，她为了回避中日医院的大夫，第一次 B 超是去其他医院做的，她一看肿块没有，有点不相信，但很惊喜。后又去了中日医院做 B 超，结果一样。又巩固治疗十几次，先后共治疗 30 次，病愈，直到 2008 年见她时，她很健康。

例 6：治疗牛皮癣

外交部一位干部贾某，女，患牛皮癣 30 余年，经用"橡皮树"与病体"脉管导线回路疗法" 4 次治疗，橡皮树的叶片上出现于牛皮癣类似的形状。

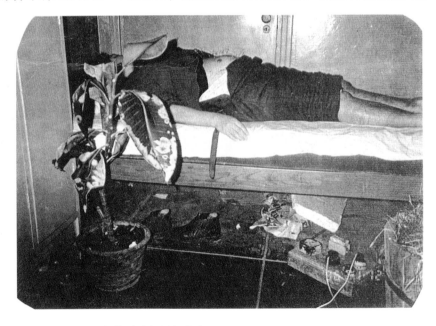

贾某某，与橡皮树连接治疗

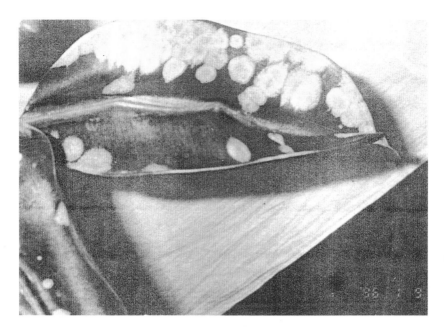

治疗第 8 天橡皮树叶上反映的白斑与牛皮癣一样

例 7：肾癌逆转为良性错构瘤

魏××，女，45 岁，秦皇岛燕山大学教授，确诊患肾癌。我们用一株古老松树，与病人连接，形成"闭合回路"，经 20 次治疗、北医三院 CT 复查，证明由恶性肾癌转为良性错沟瘤。4 年后，病人来京说，身体健康，比 12 年前还要好。

例 8：肺癌

赵××，男，72 岁，陕西省戏曲学校校长，经 CT 检查，为肺癌，我用一株松树与病体连接，经"生物空间针刺疗法"治疗 14 次，发现松树针叶枯黄且叶片无序，经 CT 检查，右肺肿块的中心区，癌细胞坏死，2 个月后，出现新的肉芽组织。

我举这几个例子，特别举了几例癌症的例子，是想说明，几十年的经验告诉我们：用"双手行针"和"脉管针植物导线回路"的组合方法，对早期重症病人，越是做到早治疗，坚持治疗，预后就越好。这是一种整体疗法，在治疗一种重病时，身上的其它的"小病"也同时得到医治。临床上还发现：有的病人经"下级医院"、"上级医院"或国内最权威医院确诊为癌病的病人，经过"脉管针、植物导线回路"治疗后（一般20～40次，20次为一疗程），恶性肿瘤逆转为良性、瘤体逐渐缩小或消失。然而常常有尴尬的情况，原先确诊的医院认为是他们给病人误诊了，不相信针灸会有这么好的疗效，更不相信能转为良性瘤，因为在医学的字典里只有良性转为恶性，而没有恶性可逆转为良性的说法，对于这点我保留意见。我经历了多例恶性瘤通过有序的治疗方法逆转为良性瘤或缩小或消失。对于一些晚期病人，经过治疗后延长生命是常见。但多数病人都是到了最后，没法了，死马当活马医，才想起用针灸方法试试。比如：山东曲阜科委的赵××，患肝癌，（1987年）春节前几天曲阜市医院通知家属准备后事。后用我们这个方法，使他病情改善，延长了8个多月的生命。用该方法对晚期重症病人病情的缓解，减轻痛苦，能够起到积极作用。

在这里我再一次殷切希望，大家思路应开拓些，以科学的态度去创新去研究、去实践，然后再做肯定或否定。

病例还有许许多多，就不一一例举了。

研究方向

（1）研究用什么植物治疗什么病，什么样的动物治什么病，怎样组合疗效最好？

（2）人不仅有本身的信息，也有其他动物信息，也有植物信息。植物不仅有自己的信息，也有其他植物的信息，也有动物的信息。随着科学的发展，愿我们能持"天、地、人"合一的整体观。去更好地认识自然，认识世界，认识我们自身。

（3）研究了解和认识植物用于给人治病的机理，同时也要进一步认识人体与植物的相应作用。

（4）人和植物同样存在遗传基因和信息，人和植物的基因信息的相互作用有什么联系？

第九节　生物针刺的特殊疗效

　　双手行针的疗效为什么显著？为什么受体能见到鲜艳多彩的光图运行？这些问题，目前都还没有找到答案。双手行针并可多手行针。双手行针是术者左手握针定向，以某些特定的方法调控人体感传的方向、感传的层次、感传的形式和强度，从而调控人体能量有序传导，达到整体调整与局部治疗的目的。多手行针是增加两个至四个（一般为两个）助手，一方助手右手搭扶术者，左手行针；另一方助手左手搭扶术者，右手行针。这是针刺疗法中的独创。也是双手行针疗效提高的方法之一。

　　传统针刺以传统经络学说为理论依据。双手行针（也可用多人多手）以易经和现代人体信息"磁场"为理论依据。经络学说是唯象科学，建立于针刺治疗基础上，是对人体穴位的疗效和穴位体系（穴位关系、表里关系等）的认识的唯象归纳。人体信息"磁场"论，则立足于对人体生物场现象、人体磁场效应的科学检测之上。人体自身以多种形式形成自身的闭合回路，在进行针刺治疗时把"电极"引出体外，也必须使体外"电极"——银针连接才能形成新的闭合回路，达到调控人体能量从而调控人体"磁场"的目的。双手行针便是用术者的双手连接患者体外"电极"，形成生命体的"闭合回路"。双手行针时是串联，多手行针时是并联。

　　单手行针时也可形成闭合回路，是通过非生命体（地磁场）的闭合回路。如术者、患者都立于地面，那么患者的生物电经术者和大地再回到患者身上，或者说术者的生物电经大地与患者回到自身。如果术者、患者或有一方离开地面，或有绝缘物与大地相隔，就不能形成闭合回路。这是单手行针有时效果明显、有时效果不明显的原因之一。

　　行针就产生感传——麻、热、胀、酸等。磁场就是按照一定规律使"生物电流"定向运行。

　　向前捻针或向后捻针（补与泻），就是导体产生电磁效应，使病体中增加生物电流，按行针的方向改变磁场的运行方向。这是我通过彩色光环、亮度和转向变化的长期观察得以验证的。人体的磁场运动方向是以左手为定向，因此，右手捻针和左手捻针对光环的产生的颜色、亮度和转向是有区别的。

右手向前捻针，光环顺时针旋转，右手向后捻针，光环逆时针旋转。

左手向前捻针，光环逆时针旋转，左手向后捻针，光环顺时针旋转。

双手行针能产生强的电磁引力，把同极和异极的磁场连接起来，使电流产生定向运动，有目的性地输送到需要的器官，使产生的"电流"向下或向上感传。更重要的是，用双手行针方法，使穴位产生的能量对流，可使病灶或脏器产生机械运动——振动或摆动。而使病体向有序化转化。

①在两腿"血海穴"，双手行针使同极电流场产生的电流，通过"关元穴"相连，感传到暗光穴。

②在身体一侧的"合谷穴"与"段门穴"，双手行针可使生物电流沿着体内侧经膀胱传到胃部。

③针刺关元穴，可使同极电流场产生的电流沿着体前中线通过胃和食道相连，使两极的穴位感传通过电磁引力产生新的能量——新的粒子，又出现新的电子运动，通过两个导体形成电流回路运动。也就是在磁场的作用下使生物电子序列化。

著名芭蕾舞演员茅××患右侧胸肋软组织损伤，取右合谷和右段门双手行针电流的感传就产生"体内回路"，病灶的疼痛很快就好了，第二天就参加舞蹈排练。

由于双手行针是通过生命体的闭合回路，单手行针是通过非生命体的闭合回路，两者"场"的能量序化是不同的，生命与生命体的回路是既有能量又有信息，非生命体只有能量而没有信息，因此生命与生命和生命与非生命的能量序化是有别的，其能量序化不能达到同步效应。这是双手行针疗效高的原因。

双手行针中与患者形成闭合回路，会更通畅，直接的生物电交流与人体磁场迭加，术者给予受体以健康的生命信息——这种信息以生物电、生物磁场为载体，以生物电、生物磁场密码（一定的电压、强度、脉冲速度、电磁波形、磁力线配伍等）输出，从而达到以生命治疗生命的目的。目前电针疗法、电磁疗法确有一定的疗效，是因为其仿生作用，但由于目前对生物电，生物磁场的了解还是极其肤浅的，尤其对于生物电；生物磁场的编码方式（信息密码）了解极少，尚不可能全面、准确的仿生，因而疗效是有限的，适应范围小、随机应变能力差。只有等全面、准确的揭示人体生物电、人体磁场的秘密，尤其是编码秘密之后，才可能制造高级的仿生治疗仪。而且能直接以"生命"治疗"生命"，取得较高的疗效。

在单手行针中，人体感传方向基本上是不可控的。感传方向大多是离心的（右手行针）。但在实际治疗中，针体是不可能只按一个方向旋转的，转到一定程度就转不动了，必须反向旋转。而在双手行针中，由于左手是正极，右手是负极，而电流总是由一极向另一极流动的，因而感传方向便可以调控。一般情况下，生物电流在术者体内由正极流向负极，于是在患者体内便由负极流向正极，所以在治疗中以左手定向，以右手指向。行针时捻同样两根针，左右手互换，患者体内感传方向也就相反。生物电是个矢量，在生物体中电流方向的变化，会引起生物磁场的极性变化，生物分子排列的变化。双手行针不仅以定向电流促使生物分子排列的有序化，而且可以人为调控电流方向、磁场极性，从而起到调控作用。

双手行针对感传方向的调控，不仅体现在能量的调控也体现对生物信息的调控，同时还具有调控感传的空间层次，达到攻治病灶治疗疾病的目的。如可以在病灶四周定位扎四针，多人多手行针使感传作用于病灶，达到攻治病灶的作用，治疗股骨头坏死时用这种方法使病灶区产生旋转"场"的作用。加快该区新陈代谢速度或加速病灶序化；另一方面激活细胞活性，从而加速死亡细胞的吸收，使之复活，促使新细胞的生长，有的甚至一次治疗就见效。我在1985年8月在青岛市给一位患桡骨头骨瘤的中学生进行治疗，在骨瘤四周按八卦定位扎针，然后根据磁场走向规律双手行针。术前骨瘤面积为2.8×2.6cm，针治一小时后降为1.9×1.4cm，十次后缩小为0.8×0.6cm，根据病情使感传直攻病灶，这是双手行针成功的"秘密"。

在临床治疗中，由针刺感传而引起病灶区的振荡效应，如前胸直透后背（前后传导）上下传导和左右传导，及脐部的涡流波动和辐射传导，都可由医生手法调控，掌握了生物针刺感传方向的规律，根据病情就能恰当地选穴组合。运用手法，使生物电"窜经"运行，即流经而形成两个或几个感传方向，通过预定的部位，使病灶会出现如震颤、抖动等现象。这是感传穿透或包围病灶引起的强烈的"电磁"效应，直击病灶，提高疗效。

前面已经提到了左手定位，右手指向，左右换手，感传方向也就相反。在腿部右手右捻（顺时针），感传向心上行，左捻（逆时针）感传离心下行。但如前所说，这种调控是有限的，因为体位不同方向有别。术者改变呼吸方式也能改变生物电流方向。前面说的左手定向右手指向，是以顺式呼吸为前提的，如果改为逆式呼吸，就变成右手定向，左手指向。受体睁眼时术者睁眼或闭眼，流向也就改变；受体与术者同时睁眼、同时闭眼、彼睁我闭、彼闭我睁，对感传的方向都有调控作用。

总之，在临床治疗中，多实践，用心工作，掌握好手法，运用好方法，加之适宜的方法组合，一定会提高疗效。能调控感传线路和方向，则是双手行针与单手行针的重大区别。

受体感传强度与受体的敏感程度不同，约有30%～50%的人较为敏感，弱刺激都能引起明显的、强烈的感传反应，而不敏感的人虽有一定甚至较强生物电通过病灶，也无感传线路运行体验，只是感到局部发胀，所以无感传体验不等于无生物电流通过，并且同样可以取得疗效，但也许疗效稍慢。有一位患者治了五个疗程，均无电麻感，只是局部酸胀，自以为无疗效，功能表现也进展不大，不想治了。临走时患者拍了 X 光拍片却发现骨小梁已形成，死骨已被吸收。"没治好"的心理屏障一去掉，大胆地运动，功能恢复的情况也就马上显现出来了。长期的实践，使我悟到：医生有点功夫对治病，提高疗效是很有益的。

第十节　人体方位编码

根据人体方位及人体坐标受《八卦图》的启示，我认为作为一个立体的实体，无疑都是三维六合体，而人体——这个具有生命的活体定不是一个简单的三维六合体，而是一个多维体。

我们测量人体各部位的长度发现，人体构造具有对称而又成比例的特点，比如两臂平举的总长等于身高，从"天突"到中指尖长度等于会阴到脚中趾的长度等等。这一形体结构不是偶然的，而是与大自然遥遥相对应的，就是说人与宇宙有"全息"的联系。从人体的五个"磁偶极矩"可以较清楚地看到人的多维性结构。

当我们用"＋"、"－"来表示体位"磁偶极矩"的正负，"电偶极子"，按"乾阳在上"、"坤阴在下"排列，乾是用"＋＋"，坤是用"－－"来表示。"坎升离降"，所以坎是"＋－"，离是"－＋"。当我们继续借助《易经》八卦，对人体方位的"电偶极子"顺序排列时，观察人体能量流，流向在"磁偶极矩之间是回互运行的这一事实。

人体上方为"＋＋＋"即乾（阳），下方为"－－－"即坤"阴"。

右为"－＋－"即为坎"－－＋－－"，左为即为"＋－＋"离。

按顺序组合，便可以确定人体的兑、艮、巽、震四个方位。

据此人体不仅是三维六合体同时还是具有八个方位的多维体。当人站定时，就是一个由五个"磁偶极矩"构成的多维"人体坐标"。我们借助《易经》八卦找出了人体坐标及方位，搞清了五个"磁偶极矩"的关系，但是在临床实践中发现有缺点。

第一，用"八卦语言"表示"极矩"之间的关系太抽象；

第二，不便于记忆（对初学者）；

第三，加之穴位的使用过于复杂，不易推广。鉴于以上情况有必要将人体分为几部分，将经络编成组，将360个穴位按组编码，这样就可以将复杂的双手行针技术输入计算机，制成软件，使这一具有古老《易经》思想的新技术，沐浴现代科学之光，这是完全可能的。

人体穴位编码，首先按五个"磁偶极矩"将人体穴位分为6个区，即：躯干区（A区）；脐中区（B区）左臂区（C区）；右臂区（D区）；左腿区（E区）；右腿区（F区）。另外，在"人体生物场"的中心部位，还要确定一个"脐中"区（B区）。

　　A区（驱干）是从上至下的人体坐标的垂轴。按坐标"走向"可将穴位排成八列，其中六列相互对称。（名称也对称，仅是左、右之分）。

　　A_1：从"上星"开始，等距离取穴，共16个穴位，编码为：上星为1，以下依次排码，经"上脘"（为9）至会阴（为16）。

　　A_2：从左"目窗"开始，等距离取穴，也是16个穴位，编码为："目窗"为1，以下依次排码，经"乳根"（为9）至"冲门"（为16）。

　　A_3：从左"头维"穴至左"健胯"，同样等距离取穴，编码为："头维"为1，经"渊腑"（为9）至"健胯"（为16）。

　　A_4：从左"承灵"穴至左"环跳"，同样是16个穴位。编码为："承灵"为1，经"脯关"（为9）至"环跳"（为16）。

　　A_5：从"百会"开始，向下等距离取穴共16个穴位。编码为："百会"为1，向下依次排码，经"至阳"（为9）至"长强"（为16）。

　　A_6：在人体右侧，与A_4对称。

　　A_7：在人体右侧，与A_3对称。

　　A_8：在人体右侧，与A_2对称。

　　在人体坐标的垂轴上（A区）共有128个穴位，其中任意一个穴位的名称用编码表示的方法是：如"下脘"穴，称A_1，12；右"京门"穴称A_7，12；"大椎"称A_5，6等等，其中大写英文字母表示"磁偶极矩"的坐标轴（即E域）。第一位数字表示该轴上的列数（第几列），最后的一至二位数字表示穴位编码。

　　B区（脐中区）是人体"生物场"的核心区域。当把人体看成是一个总的"磁偶极矩"时，"脐中"穴则是总的"电偶极子"，"脐中"穴周围的24个穴位共同组成了B区。以"脐中"穴为圆心，以2cm（厘米）为一个"半径单位"画三个同心圆，三个圆的半径，分别为2cm，$2 \times 2cm$；$3 \times 2cm$。24个穴位分别坐落在三个圆的八个方位上（每个圆上八个穴位）。每个圆为一列，从内（小）向外（大）排。

　　B区穴位的确定不受已知穴位的制约，只受规定的距离和八个方位的制约。在具体应用时，比如要求取B_{32}、B_{34}、B_{36}、B_{38}四个穴，那就是一个与外圆相接的正方形。

C 区（左臂区），是人体坐标半轴的左半部，这个区域是五个"磁偶极矩"中的一个，C 区也是八列穴位，每列有八个穴位。

C_1：从"秉风"开始，等距离取穴至"中冲"，"秉风"为 1，以下依次排码至"中冲"为 8。

C_2：从"俞"开始，等距离取穴至"关冲"，编码为 1，以下依次排码至"关冲"为 8。

C_3：从"极泉"开始，等距离取穴至"少冲"，"极泉"编码为 1，以下依次排码至"少冲"为 8。

C_4：从"云门"开始，等距离取穴至无名指的"十宣"，"云门"编为 1，以下顺编至"十宣"为 8。

C_5：从"抬肩"开始，等距离取穴至"中冲"，"抬肩"编码为 1，以下顺排至"中冲"为 8。

C_6：从"肩髎"开始，等距离取穴至食指的"十宣"，"肩髎"编码为 1，以下顺排至"十宣"为 8。

C_7：从"治瘫"（巨骨穴边）开始，等距离取穴至"少商"，"治瘫"编码为 1，以下顺排至"少商"为 8。

C_8：以"巨骨"开始，等距离取穴至商阳，巨骨编码为 1，以下顺排至"商阳"为 8。

C 区穴位总数：$8 \times 8 = 64$ 个

D 区：D 区与 C 区完全对称，成镜像关系。C 区穴位列，逆时针排码；D 区穴位列，顺时针排码。D 区是人体坐标平轴的右半部，也是五个"磁偶极矩"中的一个。也有 64 个穴位。

E 区：E 区和 F 区同是人体坐标的两个对称轴。也是五个"磁偶极矩"中的成员。人体是多维体，因此坐标也具有多维性。

E 区与 C 区一样有八列穴，每列八个穴位排列顺序如下：

E_1：从"急脉"开始，等距离取穴至"厉兑"，"急脉"编码为 1，以下顺排至"厉兑"为 8。

同理：E_2 列，"鼠穴"为 1，"窃阳"穴为 18。

E_3 列，"强胯"穴为 1，"至阳"穴为 8。

E_4 列，"阳台"穴为 1，脚无名指底尖为 8。

E_5 列，"承扶"穴为 1，脚中趾底尖部为 8。

E_6 列，"阳元"穴为 1，脚食趾底尖部为 8。

E_7 列，"会阴"穴为 1 "隐白"穴为 8。

E_8 列，"阳廉"穴为 1 "大敦"穴为 8。

E 区穴位总数 $8 \times 8 = 64$

F 区与 E 区对称，其情况象 C 区与 D 区对称相同，故不重复描述。F 区穴位总数也是 64 个。

从穴位编码及取穴规律中可以看到，双手行针确定穴位与中医传统穴位大相径庭，双手行针术是对《易经》思想研究的产物，所说的"穴位"确切地说是方位。

八卦穴位编码数：

上肢区：坎区 $8 \times 8 = 64$

离区 $8 \times 8 = 64$

下肢区：艮路区 $8 \times 8 = 64$

震路区 $8 \times 8 = 64$

头腹背区：$16 \times 8 = 128$

总计 384 穴，和针灸常用穴位数基本相似。

第十一节　双手行针感传图

双手行针是在单手行针的基础上发展起来的。它的感传并不完全遵循经络理论。双手行针也不完全遵循传统穴位，而是取穴以生物磁场的导向为基础，以人体方位进行穴位编码，以左手为定向，右手为指向。这是对传统的经络理论的一个重大的突破。

双手行针的显著特点，是具有感传的方向性和可控性，受体的感传是交汇于一点或一处。这样，术者可有目的地控制感传方向，达到感传"冲击"病灶的目的，它的疗效是显而易见的。

感传图依人体方位编码，因考虑到传统针灸的穴位，还是选用常用穴位名称，并且标上方位，便于学习和使用（编码见第六章第十节）。

双手行针的感传图，绝大部分是通过大量病例，依据对针刺比较敏感的患者在治疗时的感应而得到的，特别是一些感应比较明显的病例，感传相同，具有共性，除此之外，还有一部分病例的感传具有特异性，我们也把它归纳出来。

我们在总结病例的同时，一方面叫病人自己做，另一方面，我们自己也在做，发现捻针的感传现象具有下列规律性。

一、上肢区感传图

1. 对侧同位感传图（图 6 - 10 - 1）

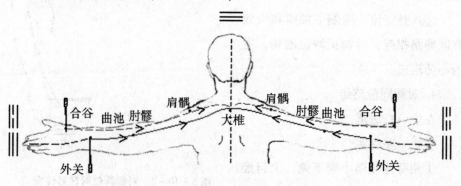

图 6 - 10 - 1　对侧同位感传图

左手→右合谷 ☲离

右手→左合谷 ☱兑

①两臂感传循小臂相向而行，传至曲池，向上传导至肩髃穴，然后同时在大椎穴处相连。

②《八卦图》定位：相当于离位感传，和头腹背区的乾位相连。

2. 对侧同位感传

左手→右外关

右手→左外关

①两臂感传循行小臂和大臂的外侧，经肘髎、肩髃传至大椎，两侧感应同时在大椎穴处相连。

②八卦定位：两手的乾位感传相连，和肩腹背区的乾位相交，主治由于感受寒邪而引起的腰背酸痛。

3. 对侧同位感传

左手→右内关

右手→左内关

①两臂感传循臂内侧往上传导，经曲泽至极泉两侧感应在天突处连接。

②八卦定位，两侧手坤路和头腹背区坤路相连，可调正坤位磁场，主治心肺疾患。

4. 对侧同位感传

左手→右后溪

右手→左后溪

①两臂感传循小臂下侧，上行经少海至中府（极泉），两侧感应在天突穴处沟通。

②《八卦图》定位：两侧坎位相传，和头腹背区的坤路相交。

5. 对侧异位同性感传（图6-10-2）

左手→右内关

右手→左合谷

①右内关的感传循臂的内侧往上，经极泉至天突，向大椎穴方向传导；左合谷的感传循行小臂的上侧，再传向大椎，向天突方向传导；两臂的感传

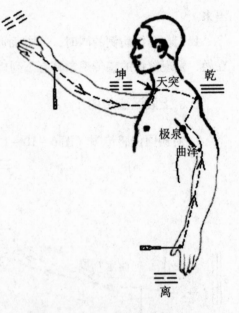

图6-10-2　对侧异位同性感传图

在喉头相交，另一侧亦相同。

②《八卦图》定位，手坤路向上传导，与头腹区坤路相交；手离路向上至头腹背区与乾路相交。后回路在喉头汇总。

6. 对侧异性（位）感传

左手→右外关

右手→左内关

①右外关感传循臂的外侧经肩传至大椎穴。

②左内关的感传循内侧经极泉至天突穴。两臂感传在喉头相连。

7. 对侧异性（位）感传

左手→右合谷

右手→左后溪

①右合谷的感传向上侧经肩传至大椎穴；左后溪的感传循行臂的下侧，经极泉传至天突穴。两臂的感传在喉头相连。

②《八卦图》定位：手离路传至背乾路；手坎路传至腹坤路。后两路在喉头处相交。

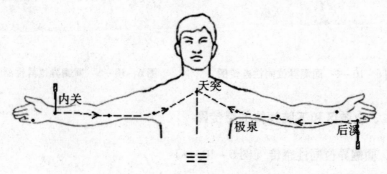

图 6-10-3　对侧异位同性感传图

8. 对侧异位同性感传（图 6-10-3）

左手→右内关

右手→左后溪

左后溪的感传循臂上行，经极泉至天突；右内关的感传循臂的内侧，经腋上传至天突。两臂的感传汇交于天突穴。

注：①上侧和外侧的感传经大椎穴处。

②下侧和外侧的感传经天突穴处。

③内侧与外侧的异侧感传是"S"传导。

④同侧是直线相连，异侧是曲线S相连。

手坎路至腹坤路天突处，手坤路至腹坤路天突处相连。

以上实例说明，如果双手行针受体两上肢肢端诸穴，如合谷、内关、外关、后溪，其感传方向都是相向而行，交汇于大椎、天突、喉头，以这几个穴位为交汇中点。

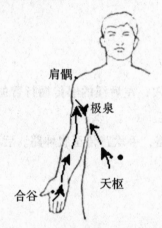

图6-10-4　同侧异位同性感传图

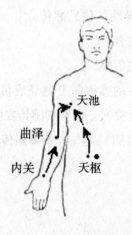

图6-10-5　同侧异位异性感传图

二、上肢区和下肢躯体的感传图

1. 同侧异位同性感传（图6-10-4）

左手→右合谷

右手→右天枢

①右合谷的感传循臂上行，经肩髃入极泉穴。

②右天枢的感传经肝区向上经乳中传入极泉穴。

在合谷与右天枢的感传在极泉穴相接。

2. 同侧异位异性感传（图6-10-5）

左手→右内关

右手→右天枢

①右内关的感传沿臂的内侧上行，经曲泽穴传入天池穴

②右天枢的感传沿乳中穴传至天池穴。

右内关与右天枢的感传在天池穴相连接。

3. 同侧异性感传

左手→右腰眼穴（图6 – 10 – 6）

右手→右内关穴

①右腰眼穴的感传沿脊椎右侧向上进入天宗穴。

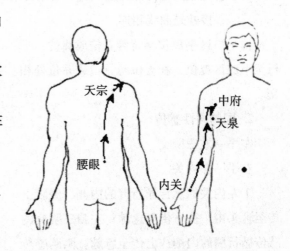

图6 – 10 – 6　同侧异性感传图

②右内关的感传沿臂内侧经天泉至中府穴，再转入天宗穴。

腰眼穴和右内关穴的感传在天宗穴相连接。

以上实例说明，如果双手行针同侧上肢诸穴，例合谷、天枢、内关、腰眼，则其中交汇点应在极泉、天池、天宗。

三、下肢区和下肢躯体的感传图

1. 同侧同性感传

左手→左解溪穴

右手→左合谷穴

左合谷的感传循臂上行至天宗穴，再往下传至环跳穴；左解溪穴的感传循行于腿的上侧至急脉。上下感传可以在环跳穴处相交，也可以在环跳与急脉穴之间相连。对侧相同。

注：①同侧以"S"曲线相连。

②上肢后与下肢前是同侧。

③上肢前与下肢后是同侧。

④它们的感传是同侧相连，但在汇
接处是曲线相连。

由上肢区手离位至背侧兑位或巽位，下
行至下肢区乾位，在乾位与兑位或巽位处相
交。

2. 同侧同性感传

左手→左三阴交

右手→左内关

①左内关的感传循行臂的内侧，经腋上
传至乳头内，往下传至急脉；左腿三阴交的
感传循行腿的内侧往上传至急脉。两路感传
在急脉处相连。

②《八卦图》定位由上肢区坤路上行，
传至头腹背区震路或艮路，经乳中下传至急
脉；下肢区坎路上行至急脉。两路在急脉处
相连。

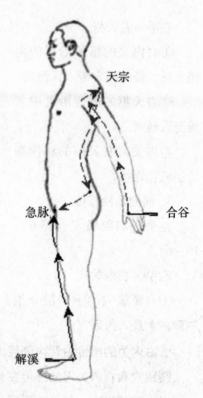

图6-10-7 同侧同性感传图

3. 同侧同性感传

左手→右阳陵泉

右手→右后溪

①右后溪的感传循行臂的外侧，经肩传至脊椎左侧二指处，再下传至环
跳穴；右阳陵泉的感传循行腿的外侧，再传至环跳。两侧感传在环跳穴上相
汇。

②《八卦图》定位上肢区坎路上行和头腹背区的巽或兑路相连传至环
跳；下肢区离路上行传至环跳。两路在此交汇。

4. 同侧异位感传

左手→左涌泉（图6-10-8）

右手→左后溪

①左涌泉的感传先循行左脚后缘往上，再传入腿的后侧，从殷门、承山

至环跳；左后溪的感传循臂上行，经极泉至乳头，下传至急脉。两穴感传在环跳与急脉之间相汇。

②《八卦图》定位上肢区坎路上循至极泉，和头腹区震路或艮路相连，下行至急脉，下肢区坤路上行至环跳。两穴感传在此相连。

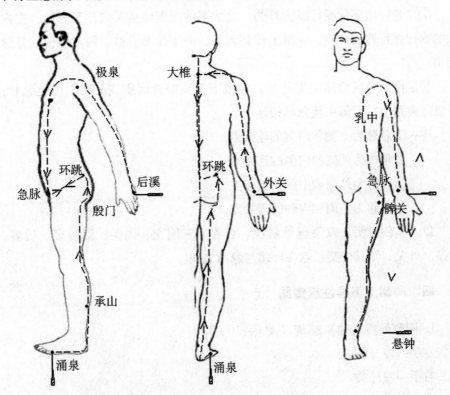

图6-10-8　同侧异性感传图　图6-10-9　同侧异性感传图　图6-10-10　同侧异性感传图

5. 同侧异性（位）感传

左手→右涌泉（图6-10-9）

右手→右外关

①右涌泉的感传沿腿的后缘向上，经承山穴至环跳；右外关的感传上循，经肩至大椎穴，沿椎体下行至环跳，两穴在环跳处相汇。

②《八卦图》定位上肢区离路上行，与头腹背区乾路相汇，下循至环跳；下肢区坤路上行，至环跳穴相汇。

注：同侧：外侧和下侧的感传相连点是急脉与环跳穴成为相连点。

6. 同侧异性（位）感传

左手→左悬钟（图6－10－10）

右手→左内关

①左悬钟的感传循行腿的外侧，至大腿的上侧经髀关穴传至急脉；左内关的感传循行臂的内侧，经腋上传到乳头，向下传至急脉，两穴感传在急脉相聚。

②定位上肢区坤路向上传导，经腋下至头腹背区震或艮路下传至急脉；下肢区离路上行至髀关至急脉相连。

注：①急脉为上侧和内侧的连接点。

②承扶为外侧和内侧的连接点。

③环跳为外侧和上侧的连接点。

④肩髎为上侧和内侧的连接点。

以上实例说明，双手行针解溪、合谷、三阴交、内关、阳陵泉、后溪、涌泉、外关，则其中交汇点在环跳与急脉之间。

四、同侧上下异性感传图

1. 同侧异性（位）感传（图6－10－12）

左手→左三阴交

右手→左外关

①左手外关的感传循行臂的外侧，经肩至大椎穴，再传入椎体，沿脊椎往下传至命门，再转向脐中；右三阴交的感传循行腿的内侧，经会阴上传至丹田，两穴在脐中与命门之间相连。

注：受试者可察觉在丹田与命门之间的相连处有似火花闪现。

②《八卦图》定位上肢区乾路上行至大椎，与头背区乾路相汇，下传至命门，下肢区坎路上行至会阴与头腹区坤路相连，上行至脐部入命门。两穴的感传在脐和命门间交会。

2. 同侧上下异性（位）感传（图6－10－11）

左手→左悬钟

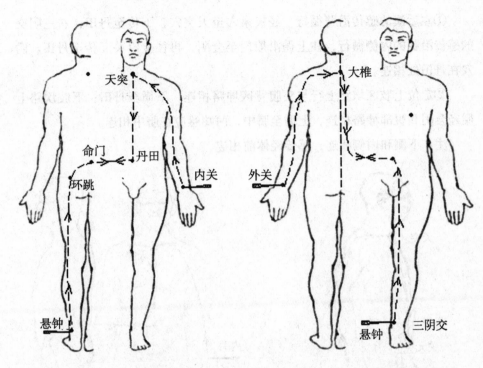

图 6 - 10 - 11　同侧异性感传图　　　　图 6 - 10 - 12　同侧异性感传图

右手→左内关

①左内关的感传循行臂的内侧，经腋传至天突穴，再往下沿胸骨中央传至丹田；右腿悬钟的感传循行腿的外侧，经环跳再传入命门，向丹田方向传导。两穴的感传在命门和丹田之间相连。

②《八卦图》定位上肢坤路和头腹区坤路在天突处相连，下行至脐中；下肢区离路上行至环跳和乾路相连，至命门。两穴在命门和脐之间相会。

注：外侧与内侧相连

①上肢的感传，外侧传至脊椎，内侧传至腹。

②下肢的感传，外侧传至脊椎，内侧传至脐。

3. 异侧异性（位）感传（图 6 - 10 - 13）

左手→右三阴交

右手→左后溪

①左后溪的感传沿臂循行，经极泉穴至天突穴，下传至丹田；右三阴交的感传沿腿的内侧循行，往上循沿殷门至会阴，再往上沿关元传至丹田。两穴在丹田处相连。

②定位上肢区坎路上行与头腹背区坤路相连，下循至丹田；下肢坎路上循经会阴和腹部坤路相连，上循至脐中，两端感应在脐中相连。

注：下侧和内侧相连，感传经体前相连。

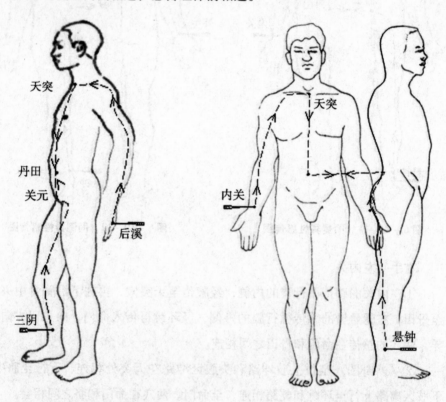

图6－10－13　异侧异性感传图　　　　图6－10－14　异侧异性感传图

4. 同侧异性（位）感传（图6－10－14）

左手→右悬钟

右手→右内关

①左内关穴的感传循行臂的内侧上行经极泉至天突，沿正中下循至神阙穴；右悬钟穴循腿外侧经尾骨上至命门，两穴在命门和神阙穴之间交会。

②《八卦图》定位上肢区坤路上行与头腹区坤路交会下行至脐；下肢区离路上行和头背区乾路相会上行至命门，两处感应在命门和脐之间连接。

注：内侧与外侧相连，外侧的感传经脊椎中转至命门，内侧的感传经胸骨下传至脐中。

5. 同侧异性（位）感传（图6-10-15）

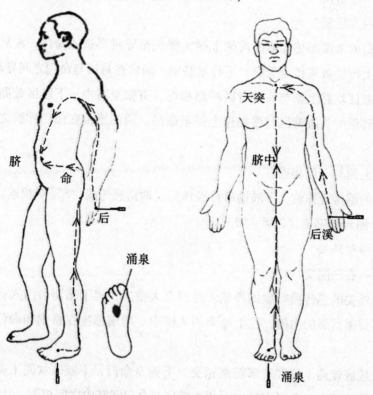

图6-10-15　同侧异性感传图　　　　**图6-10-16　同侧异性感传图**

左手→左涌泉

右手→左后溪

①左后溪的感传循臂上行经极泉再传至天突下循至脐中；右涌泉的感传循行腿的后侧至承扶入会阴上行与脐相连。（也有患者涌泉上行经环跳入命门。两穴在脐中与命门间导联）

②定位上肢坎路上行与头腹区坤路相连，下循至脐中；下肢坤路上行经

环跳和头背区乾路相联；上脐入命门，两穴在脐中和命门间相连。

注：①上肢下侧的感传经体前。

　　　②下肢下侧的感传经体后，成"S"形在脐中与命门之间相联。

6. 同侧异性感传（图 6 – 10 – 32）

左手→左解溪

右手→左后溪

①左腿的解溪感传循腿的前侧上循由髀关至环跳再进入命门；左后溪的感传循臂上行经极泉至天突，下行至脐中。两穴在丹田与命门之间导联。

②上肢区坎路上循与头腹背区坤路相连，下循至脐中；下肢区乾路上行至髀关入环跳与头腹背区乾路相连上循至命门。两端感传在命门和脐之间连接。

注：上侧与下侧相连。

上肢的感传经体前，下肢的感传经体后，两路感传成"S"形相连。

7. 异侧异性感传（图 6 – 10 – 17）

左手→左外关

右手→右三阴交

①左外关的感传循行臂的外侧，经肩至大椎穴，再下循至命门穴；右三阴交的感传循行腿的内侧，往上经会阴入脐中。两端感应在脐中和命门间交会。

②上肢区乾路上循和背部乾路相交，下循至命门；下肢区坎路上循至会阴和腹部坤路相会，上循至脐中。两端感应在命门和脐中之间相联。

注：上肢外侧与下肢内侧相连于命门和脐中之间。

8. 对侧异位感传（图 6 – 10 – 17）

左手→右外关

右手→左悬钟

①右外关的感传循行臂的外侧经肩至大椎，下循至命门穴；左悬钟的感传循行腿的外侧，经环跳再入命门。两穴感传在命门沟通。

②上肢区乾路上循和背区乾路相连，下循至命门；下肢区离路上循和背

区乾路相连，上循至命门。两端感应在
命门相连。

注：上肢外侧，下肢外侧的感传点
在命门相连。

9. 对侧异性感传

左手→右合谷

右手→左涌泉

①右合谷的感传循臂的上侧经肩传
入大椎，沿背乾路下循至命门穴；而涌
泉的感传上循，经殷门至会阴至丹田。
两穴感应在命门和丹田之间相会。

②手兑位上行和背乾路相聚，下行
至命门，下肢坤路上循至承扶，由深层
至会阴，和腹坤路相交，上循至丹田。
两端感应相会在丹田和命门之间。

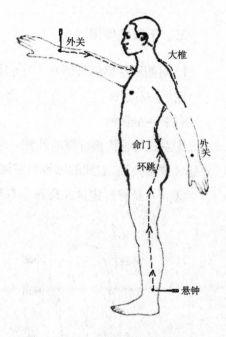

图 6 - 10 - 17　异侧异性感传图

以上实例说明，双手行针四肢肢端诸穴，如三阴交、外关、悬钟、内关、
涌泉、后溪、解溪、后溪、合谷、涌泉，其感传交汇均在脐中与命门之间。
由此可见这个地方的重要性。

有人认为，神阙为前丹田，命门为后丹田，是很有道理的。但确切地说，
丹田应在两者之间。从位置来看，它是人体的磁场中心，它上顶百会，下抵
会阴，前复神阙，后靠命门；如果伸展四肢，又是人体的物理量度中心。从
能量供应来看，胎儿于母腹之中，依靠脐带的联系，从母腹中吸取营养和能
量，脱离母腹之后，气血津液的升降沉浮，水谷精微的传输储存，都在脐部
之后。从针刺实践来看，脐部之感传形式与其他部位完全不一样，它以波浪
形式向外推进，唯此才能对病体作整体性的调整，医治病患。

所以我认为，丹田在神阙与命门之间。

五、下肢感传图

1. 对侧同性感传（图6-10-18）

左手→右悬钟

右手→左悬钟

①左腿的感传循行腿的外侧，经风市穴向上经环跳穴，传向命门穴下二寸处（腰阳关）；右腿的感传同左侧到达命门下二寸处。两侧感应在此相会。

②《八卦图》定位左离路和右离路上行，在背区乾路腰阳关处相会。

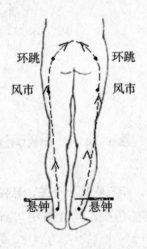

图6-10-18　对侧同性感传图

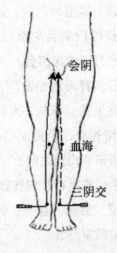

图6-10-19　对侧同性感传图

2. 对侧异性感传（图6-10-19）

左手→右三阴交

右手→左三阴交

①两腿的感传循腿的内侧传导，经血海穴，传至会阴处相连。

②下肢两腿的感传在会阴处交会。

3. 对侧同性（位）感传（图6-10-20）

左手→右太冲

右手→左太冲

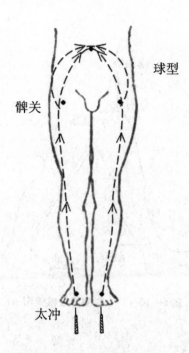

球型

髀关

太冲

图 6 - 10 - 20　对侧异性感传图

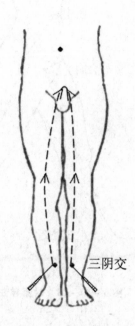

三阴交

图 6 - 10 - 21　对侧异性感传图

两腿的感传循腿的上侧，经髀关穴再转入脐中，两端感应在脐中相聚。

4. 对侧异性感传（图 6 - 10 - 22）

左手→右三阴交

右手→左悬钟

①右三阴交的感传循腿的内侧经血海至会阴穴沿深层向上，至脐中；左悬钟的感传循腿的外侧，经风市穴向上至环跳穴，深层传导再转入脐中。

②《八卦图》定位右侧坎路上循和头腹区坤路相连。左腿离路上循至环跳，和头背区离路相连，并向腹区坤路脐中穴相连。两端感应在脐中相接。

注：在脐中穴深处约有 6cm 的一个圆球状区域，两穴位的传感在此相接。

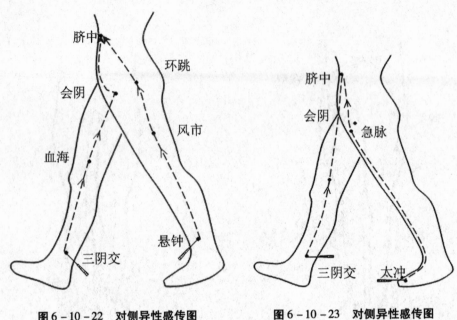

图 6 – 10 – 22　对侧异性感传图　　　　图 6 – 10 – 23　对侧异性感传图

5. 对侧异性（位）感传（图 6 – 10 – 23）

右手→左太冲

左手→右三阴交

①右三阴交的感传循腿的内侧至会阴穴，向上至脐中（在浅层）；左太冲的感传循行腿的上侧，经髀关转急脉而入脐中。两侧感传在脐中相会。

②《八卦图》定位：下肢区坎位上升至会阴，和腹部坤路相会，上循到脐中；兑位上升至髀关，急脉上循至腹坤路脐中。

6. 对侧异性感传（图 6 – 10 – 24、6 – 10 – 25）

左手→右太冲

右手→左悬钟

①左悬钟的感传循腿的外侧，经环跳穴，（浅层）再转入命门；右太冲的感传经髀关，急脉而转入到脐中。两穴感应在脐中与命门之间相会。

②下肢区离路的感传上循，经环跳和背区乾路相聚，在命门穴；而兑路上循，经髀关、急脉和腹部坤路相聚，上循至脐中。两端感传在命门和脐中

之间相交。（图 6 - 10 - 25）

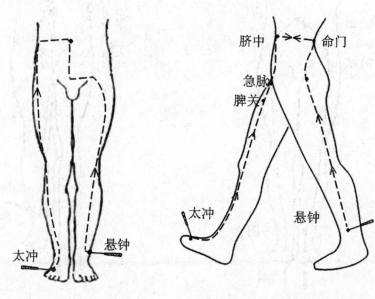

图 6 - 10 - 24　对侧异性感传图　　图 6 - 10 - 25　对侧同性感传图

（7）对侧同性感传（图 6 - 10 - 26）

左手→右涌泉

右手→左涌泉

①左、右涌泉的感传从脚掌的内侧中向上传导至三阴交至急脉，后转入丹田。两端感应在丹田穴相聚（浅层）。

②定位：下肢区坤路经内侧中心向上传导，至腹部和坤路相交，向上至脐中。两端感应在脐中相汇。

8. 对侧同性感传（图 6 - 10 - 27）

左手→右涌泉

右手→左三阴交

①左三阴交的感传循腿的内侧再转入后侧，经会阴穴，约旁开二寸处，再转至急脉，再向上传导至丹田穴。右涌泉的感传循腿的内侧向上至会阴深处向上再经关元至丹田，两腿的感传在丹田处成椭圆形相连。（注：这种图

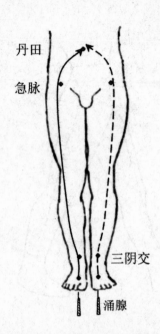

图 6 – 10 – 26　对侧同性感传图

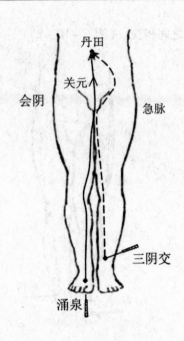

图 6 – 10 – 27　对侧异性感传图

形是由深层和浅层相交而成的。）

②下肢坤路的感传向上至会阴，和腹坤路相连，然后和震或艮路相连，即向坤路丹田相会，在浅层形成半圆形，下肢坎路向上至会阴和腹部坤路相交，形成半圆形传导圈。

9. 对侧异性（位）感传（图6 – 10 – 28）

左手→右涌泉

右手→左悬钟

①左悬钟的感传循血海至会阴，再向上，经环跳穴进入命门穴；右涌泉的感传循腿的内侧，经血海至会阴，再向上经关元至丹田。两端感应

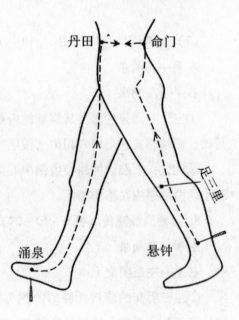

图 6 – 10 – 28　对侧异性感传图

在丹田和命门穴之间相连。

②下肢区坎路上循和腹部坤路相聚，上循至丹田；下肢区离路感传上循至背部乾路，再上循至命门。两端感应在丹田和命门之间相交。

10. 对侧异性（位）感传（图 6 - 10 - 28）

左手→右内关

右手→左足三里

右内关的感传沿右臂内侧经极泉穴再转入咽喉，沿天突穴向下传导至脐中穴，左足三里感传沿左腿上侧经左环跳再转入命门穴，双穴感传在丹田相应。

11. 同侧异性感传

左手→右曲池

右手→脐中

右曲池感传沿臂的上侧向上传导至大椎穴转向天突穴，脐中感传经中脘穴向上传导至天突穴，向大椎，双穴感传在天突穴与命门之间连接。

12. 同侧异性感传

左手→脐中

右手→左足三里

左足三里的感传沿左腿的上侧经环跳穴再进入命门与脐中穴的感传相应。

13. 同侧异性感传

左手→右曲池

右手→右阴陵泉

右曲池感传沿臂的上侧传至天宗穴再向下传至命门穴的右侧腰眼，右阴陵泉感传沿腿的内侧传导至腹股沟的急脉穴，再向上传导至右天枢穴的右侧三寸处。双手感传在腰眼处连接。

以上实例说明，如果双手行针下肢诸穴，如左、右悬钟，左、右三阴交，左、右太冲，左、右涌泉，其感传的交汇点应在神阙、命门、会阴，也可在神阙与命门之间。

14. 对侧同性感传（图 6 - 10 - 29）

左手→右涌泉

右手→左三阴交

①右涌泉的感传循腿的后侧，经会阴穴的右侧处，再经急脉转入脐中。

②左三阴交的感传循腿的内侧，经血海穴向上传导至会阴穴再向上经关元穴至脐中，两腿感传在脐中处交会。

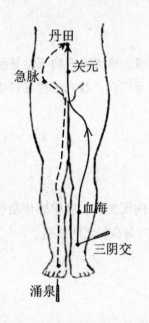

图6-10-29 对侧异性感传图

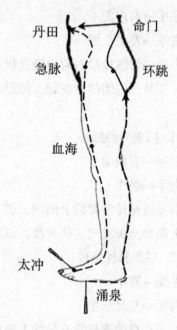

图6-10-30 对侧异性感传图

六、单腿（左侧）感传图

1. 同侧同性感传（图6-10-30）

左手→左涌泉

右手→右太冲

①左涌泉的感传循腿的后侧，经环跳转入命门；左太冲穴上循血海至会阴外侧二寸处转入急脉，再向上转到丹田。两端感传在丹田相会。

②下肢区坤路向上传导至环跳和乾路与命门相交。巽路上行至会阴旁二寸处，经急脉上行至坤路穴。两穴感应在丹田穴相会。

2. 同侧异性感传（图 6 – 10 – 31）

左手→左太冲

右手→左三阴交

①左太冲的感传循腿的上侧，经环跳再进入命门；左三阴交的感传循腿的内侧，进入会阴再向上至丹田与命门的感传相连。两端感应在丹田相连。

②《八卦图》定位坎路上行至会阴和腹部坤路相交于丹田穴；巽路上行经环跳和背部乾路相会，由命门穴拐向丹田穴。两端感应在丹田相会。

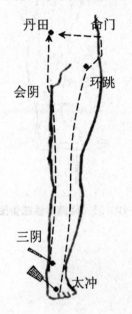 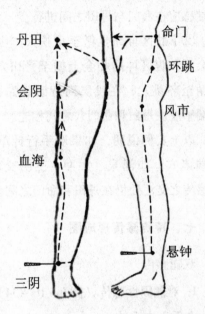

图 6 – 10 – 31　**同侧异性感传图**　　　图 6 – 10 – 32　**同侧异性感传图**

3. 同侧异性感传（图 6 – 10 – 32）

左手→左三阴交

右手→左悬钟

①三阴交的感传循腿的内侧，经血海穴传入会阴上循至丹田穴；悬钟的感传循行腿的外侧，经风市至环跳上循至命门。两端感应在命门与丹田穴之间相连。

②下肢区坎路上行至腹部坤路丹田穴；离路上行至环路上循至背区乾路

命门。两端感应相连于命门和丹田穴之间。

（4）同侧异性感传（图 6 - 10 - 33）

左手→左涌泉

右手→左悬钟

①涌泉的感传循腿的后侧，经殷门，承扶由深层传入会阴后上循至丹田；悬钟的感传循腿的外侧，经环跳穴，在浅层传入命门。两端感应在命门与丹田之间进行。

②下肢区坤路上循至承扶穴，由深层循至会阴和腹区坤路相会上循至丹田穴。离路上循至环跳穴，在浅层到背区乾路命门穴。两端感应在丹田和命门穴之间相连。

以上实例说明，如果双手行针单侧下肢肢端诸穴，如涌泉、太冲、三阴交、悬钟，其感传之交汇处仍在丹田和命门之间。

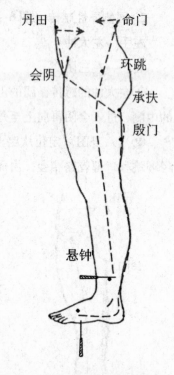

图 6 - 10 - 33　同侧异性感传图

七、特殊感传形成图

双腿感传

1. 对侧同性感传（图 6 - 10 - 34）

左手→右太冲

右手→左太冲

①右太冲的感传循腿的上侧，经髀关穴转入环跳穴，然后进入命门，再向上循脊椎的中央向上反射到风府穴；左太冲的感传同右侧，两穴的感传同时进入命门穴，再向上传至风府穴。

②下肢区左、右巽路向上传导，经髀关，环跳在命门汇合，然后向上传至风府穴。

2. 对侧同性感传（图 6 - 10 - 35）

左手→左涌泉

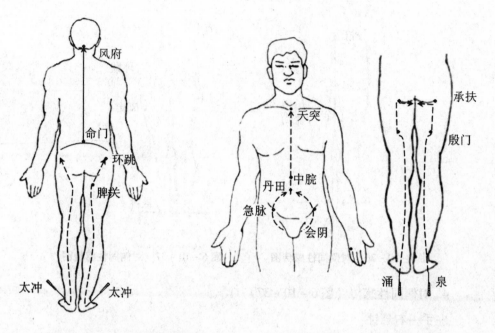

图6－10－34　同侧同性感传图　　　**图6－10－35　对侧同性感传图**

右手→右涌泉

①两侧涌泉的感传循腿的后侧，经殷门穴，在承扶深层（相当于座骨N）到达会阴旁各二寸处，入急脉。两穴感应在丹田相连，然后循腹中央经中脘，天突至前额处。

②下肢区坤路向上传至承扶穴，在深部传至会阴旁二寸处，经急脉和震艮位相交，后汇总于丹田穴，和腹部坤路相连，再向上传至前额神庭处。

3. 对侧同性感传（图6－10－36）

左手→右三阴交

右手→左三阴交

①两侧三阴交的感传向上循至血海，转入会阴，然后向上至丹田。两端感应在丹田相会后就不再向上传导。

②下肢区坎路上循至会阴，两穴在会阴处相汇，和腹部坤路相连，传导至丹田穴。

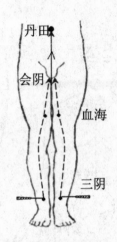

图6-10-36　对侧同性感传图　　　图6-10-37　对侧同性感传图

4. 对侧同性感传（图6-10-37）

左手→右悬钟

右手→左悬钟

①两侧悬钟的感传循腿的外侧，经风市、环跳、在命门相汇。传导至此不再向上。

②下肢区离路的感传上循，经环跳、和背区乾路命门相汇。两端感应相交于命门，不向上传导。

注：下肢区乾、离、兑、巽位的感传和背部乾位相汇于命门穴。乾巽位上循于风府。乾离位仅集中于命门。而坤、坎、震、艮位的感传和腹部坤位相交。坤、坤相交上升于神庭，坤坎相交感传仅集中于丹田。

对侧同性感传

总结以上情况，可见：

阳位感传循脊椎，为浅位感传。

阴位感传循胸前，为深位感传。

以上实例说明，双手行针双下肢肢端诸穴，情况有所不同。针刺左、右三阴交、双侧悬钟，其感传可交汇于命门、丹田；针刺左、右太冲，左、右涌泉，则可上达风府、前额。

八、单腿的感传图

1. 同侧同性感传

左手→左太冲

右手→右涌泉

两穴的感传可以不通过丹田和命门。

2. 同侧异性感传

左手→右悬钟

右手→左三阴交

感传在丹田旁开二寸处（经天枢穴相连）和腹部震、艮位相会。

九、上下肢同侧感传图

1. 上肢区的内侧

与下肢区的内侧经乳头和天枢相连，这种特殊的形式不和腹正中坤路相会，而和腹部的震位、艮位相交。

2. 上肢区的上侧

与下肢区的上侧经肩的天宗和环跳相连，这种特殊的形式不和背正中乾路相连，而和背部的兑路，巽路相会。

3. 上肢的内关感传

与下肢的太冲感传经腹的"大横"处相联。

4. 上肢的内关感传

与下肢的涌泉感传在天枢穴深处相连。也就是在丹田穴旁开一寸处相连。这和坤路感传在脐部相连是另一种特殊形式。

5. 同侧同性感传（图6－10－38）

上肢的内关感传循臂向上经头的前额向下肢的三阴交感传，经会阴向上。两线感传在丹田处相连。这种特殊的感传绕过耳朵，然后向下传导，在丹田处相会。

6. 对侧异性感传（图6－10－39）

上肢的后溪　左手→右后溪

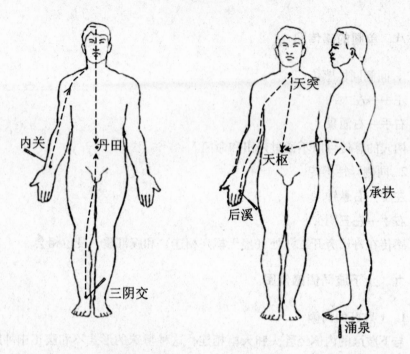

图 6 - 10 - 38　同侧同性感传图　　　　**图 6 - 10 - 39　对侧异性感传图**

下肢的涌泉　右手→左涌泉

右后溪的感传循臂上行，经极泉传导至天突旁开一寸处，再往下传导到天枢穴。而涌泉循腿的后侧，经承扶转入环跳旁二寸处（相当于白环俞），在深层和天枢传来的感传相连。

7. 同侧同性感传（图 6 - 10 - 40）

上肢的合谷

下肢的悬钟。

合谷的感传循臂的上侧经肩髃，不向大椎，而是由颈臂穴向上传至耳朵，从耳中央向上传，至再沿胸正中线向下传至天枢穴；而悬钟的感传循腿的外侧，经风市入环跳入命门，两端感应在天枢和命门之间连接。

8. 同侧异性感传（图 6 - 10 - 41）

上肢的外关

下肢的太冲

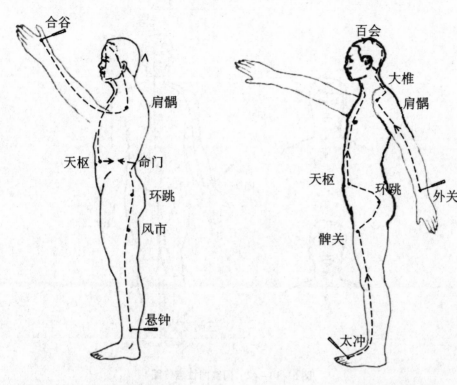

图 6 - 10 - 40　同侧同性感传图　　　　　图 6 - 10 - 41　同侧异性感传图

外关的感传循臂的外侧，经肩髃穴至大椎穴，向上传至百会再向下传导至天枢穴；而太冲的感传循腿的内侧上行，经髀关，转入环跳，两穴感传在天枢穴相连。

9. 同侧同性感传（图 6 - 10 - 42）

上肢的右内关

下肢的右三阴交

内关的感传循臂的内侧，向上经颈臂穴，绕耳前经太阳穴，上星穴，经中线经人中，在人中往下传时：

闭嘴——感传沿中线往下传

张嘴——感传绕嘴而行，左侧左传，右侧右传。经天突下传至丹田；三阴交的感传向上经会阴至丹田，两端感应在丹田相连。

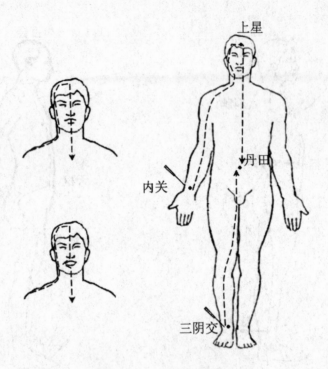

图 6 – 10 – 42　同侧同性感传图

十、上下肢对侧感传图

异侧异性感传（图 6 – 10 – 43）

上肢的后溪　左手→右后溪

下肢的涌泉　右手→左涌泉

右后溪的感传循臂的下后侧，经极泉上升入耳门，然后沿中线下循至丹田；左涌泉的感传经殷门上循至会阴至丹田，两端感应相连于丹田。

十一、正常传导和特殊传导的意义

1. 上肢的乾路（外关）异侧异性感传

下肢的坎路（三阴交）下肢区相同，汇于丹田。而上肢区不同：

正常传导：乾路上循至肩髃再传至大椎，入命门，为浅层感传。

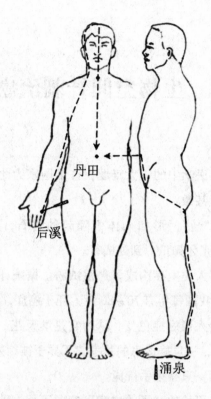

图 6 – 10 – 43　异侧异性感传图

特殊传导：乾路上循至肩髃后，经颈臂入天突，下循至丹田，为深层感传。

2. 上肢的坤路（内关）

下肢的离路（悬钟）下肢区相同，交汇于命门。

正常传导：坤路上循至极泉，再传至天突，入丹田。

特殊感传：坤路上循至极泉，向上传至耳门、上星，沿正中线达丹田。

3. 上肢区坎路（后溪）

正常传导：沿臂下侧运行，经极泉至天突，和腹坤路相会，下降至丹田。

特殊传导：极泉传至耳门，再经上星，然后和腹坤路相交下降至丹田。

第七章　生物空间针刺治癌新探索

癌症一直是世界医学中的一大难题，许多国家为此曾付出了大量的人力和财力，至今仍收效甚微。

癌，古代写作"嵒"，形如人体中隆起的岩石，英文为 Cancer，也当"巨蟹"讲，表明它张牙舞爪、到处横行。

目前，癌症已对人类生存构成了严重威胁。据统计，全世界每年至少有500万人死于癌症，我国每年有70～80万人死于癌症，平均每45秒钟就有一人被夺去生命。不少人谈癌症色变，认为它是继天花、疟疾、结核病之后降临到人间的"死神"，一旦确诊患的是癌，无异于被判处"死刑"，思想防线即刻崩溃，精神萎顿，只有束手待毙。

癌症果真是那么可怕的"不治之症"吗？不！一种致命的顽症，当人们没有完全认识它、征服它之前，总要带有几分恐惧。曾记得解放前一旦患了肺结核病，就被宣布患了"不治之症"，而当抗结核的新药如链霉素等应用于临床之后，肺结核病就被人们征服了。目前被人们视为"不治之症"的癌症也是如此，必然会转化为"可治之症"。我国在第六个五年计划期间，把癌症的防治列为国家重点科技攻关项目，目标是降低发病率和死亡率，其中许多专题已取得了可喜的进展。现在，我国对癌症采取的早检查、早发现、早治疗的"三早"方针，已取得了很大的成绩。我国首创的早期诊断肝癌的简便方法——甲胎蛋白法用于早期诊断，把手术生存率提高到90%以上；早期乳腺癌50%以上可以治愈；早期鼻咽癌治愈率可达80%以上；早期的宫颈癌治愈率也在显著提高。

随着科学技术的发展，各国在治疗癌症方面发明了一些新疗法，如热疗、化疗、激光治疗、液氮冷冻治疗和疫苗治疗，都取得了不同程度的疗效。可以预料对癌症的认识和预防，必将会从"必然王国"进入"自由王国"，全面控制、征服癌症的时代，不久就将到来。

第一节　致癌原因分析

防病要寻因，治病要治根，病因找到了，对症治疗就比较有办法了。

癌症的发病原因是什么？众说纷纭，莫衷一是，概括起来，不外乎外因和内因两个方面。

从外因方面来说有四分之三的癌症是由于水、空气、食物和其他消费品被污染所引起的。有的科学家证实，致癌因素中80%以上是人类生存环境中的有害化学物质。

据统计，在癌症病人中，妇女的50%、男子的30%直接或间接由于每天的饮食成分而致病。如结肠癌与饮食摄入的脂肪过多、受污染严重的农作物容易得癌；食用发霉花生等食物容易得肝癌；缺铁容易得胃肠癌；缺少维生素可致宫颈癌；嗜酒容易患食道癌、乳腺癌、结肠癌、直肠癌；吸烟易得肺癌。

空间医学的研究表明，化学致癌物质大多数是一些亲电子试剂，就是容易失去电子的分子。分子电子愈容易失去，致癌毒性就愈大，而人体中决定一切生命活动的关键性物质——核酸和蛋白质，其中的某些成分恰恰是亲核试剂，是容易俘获电子的化合物。化学致癌物质进入人体，容易和人体内的核酸、蛋白质发生化学反应，形成异性蛋白质。

核酸是一种存在于一切生物体内的大分子。其主要功能是决定生物的遗传，它能把各种生物所特有的"遗传密码"储存起来，并在生物繁殖时传递下去。如果核酸分子接上了友链的核酸分子，就会使遗传密码发生错乱，繁殖时就会打乱原来严格的自我复制程序，无法复制出具有正常功能的新核酸分子和蛋白分子，这时，导致生命密码错乱的异性核酸分子就产生了，在其参与下，生物体内就会合成异性蛋白质，这种异性蛋白质是构成癌细胞的基础。

蛋白质是生命活动的基础、生物体内的新陈代谢、支持、运动、运载、记忆等生理功能都要依靠蛋白质才能进行，而生物电场和电子活动也对蛋白质的功能产生影响。一些著名科学家发现，执行各种生物功能的蛋白质的性能，同其内在的电场和电子活动密切相关。人体内的"密码本"——微粒染色体在蛋白质内"群居"，靠的就是电场。细胞正常活动依靠蛋白质里众多电子的恰当运动，如果电子运动紊乱，核酸和蛋白质则发生异变，癌变就会出现。

所以探讨致癌问题，不完全是"分子生物学"的问题，而也是"电子生物学"的问题，应该从核酸分子双螺旋结构的分子生物学水平进展到电子水平，来解释生命现象和致病原因，才能找到确切的答案。

第二节　治癌新探索

通常认为，肿瘤是一种单一性的病症，主张用杀死癌细胞或切除肿块的方法来治疗，另外有些人则认为癌肿是一种综合征，是多方面的因素形成的，治癌既要治表又要治本。要医治癌肿，就要和打仗一样，制订一个科学的作战方案，先确定主攻方向，然后各方并进，方能取得效果。

如果简单把癌肿看成是一种单一性病症，是不科学的。生命机制是很复杂的，癌症是综合性病症，因此，治癌要解决很多问题，例如：免疫功能的衰退、抑制细胞的激发、蛋白质和代谢紊乱、血液黏度，等等。也就是说，既要注意调节机体功能，增强免疫力，又要对付癌细胞本身，解决它，并防止它向其他部位转移。

抗癌细胞，并防止其转移，关键在血液循环系统。氧在生命体中是电子的受体，它产生着驱动生命的能量，但氧的输送离不开血液，生命体中的氧化与还原、蛋白质和电子的传递，都与血液密切相关。如果我们能够从人体磁场着手，使病体肌肉和血液系统的磁场有序化，从而切断肿瘤的养料和能量供应，这许是一个好方法。

单单运用非生命手段总是有一定的局限性，副作用较大；较为理想的途径应是在运用非生命物质能量（如药物放疗）治疗时，应结合运用对紊乱了的生命体（患者）进行活性调节的方法，以改善其机能，促进癌细胞向正常细胞转化。

前面谈到，治癌的关键是血液循环系统，如果能够切断肿块的养料供给，防止癌细胞通过血液和淋巴系统向其他部位转移，就能达到治癌目的。

活细胞之所以能保持其正常的生理功能，进行新陈代谢，在于细胞膜具有选择性通透功能。细胞膜上有一种特殊的装置，可以起"泵"作用，把细胞所需要的养料，从细胞外的低浓度处"泵"输向里边的高浓度处，速度也与细胞新陈代谢的速度相适应。这种逆浓度差的运输过程，叫做主动运输。

在红血球内部，钠离子的浓度比外部低，钾离子的浓度比外部高，由于红血球膜上有了"钠泵"，钠离子、钾离子的浓度就得以维持。在细胞的物质代谢、氧化与还原等一系列生理生化过程中，离子的输进和输出促进了生物电流的形成。

对病体施之以"双手行针"、"脉管针导线回路"的治疗方法，激发受体的内能量的序化和增强生物电流，而使血液的流动加速，微循环开放、机体升降双向调节至平衡。

第三节　生物电能对癌细胞的治疗作用

所有生物体身上都有生物电能。18世纪时，伽伐尼在青蛙身上做的实验表明：生物有电能是无可怀疑的。生物体的神经受金属物刺激的时候，会发出短暂的电流，就像针刺病体立即会产生一种类电感传现象一样。针是金属，它与生物体的肌肉神经发生作用，术者行针"电流"就沿着针传导到病体，达到治疗目的。

各种物质是由分子组成的，分子又由原子组成。原子由原子核和围绕原子核运行的电子组成。电子运动、排列组合和互相作用的不同，决定了物质的不同特征和形态。癌细胞是某些正常细胞在发展过程中失去基因的控制，互相传递了错乱的信息，使电子排列发生紊乱，因而造成运行反常，异变生长为不规则细胞——癌细胞。我在临床运用生物针刺双手行针和导线回路疗法，疗效很好，无任何副作用。

这是因为通过介质，才能把活性生物能量和信息通过生物电磁场输送到病体，使病体及其周围的电磁场发生强烈的效应。结合双手行针，通过不同的手法行针，使生物能量和信息通过针，而输送到病体，使病灶可以产生机械运动和能量序化，有效地调理病体紊乱了的生物电子，恢复人体电磁场的运动规律，并增进病体中的生物电能，逐渐使生命场从无序排列到有序状态，从而提高病人的生命活力。

生物能量治癌是杀灭癌细胞，还是使其逆转？这是医学界正在探讨的一个问题。我的观点是：利用活性生物能量既有治疗癌细胞的作用，又有促进它逆转的作用。在临床中，较早期的癌症病人，经过治疗，效果很好，逆转机率大。可有的专家说当初可能是诊断错误，权威医院诊错，那么，经第二家、第三家权威医院再诊断，不可能都错了。为什么良性瘤可转恶性，经过正确的方法治疗，为什么就不相信也会由恶性转为良性呢？在前面的章节中我如实地举了几例典型癌症病人经双手行针治疗的情况，在此不详叙了。这种认识，看来还需时间。

长期以来，人们认为细胞癌变后只能局部地破坏和杀灭它，但不能使它逆转为正常细胞。1972 年，巴士坦（Pastan）发现环腺苷酸（CAMP）能使癌细胞恢复到正常细胞状态，但运用于临床，还需相当的时间。国内外医学界在癌症的诊断和防治上，特别是在基础理论研究方面作了大量工作，但迄今为止尚未取得关键性突破。

气功外气对癌细胞试验

1982 年 6 月，上海第二医科大学病理组的医生、瑞金医院中医科主任刘德傅教授与我一起做了气功"外气"对癌细胞的作用的观察，实验用的材料是离体培养的人体肺腺癌细胞。

用电子显微镜观察，看到了在气功"外气"作用下的细胞质有变化，细胞内空泡多，染色体靠边，癌细胞坏死。而装有离体癌细胞的另一对瓶内的癌细胞照常生长活跃，偶见空泡，证明"外气"对癌细胞确实具有杀伤力。

实验时间：1982 年 5 月 7 日、6 月 14 日、7 月 5 日。

实验材料：人体肺腺癌细胞（SPe）体外培养（肿瘤细胞系 SPe－A－1 人体肺腺癌第 141 代传代培养，培养基 RPMI1640 20% 牛血清）。

实验条件：室温 21℃，培养基温度 36℃。

实验组：气功组用左、右手各握一瓶，发功 5 分钟，间歇 10 分钟，另换一组瓶，以同样方式进行，依次轮换，每瓶作气功 5 次，每间歇时放入 Ni-Ron 孵箱内（温度为 36℃）。

对照组：①无气功锻炼一位医生与气功师同时实验。

②激光组：与气功师在同一实验室内同时依照实验组的方法同时进行。

实验完毕，将各组癌细胞培养瓶仍放置 36℃ 孵箱中，继续培养 24 小时。24 小时后，用 NiRon 显微镜观察：医生实验组和激光组没有变化。

发现气功组瓶内漂游的死癌细胞很多，附着在瓶面上的活癌细胞很少。将瓶内死、活细胞计数，余下细胞作常规电镜固定包理。3 天后重复再做第二次、第三次培养，共 12 瓶（实验 6 瓶、对照 6 瓶）。

表 1　癌细胞死活计数及生物统计

瓶 \ 计数		死细胞	活细胞	生物统计
（即实验组）气功组	左手 Ⅰ	1.75×10^5	2.45×10^5	气功：对照：$P < 0.001$ 有极显著差异
	左手 Ⅲ	3.15×10^5	10.5×10^5	
	左手 Ⅴ	0	8.8×10^5	
	右手 Ⅱ	1.75×10^5	5.25×10^5	
	右手 Ⅳ	0.35×10^5	25.55×10^5	
	右手 Ⅵ	1.6×10^5	9.2×10^5	
对照组	Ⅰ	0	2.16×10^5	气功：对照：$P < 0.05$ 有显著性差异
	Ⅳ	0	11.6×10^5	
	Ⅱ	0	30.8×10^5	
	Ⅵ	1.6×10^5	9.2×10^5	

实验结果，证明我左手放外气对癌细胞有杀伤力，与对照组比有非常明显的差别，但右手与对照组未有显著差别。

在电镜下观察的细胞（表2），见到气功"外气"作用下细胞质有变化，细胞内空泡增多，染色体靠边，癌细胞坏死，同时发现亚细胞也有变化。而对照组的癌细胞生长活跃，偶见空泡，并且为数很少。据计数"外气"对离体肺腺癌细胞的有效杀伤力达58%。

表2　电镜下观察情况

编号	组	照片号	放大倍数	电镜下情况
1145	右手	6745	3000 ×	
		6745	3500 ×	
		6746	3000 ×	
1155	右手	6746	2550 ×	<空泡多
		6747	3500 ×	染色质靠边
		6747	3500 ×	>空泡大，染色质
1156	右手	6748A	4000 ×	淡，重空泡大，轻
		6748B	2000 ×	空泡多
1157	左手	6749A	2500 ×	>空泡多
		6741	2000 ×	变性
		6741	2000 ×	坏死
		6742	8000 ×	空泡相对少
		6742	2000 ×	空泡多
1158	左手	6743	3500 ×	坏死
		6743	2500 ×	细胞分不清
		6744	2500 ×	
1159	左手			
1150	左手	6740	6000	
1151	右手			癌细胞生长活跃，
1151	左手			偶见空泡很少
1152	右手			
1153		6744	2500 ×	

（注：1145～1159 为"气功实验组"，1150～1153 为"对照组"）

为了进一步探讨气功治癌的机理，1982年6月30日～7月5日，我们在上海瑞金医院中医科，将气功"外气"对小白鼠S180肉瘤的作用与氦——氖激光辐射进行了比较，实验时室温为25℃～36℃。

实验方法：将种子鼠处死取出肿瘤，将新鲜、无感染的肿瘤上的纤维组织去掉，切成15小块，种在实验鼠的右腋下，种毕随机分成三组，实验小白鼠为出生两个月之内的，体重18~20克，均为雄性。对照组6只；氦——氖组6只。

种植7天后肿瘤平均直径约1厘米时接受实验。

将小鼠分别摁在实验板上，使肿瘤暴露。

将接受气功"外气"的6只分为两组：

Ⅰ组3只，氦–氖激光直射肿瘤每日20分钟。

Ⅱ组3只，氦–氖激光直射脾、胸腺区每日各10分钟。

对照组用同样方法，但无处理。

每一只处理完毕松捆时，对照组亦有一只松捆放回原罐中。

共实验5次。每日实验开始测量肿瘤长、宽，最后一日处死。将肿瘤剥离后，称重量。

气功"外气"直放肿瘤组与对照组相比，有非常显著的差别。

氦—氖辐照脾胸腺组与对照组比有差别，其他无差别。

在光学显微镜下观察，气功"外气"直放肿瘤，肿瘤内巨核细胞多。

表Ⅰ　肿瘤体积重量日增长情况

气功　　测量	6月30日平均重量厘米	7月1日平均重量厘米	7月2日平均重量厘米	7月3日平均重量厘米	7月4日平均重量厘米	7月5日平均重量厘米	P
气功直射	1 2 3	3.5×2.4	3.8×1.6	5×1.7	5.7×4.3	7月5日处死（因鼠腿均为捆肿）	P < 0.001
氦—氖辐照脾胸腺	1 2 3	2.1×2.4	5.6×3.3	5.7×3.8	6.9×4.2	9.1×6.9	13.4 P>0.05
对照	1 2 3	2.9×3.1	3.9×2.8	5.6×30	6.3×3.3	8.0×4.8	6.1

小结：

① "布气"组："布气"作用在人肺癌细胞和在鼠上和植物S180内瘤，均有抑制它的生长，甚至杀伤作用。

②"布气"作用在实体瘤，加上血卟标出现线立体肿胀，线立体是细胞能量的供应器，它的肿胀也是细胞死亡原因之一，同时说明，生物能量的光波能对癌细胞有杀伤作用。

第四节　几项试验典型病例解析

当我运气发功时，在手掌上方会出现彩色光带或光圈；手掌不动，光图像就消失。

光的色彩取决于电磁波的不同波长。电磁波是光子与电子的相互作用。电子受核力吸引越强，与光子的相互作用就越弱；电子受核力越弱，就越倾向于成为非定域性的电子，易于同光子发生相互作用。运掌时，手掌的磁场运动加强，电子受核的吸引力减小，因而与光子的作用加强，这时肉眼就能觉察出人体光图像。特别是在增强运气时，光图像和色彩就更加明显。

（1）人体光图象的发现是有重要意义的。30多年前，美国A·圣——乔奇曾提出过蛋白质可能是半导体的猜想。我们在闭眼状态下能发现受功的"外气"激发而产生的各种色彩鲜艳的光图像，可能是活性较强的蛋白质所扮演的异电角色。

在气功治癌实践中，我运用人体光图象的不同形态、转向、速度和光亮度辨别磁场运动的方向和电流量的大小，通过调整磁场的运动方向和电流的感传能量，使病灶发生振动、摆动、转动等机械运动，通过双手交换气功行针，使病灶的温度发生转换，调节其机能，以达到理想的治疗效果。

（2）1980年6月，我向一位卵巢癌患者发放"外气"，患者闭眼觉察到蓝色的光图像，光图像不转动。多次增强手掌发放"外气"的强度，病人说光图像很亮，但仍不转动。我认为，光图像不转动，表明生命临危。患者第二天果然死亡。

（3）同年10月，我收治一位患肝癌的男性病人，在其身体上方运掌时，掌上出现红色的闪光，不到10分钟，转成绿色。第二天又向他发功，又出现绿色，不久，转为蓝色。我即告诉其女儿（医生），病人生命临危。第二天清早，病人身亡。

我认为人体电磁场的运转，是生命的能量的来源。光图像不转动，说明电子的活性减弱；生命活力将要衰竭。蓝光是生命临危的"回光"，它同样预示着电子活性的衰竭，所以它是一种死光。

有人认为，癌细胞骚动时，属碱性（PH7－12），光图蓝色；癌细胞处于稳定状态时呈酸性（PH3－7），光图红色。病员觉察蓝光，一定与癌细胞的骚动有关联，与感性有关联。病员觉察红光，说明癌细胞（包括正常细胞），仍处于稳定状态，反应为酸性。色彩的不同，说明癌的活性不同，碱酸程度也不同，这对我们揭开癌的秘密是有帮助的。

所以我们发现在运掌时，掌心出现红色的光，癌细胞处于稳定状态，掌心出现蓝色的光，病人开始病危。古人传说：蓝色的"死光"。

一、典型病例

1. 生物能量转换治疗癌症

气功"外气"对癌细胞的作用有的相当明显，有的则较迟缓，但总的来说，疗效一般较好。

（1）食道癌患者，山东农业大学聂××，男，64 岁。其病情相当严重，已是滴水不进，生命垂危，经气功加上双手行针一次治疗，开始打呃；第二次治疗后，可以喝牛奶；第三次治疗后，能吃半个馒头；第四次治疗后，吐出白色黏沫约 300ml，当晚一顿吃一个猪蹄；经过 2 个疗程治疗恢复病前的正常饮食，精力体力逐渐康复。由于我去上海合作搞科研离开学校，我要求他继续巩固治疗但因多种原因，未能跟去上海。过了约一年半后发现癌细胞转移至肝，但在食道的原发病灶处，并未发现肿瘤再发展。

（2）胃癌患者，隋××，男，57 岁。在其剑突下可以摸到肿块为 21×6cm，经两个疗程的治疗后，每隔一天即吐出白沫 50～100ml，肿块体积缩小到 8×3 平方厘米。

（3）卵巢癌患者，朱××，女 38 岁。治前腹围为 105 厘米，经气功双手行针刺治疗一次，体位没有任何改变和移动，腹围即减为 95 厘米。肿块体积：由 22.5cm×17cm 减小为 16cm×12cm。

（4）贲门癌患者，张××，男，52 岁。其肿块为 6×5cm。经 8 次治疗后，与治前的 X 片对照，肿块体积缩小至 3×2cm。治疗前只能喝小米稀饭，治后能吃油条、馒头。

（5）浆细胞肉瘤患者，吴××，男，48 岁。治疗 14 次，颈淋巴处 8 个小肉瘤全部消散。

（6）恶性淋巴肉瘤患者，姚××，女 24 岁，腹股沟淋巴肿块为 2×3cm，左颈淋巴肿块为 2×2cm。五次治疗后全部消散。治前心率为 100～120 次，治疗后巩固在 72～76 次。五个疗程治疗后恢复健康。治后一直很健康。

2. 生物能量治疗子宫肌瘤临床观察

生物针刺治疗良性肿瘤，取得了令人满意的效果。举例如下：

（1）纤维血管瘤患者，康××，女。嘴的右角处生一大约 1×2cm 的血管瘤，已有 8 个月。在离肿瘤约 10～15 厘米处，辐射气功"外气"，经 6 次治疗后痊愈，皮色恢复正常。

（2）静脉血管瘤患者，张××，女 19 岁。右肘处有一个大红 3×4cm 的血管瘤，经"导线回路"并发射"外气"治疗一次后，血管瘤体积即减为 2×2cm。

（3）脂肪肉瘤患者，徐××，女，52 岁。在其肛门内 10cm 处长一个瘤，体积为 8×8cm。经 12 次治疗，肉瘤即缩小到 1×1cm。停治后 3 个月，自行消失。

（4）患者，刘××，女，50 岁。其左脚拇趾上生一个 1×2cm 的瘤，经气功针刺两次治疗，骨瘤基本消失。

（5）在上海瑞金医院中医科作了一个实验，我采用生物能量转换结合双手针刺对 5 位不同性质的子宫肌瘤患者进行治疗，经 4 次治疗后，于 1982 年 3 月 24 日，进行"A"型超声波检查，发现气功"外气"结合双手针刺，对子宫肌瘤有良好的疗效，其结果分别记录如下：

①李××，患子宫内膜肌腺瘤。

治前：瘤体 5.5×7×5.5cm，治后：5×5×5cm

②李××，患子宫肌瘤（壁间浆膜下混合后型）。

治前：$9 \times 10 \times 9.5cm$，治后：$6 \times 8.5 \times 8cm$

③孙××，患子宫黏膜下肌瘤。

治前：$7 \times 8 \times 7cm$

治后：$6 \times 6.5 \times 7cm$

④杨××，患子宫降膜肌腺瘤。

治前：$7 \times 8cm$

治后：$5 \times 6cm$

⑤杨××，患子宫浆膜下肌瘤。

治前：$7 \times 8 \times 7.5cm$

治后：$6 \times 8 \times 6cm$ 气功结合双手针刺对子宫肌瘤进行治疗，瘤体减小。

二、体外感应检查

宋代伟大诗人苏东坡，他与别人在一起，如果他自己感到膝部有痛感，就会告对方说：您的膝盖有病。如果苏东坡感到心脏不适，他就会告诉您的心脏有病。

明代的叶天士，是一位有名的医生，一天他路见一群乐师抬着一具棺木，叶天士感应到棺材中的病人还没有死，怎么送葬？叶天士上前说，棺木中的人没有死，抬棺材人说：她三天前生孩子不顺而致死，怎么会三天还不死？叶天士说你们按照原来的药方，再加一片胡桐叶，做药引，服药后果然大人醒了，孩子生出来了。

从古到今，能用体外感应查病的人枚不胜举，上面举了这两位历史名人来说明问题。我在长期练功并结合临床实践了这种感应查病的方法，并得到我的学生、病人亲朋等的赞叹、称奇和肯定。机理说不清有待研究，但却是事实。我认为其中重要的一点，就是要做临床经验结合，就如中医诊脉技术的准确性也是提炼出来的。下面我举一个查病的例子：

检查时间：1983 年 3 月 27 日

地址：上海市胸科医院（原第一肺结核防治所）。

方法：体外检查，使自身能量和信息在意识的调控下与患者病灶处的生物波效应。

肿瘤科黄迪泽主任选择八位肺癌患者，周身用白色布覆盖。黄主任规定检查项目：

①肿瘤的性质：恶性还是良性；

②肿瘤的部位；肺叶上，肺叶下；

③左肺还是右肺。

选择了五位男性和三位女性患者，经生物信息感应检测结果如下：

①女，45 岁，右肺下叶恶性肿瘤；

②女，40 岁，右肺部有恶性肿瘤；

③女，20 岁，左、右下肺有恶性肿瘤；

④男，50 岁，左叶肺底部恶性和右肺叶底部良性；

⑤男，40 岁，左肺底部恶性和右肺底部良性；

⑥男，56 岁，左肺叶中部有恶性肿瘤；

⑦男，50 岁，左、右肺都是恶性肿瘤；

⑧男，60 岁，左肺叶上和右肺叶上恶性肿瘤。

结果：八例患者有七例同医院检查相符。用这种体外检测达 87% 正确率。黄迪泽主任说：这是一种成功的检测，因为目前肿瘤检查都是体内检查，还没有体外检查的方法可以达到这样正确率。这确实值得研究。（注：其中一位病人上、下肺叶说错，故扣 3 分）

利用生物能量转换治癌，前人没有给我们留下成熟的经验，这是一个全新的课题，有很多复杂的问题需要探讨，需要解决。例如：如何掌握生物能量转换的方向性及选择。根据临床经验，有的病用运掌施治很灵，有的就不灵；这可能有个信息匹配的问题。现在还没有掌握规律，还没有弄清"功能态时"发放的究竟是一种什么物质。但可以肯定这种物质，对人是无害的，每个人经过锻炼，都可强身健体。

分析上面大量的实例，说明了"空间医学"生物针刺的方法，对人体疾病的医治是有物质和理论基础的。此医疗方法打破了常规方法的"停滞"状态。有它深远的意义，并有待大家进一步研究、完善和推广。作为有上千年历史的针灸方法，也应"与时俱进"有突破，有发展，造福世人。

在 1984 年我曾将此观点以论文方式提交山东省卫生厅、山东省科委、卫生部和国家科委，请示给予支持研究；我提出的观点是：

①对治癌研究应注重对无序的癌细胞改变其有序化，不是以杀灭"为主"，而是以转化为主，以提高机体的免疫功能。

②重视人体光路的研究。改变癌症的治疗方法，应研究细胞电子无序化。

除山东省科委不表态，1985 年其余三份"请示"被退回；然而就在同年苏联科学家发表"人体具有发光现象"，同年 12 月美国科学家发表"电子专家向癌症宣战"。可惜，国人发现的东西却无人重视，却转载别国的文章。

电磁场对人的生理功能具有一定的、良好的治疗和保健作用。如磁疗具有消肿、止血、消炎、止泻、降压、镇静和调制植物神经功能等作用。然而，非生命电磁场也有害处，如 Shm 放置于一定的电磁场中，则发育受阻，生化反应异常，甚至会造成后代畸形。长期在马达线旁工作的人，容易增加与动脉粥样硬化有关的甘油三脂含量。所以，非生命电磁场明显地会给人体带来负面作用。

科学家早已证明了，执行各种生理功能的蛋白质的性能同其内在的电磁场和电子活动有密切关系。这些蛋白质和细胞一起组成了伸展状的集成结构，类似固体电路，具有固态电子学的若干特性。据测定人体内的"密码本"——微粒果色体组，在蛋白质内的"群居"靠的就是电磁场，而细胞的正常活动是靠蛋白质里众多电子的有序运动，如果其中某种缘故使这种电子运动违反了它的自然的规律，细胞便会发生病变，甚至癌变。

对蛋白质内的电子活动现象的深入了解，必能打开一条根治癌症的通路。

①灭活：目前医学界治癌大都是采用灭活癌细胞，因此采用化疗、放疗的医疗方法，也都是采取"灭治"、"围剿"的攻势。事实证明，采用这种对癌肿的战略战术，对机体造成极大损伤，特别对晚期病人，由于体质消耗厉害，预后更差。

②转换（改造）——癌细胞是正常细胞在发展中失去基因的控制而异变

了（疯狂的癌细胞），开始不规则的发展和生长。不规则生长，我们也叫它是无序的癌变。根据这个原理，我认为癌细胞不是病菌而是一种无序的不守法分子，需采取帮助和改造，待它们守法有序了，就可以转换为正常的细胞——有序化了。

对于无序细胞不一定采取杀灭的手段，用改造和转换的方法使变异的细胞从无序变为有序，也就是说采取治病救人的方法挽救无序细胞，把其改造为正常细胞。

通过临床实践，我运用"脉管针刺导线回路"和生物针刺双手行针疗法，治疗癌症对缓解症状，消除癌痛是有明显疗效。

①治疗癌症可采用化疗和能量转换共同结合的治疗方法，其方法有互补作用，不一定都采用杀灭的手段。

②在研究非生命的药物，同时也重点研究用生命的能量和信息匹配的问题，就是说用活性的能量和信息消除生命的疾患。

③不看整体效应治癌也需研究机体和血液中的电磁场的关系，"双手行针"和"脉管针导线回路"方法，对有序血液、脏器的磁场有重要作用。

对癌症杀灭，看来是不完善，解决血液中能量序化和电磁场的有序是治疗癌肿的根本问题，既防止转移又截断了癌细胞的养料和物质供应。

气功"外气"对癌细胞的作用（本文发表在上海《自然杂志》）

比利时科学家、诺贝尔奖获得者普里高津指出："现代科学已把分割天体和地球之间的壁垒推倒，并使两者结合起来"。这一结合把"天、地、人"作为整体来研究，更能客观地反映自然界实际存在的规律性。因而一些单学科难以解决的重大问题，就有可能在"天、地、人"综合研究中前进一大步。

半个多世纪以来，学科的高度分化为今天综合研究打下了基础，航天、遥感、电脑、超导等技术的进步，为实现综合研究创造了条件，因此我坚信，当前"天、地、人"综合研究的潮流是科学之所向、人类之所求、技术之所能、历史之必然，正象钱学森教授指出的那样，"就有可能引起一次新的科学革命。"

三、脉象仪的测试

"脉管针导线回路"方法的具体操作及临床治疗情况，前章已详叙。使用该方法达到调节气血、平衡阴阳等效应，气血阴阳的变化皆在脉象方面有显示。我们对 20 例正常人，使用"脉管针导线回路"的治疗方法，应用脉象仪对他们前后的脉象图作了记录，该结果报告如下：

1. 材料与方法

（1）对象，20 例自愿受试者经体检均排除患有心血管系统疾病，其中男 15 例，年龄范围在 13～65 岁之间，女 5 例平均年龄为 42 岁。

（2）实验方法：受试者仰卧、闭目，全身处于松弛状态，医者将上海市医疗器械研究所研制的 MX—3C 型脉象仪中的条头（应变片式传感器）置于受试者手关节挠动脉并按照中医浮中沉的切脉方法，分段加压，利用心电图仪记录脉象图形，并打上压力标记（pg）记录速度为 25mm/sec。测试完毕即测上肢血压，然后医者再用 1 寸针（0.25×25mm 规格），同静脉输液穿刺，约以 15～20 度的角度刺入双侧颈静脉，双侧挠静脉及下肢的双侧胫前静脉的血管内，并用导线（漆包线）以右旋方法缠在每根针的针柄上，再把每个针连接起来，以形成闭合线路，留针 1.5 小时后起针，再按上述取脉方法再测一次脉象并测血压。本实验当在留针期间，再测一次脉象，但在桡动脉"关节部"外有留针，不便做脉图，故只能观察"血管针"前后的两次脉图变化，测试室温在 15℃～20℃之间。

（3）脉象断定依据，按照明代李时诊《濒湖脉学》一书中对脉象形态特征的描述，将 27 种脉象的特征用九因类逐一判断，最终综合得出某一图形何种脉象。本实验的 20 例脉象图即以此法判识。

（4）脉象图的测算指标及生理含义：

A 波：主峰波

B 波：重搏前波

h1 波：主峰波广度（mm）

h4 波：降中波高度

h5 波：重搏波高度

d 波：重波

w 波：主峰波 2/3 处持续时间（sec）

上述指标中，在 h1 与压力大小有关，该项指标用来断定强弱脉，h4 值 W 的持续时间及两项比值 h4/W、W/b—b 是反映弦脉及滑脉的依据，生理意义表示血管弹性的好坏及外周压力的大小[2]，C 波的出现与否与脉搏波的反射有关[3]，t1 表示脉图的最大振幅所需的时间，T4 表示整个射血间期，Pg 表示取脉时的压力，其值的大小可表示脉象的浮中沉。

（5）脉管针导线"回路"的效应：施行血管针导线回路后，一般在 15 分钟后受试者即可发生一系列的生理效应，此效应一般可延续到起针后，其一般表现有：脸部红润咽喉部微热，两手发冷，下肢发热，心率变快（趋向平衡）血压以收缩压变化为主，从平均 130mmHg 下降至 120mmHg。舒张压基本不变。

2. 实验结果

（1）脉象图形的结果

用九类因素分析法将 20 例正常受试者的前后脉象图形进行逐一判识得到以下脉象

实验前 3 例弦Ⅰ型，2 例弦Ⅱ型脉象，2 例弦Ⅲ型脉象，3 例滑脉。实验后 3 例弦Ⅰ型脉象皆转变成弦Ⅱ型脉象。2 例弦Ⅱ型脉象的 h1 值变成一高一低，2 例弦Ⅲ型脉象中。1 例不变，1 例 h1 值变为高，10 例滑脉中 3 例不变，2 例变成弦Ⅲ型，另 5 例重搏前波变为明显。3 例滑脉中，重搏前波皆变为明显。

上三种图形的弦脉共同特点为主峰波延续时间（W 值）宽，重搏波前与主波融合，重搏波不明显，而三种图形的鉴别要点在主波形态上，为主波斜宽，为主波平宽。

弦滑脉搏的特征除具备弦的特征外，另在形态上表现为重搏波 d 及重搏前波 C 明显。

两种滑脉的共同特征为主峰波延续时间（w）窄，h1 值低，重搏波或重搏波前波明显，甲为二峰型滑脉。为三峰型滑脉。

在脉象图形的特征方面，值得注意的是 20 例受试者中，竟有 13 例受试者经实验后出现了明显的重搏前波或重搏前特变的明显占 65.5%，其一般演变特征如：峰波融合，重搏波不明显。而三种图形的鉴别要点为主波形态上。甲为主波斜宽。

（2）脉图指标统计结果

根据 20 例正常受试者的图形一般特征，测出脉图的三个高度（t1、t4、t5）四项时间（t1. t4. w. b—b）及二项比值（h14/tis、w/b—b）并将实验前后的上述各项指标作业统计学处理见下表：

"血管针"前后脉图有关指标的均值及标准差及 P 值，（见下表）

"脉管导线"回路前脉象图有关指标的均值及标准和 P 值（见下表）：

指标 / 分组	h1	h4	h5	T1	T4	w	b－b	h4/h1
实验前	15.7	5.875	6.525	0.118	0.333	0.201	0.846	0.340
	57.197	55.465	52.891	50.014	50.065	50.037	50.111	50.106	50.044
实验后	16.50	6.525	7.525	0.117	0.344	0.221	0.927	0.417
	55.945	52.389	52.605	50.010	60.026	50.039	50.114	50.090	50.047
P 值	70.05	70.05	70.05	70.05	70.05	70.05	70.05	70.05

上表中：表明脉象图峰间期 t4 值及比值 h4/ h1 有极高度明显差异外，其作各项指标皆无统计学意义，但又值得注意的是实验后重搏波 t15 值及主波延续时间 W 值尽管没有达到统计学意义，但其数值皆比实验前增高和延长。

七、讨论

（1）经"血管针导线回路"实验后的正常人及治疗后的病人一般皆可发生一系列的生理效应[4]，其效应以心脏和血压的改变较为明显。如冠心病患者，经"血管针导线回路"治疗后，心电图的 S—T 段趋向于正常，高血压患者，可使血压降低，窦性心动过缓者，可使心率加快至正常，但是，"血管针导线回路"所达到治疗疾病的机理尚不明确。目前，初步认为，施行"血管针导线回路"能使微循环发生改变，能使免疫功能提高及酶系统的活性度提高。从人体生物"磁场"能量而言，针刺血管导线回路调整人体能量转换，使各部分生物电能趋向平衡，在中医上称之为阴阳平衡。从血管针所达到生理效应来看，其似乎是在调节人体内的植物神经功能及内分泌系统的功能等而达到治疗疾病的效果。我从祖国医学角度认为，"血管针导线回路"有明显的调节气血及平衡阴阳的作用。总之，为了进一步深讨血管针的效应及机理，我从正常人着手测试了经"血管导线回路"实验前后的脉象图，从西医学角度来看，可以判断周围血管的状态及间接地了解心脏活动的情况；从中医学角度来看，可及到脉象变化的过程，以了解气血变化的状况。

（2）通过实验提示：经"脉管针导线回路"实验后，受试者的脉图比值 $h4/h$ 增大[5]，表明交感神经处于兴奋，外周血管的阻力增加。受试者的临床表现为，四肢体温变化，面部红润等与体征相吻合；从脉象的形态来看，其主波峰宽度指标 $w/b—b > 0.22$，$h4/h1 > 0.40$ 即可认为是弦脉，弦脉的出现正常提示血管的可扩张性差，外因阻力增大及交感神经兴奋等。本实验的 $h4/h1$ 在实验前为 0.34，实验后增大至 0.417，有明显差异，说明脉象变弦，同时在脉象图形上，受试后半数以上出现重搏前波或重搏前波变的明显，这一现象因外周血管处于收缩状态，脉搏波的反射系数增加所致[6]。

（3）脉象也是一种波的运动，也就是说是一种生物电磁波的波动。传统针刺肌肉产生的感传现象，通常称这是一种电磁现象。目前发现针刺血管（静脉）对脉搏的跳动有着明显影响。认为同样是一种"电磁信息"，可改变和调整血流中生物场的效应，因此肌肉和血液都存在生物"磁场"的特性。同时临床发现针刺肌肉"磁向"左旋，针刺血管磁向右旋，通过这次脉象观察"血管针导线回路"能改变脉象的变化，人体可能是一个多层次的生物磁场。

参考文献

[1] 马仁美，刘宝顺.《中医脉象基本指标客观化的探讨》. 浙江中医杂志，1985.1

[2] 柳兆荣.《中医脉象与血液动力学》. 自然杂志 5（6）401，1982 年

[3]《生理学》湖南医学院主编. 人民卫生出版社 1978 年 12，第一版

[4] 黄仲林，刘季尧.《气功与生命的探索》. 山东科技出版社，1985 年，第一版

[5] 刘宝顺.《100 例高血压病弦脉脉图的分析脉象资料汇编》. 1982，上海市脉象研究组编

[6] 柳兆荣，李惜之.《弹性腔理论及其在心血管系统分析中的应用》. 科学出版社，1987 年，第一版

第八章　针刺导线回路疗法
治疗股骨头缺血性坏死

股骨头缺血性坏死症也称无菌性缺血性坏死症，当今仍然是国内外骨科领域三大严重疾病之一。目前多采用人工股骨头替换术。甚至全髋关节替换术。多年来，我根据祖国传统医学理论，应用气功双手行针脉管导线回路疗法，治疗股骨头缺血性坏死症，约十四年，共收治484例，396例已取得完整临床资料，包括治疗前后X光对比照片，取得满意疗效，51例通过半年或一年的随访（包括临床体证和X光片对比），疗效稳定，多数功能比出院前有所提高，对39例患者用同位素99TC—MOP检查证明，疗效满意，具有一定临床实用价值。

第一节　股骨头缺血性坏死病因

股骨头无菌性坏死，又称股骨头缺血性坏死，致病原因可见由外伤、股骨颈骨折、多种疾病（服用如激素类解热止疼类等药物）引起，甚至过量饮酒也可引起，另外还有先天因素而导致的股骨头坏死等等。

股骨头的血供来源于旋骨内侧动脉和旋骨外侧动脉，起始于臼内圆韧带动脉，供应着狭小的部位，成人有时发生闭塞，股骨上端的滋养动脉无法滋养骨股头，故股骨头的血供来源通过旋骨内、外侧动脉穿过关节囊分布到股骨颈和股骨头来提供，一旦受到损伤，便可导致血供不足，引起骨坏死。

使用激素为什么会发生股骨头的缺血坏死呢？近年来有以下几种说法，一是认为激素刺激了血小板的生成，使血黏稠度增加；二是认为激素会引起高脂血和广泛的脂肪栓塞；三是认为激素抑止了成骨细胞的活力，使骨基质形成障碍等，结果造成骨的血供不足，导致骨坏死发生。

在我治疗的 484 例患者中，以激素所致骨坏死占首位，在询问病史中有些患者因为患严重的胶元性疾患，或视网膜炎、红斑狼疮，使用激素缓解症状治疗，但也有一些可以不用激素治疗的疾病，却滥用了，结果带来很严重的并发症。另外，长期过量饮酒（特别是含有高浓度的酒精）或因腰腿痛、感冒、皮肤荨麻疹等长期使用激素类、解热镇痛类等药物均可导致股骨头坏死，在临床治疗中应高度重视。

第二节　针刺导线回路治疗股骨头缺血性坏死新探索

一、治疗方法

患者取侧卧位，患侧髋关节在上。医生在其缺血坏死的股骨头病灶周围选择易使"感传"通过病灶的方位，即用四根针从这些方位刺入，或一人双手，或多人多手与病灶形成"闭合回路"进行捻针，从而使医生有序化的能量通过银针，输入病体，直接作用于病灶。这时有针感出现（得气），即病灶有酸、麻、胀等感觉，历时 0 ~ 1 分钟左右，留针 45 分钟；每隔 10 ~ 15 分钟双手行针 1 次，每次 0 ~ 1 分钟左右，多人多手多方位捻针，在行针中，可采取不同的组合手法，以改变感传的方向，感传的运动形式、层次和三维坐标系，并使感传在医生的操作下显示出主动性和可控性。双侧患者可于一侧治疗后，再施行另一侧，方法同上。每天 1 次，20 次为 1 疗程。经 1 ~ 2 个疗程显效的 182 例，3 个疗程 194 例，4 个疗程 32 例，5 个疗程 20 例，6 个疗程 3 例，6 个疗程以上 2 例。治疗中所有中西药物均停止使用（病人是因病情越来越好，而自动停的药）。

用 5 根 3 寸针灸针，以股骨大转子为中心，按九宫八卦方位定位行针，具体操作分为二组。每一组，中宫配乾坤坎离四个方位；第二组，中宫配巽震兑艮四个方位。两组交替使用，将八个方位用导线连接成"S"回互法，同时行针。九宫八卦方位针的特点和八卦排列一样，有一个变化的中心和四个方位，行针时，使四个方位的能量向中心集聚，增强能量序化，形成中心能量级，呈现旋线现象（磁爆），产生良好疗效。

在行针中，感传直接作用于病灶，发现感传的方向形式和感传的坐标系对股骨头修复也有不同的影响，其疗效的速度也有区别。医生发功和不发功疗效也有区别。

临床实践证明，这一医疗技术不破坏人体的完整性，无任何副作用，不产生并发症，可使股骨缺血坏死患者在短时间内症状得到缓解而骨质逐渐得到修复。

股骨头缺血性坏死症在当前仍是国内外骨科领域中尚未解决的难题，对早期患者实行限制负重、高压氧舱及脉冲电磁场治疗有一定的效果，晚期患者多需采用手术治疗，人工骨股头置换术及全髋关节置换术，但对年龄有限制。我们认为采用气功双手行针治疗股骨头缺血性坏死症有一定实用价值。由于操作简单，治疗效果显著，所以深受患者欢迎，来自全国19个省市患者，皆说明了这一事实。

20次为一个疗程，3~5个疗程为一个治疗单位，接着每隔2~3个月治疗一个疗程以巩固治疗，200次后疗程结束。

二、技术特点

①坐标系——以治疗的股骨头为中心，具有上阳下阴，左阳右阴和前阴后阳的三维立体感传的特性，不同于传统经络感传规律，不需循经取穴，针刺感传由医生调控。

②感传方向性——双手行针体现在左手捻针感传方向为左旋，右手捻针感传方向为右旋，双手同时行针，左手为定向，右手为指向。

③疗效评估——从500余份X片随机抽检41份样片分析，死骨吸收达68.2%，新骨增生达73.1%。这在国内外属创新。

第三节　针刺导线回路治疗股骨头缺血性坏死的鉴定

我多年来一直潜心研究用"双手行针""脉管针导线回路"方法治疗无菌性缺血性股骨头坏死，取得了很好的疗效，于 1998 年 11 月 4 日在无锡通过了专家鉴定，下面是专家的意见。

一、专家名单

鉴定委员会名单

序号	鉴定会职务	姓名	工作单位	所学专业	现从事专业	职称职务	签名
1	主任委员	尚天裕	中国中医科学院（院士）国务院学位委员会委员博士生导师	骨伤科	骨伤科	教授	
2	副主任委员	施杞	上海中医药大学校长　博士生导师中国骨伤科专业委员会主任	骨伤科	骨伤科	教授	
3	副主任委员	唐天驷	苏州医学院骨科　博士生导师	骨伤科	骨伤科	教授	
4	委员	王云钊	北京积水潭医院放射科主任中国放射医学杂志主编　博士生导师	放射科	放射科	教授	
5	委员	杨淮沄	中国中医科学院骨伤科研究所	骨伤科	骨伤科	教授	
6	委员	石关桐	上海曙光医院骨伤科主任	骨伤科	骨伤科	副主任医师	
7	委员	杜晓山	无锡中医院针灸科主任	针灸	针灸	主任医师	
8	委员	王心支	无锡中医院骨伤科副主任	骨伤科	骨伤科	副主任医师	
9							
10							

二、专家鉴定意见

股骨头无菌性坏死，是骨科疑难症之一。双手行针法治疗股骨头坏死是对传统针灸学的新发展，经临床 484 例研究，资料比较完整。该法有解除肌肉痉挛，改善髋部血运，临床症状及功能有不同程度的好转，疗效满意。

该法简便易行，费用低，病人痛苦少，又减轻社会、家庭经济负担，有临床实用价值。在国内外属创新，同类方法研究中具有领先水平，值得推广使用。

建议：进一步探索双手行针的机理研究。

鉴定委员会一致通过。

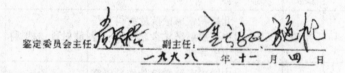

鉴定委员会主任　　　　　　副主任：

一九六八　年　十二　月　四　日

三、股骨头缺血性坏死 X 光对照片

这 41 份样片，是专家从 500 份 X 片中随机抽检的。

总结

本组 41 例股骨头缺血坏死的病人，因服用激素治疗的 18 例，髋外伤 11 例，髋臼发育不良 4 例，类风湿关节炎合并股骨头缺血坏死 1 例，原因不明者 7 例，男性 24 例，女性 17 例，年龄最小的为 5 岁，最大的年龄为 74 岁，平均年龄在 43.6 岁，治疗次数 10～160 不等，其治疗后 X 光变化见下表：

X 片变化		例数	%
死骨吸收	明显	28	68.2
	不明显	13	31.7
新骨增生	明显	30	73.1
	不明显	11	26.8
软骨修复	明显	6	14.6
	不明显	35	85.3
关节间隙	增宽	1	2.4
	不变	36	87.8
	变窄	4	9.7

　　1998 年 11 月 4 日由无锡市卫生局主持的双手行针治疗无菌性、缺血性股骨头坏死鉴定会的专家委员会全体成员，（后排中）黄仲林教授及有关领导。

四、中华医学会关于《气功双手行针治疗股骨头缺血性坏死》的专家咨询意见

　　1991 年 3 月 1 日下午，在京的部分骨科专家对山东农业大学黄仲林副教授首创的《气功双手行针治疗股骨头缺血性坏死》的疗效进行了咨询。参加

的专家有：中华医学会骨伤科主任委员、北京积水潭医院原院长王澍寰教授，国务院学位委员会中西医结合组成员、中国中西医结合骨伤科学会会长尚天裕教授，中国康复中心医院骨科主任周天健教授，北京积水潭医院放射科主任王云钊教授等。北京医科大学第一附属医院放射科主任范焱教授因事未能出席，会前审看了X光片。咨询会议由中华医学会副会长许文博教授主持。

总体评价：

中医针灸的治疗方法，具有方法简单，开支少，减轻患者痛苦等优点。黄仲林副教授气功双手行针的方法是对中国传统针灸学的新发展。不手术、不吃药却能改变股骨头局部血运，临床疗效是较好的，收治病人的病情都有不同程度的改善，有的还较明显，受到患者的欢迎。对于这种新的医疗技术应予以支持和推广。希望继续扩大临床治疗，不断积累病例，总结经验，加强研究，从理论上逐步探讨治疗机制。

对部分病例X光片的意见：

①评定治疗股骨头缺血性坏死不宜定"痊愈标准"。一般以用显效、有效、无效来表明为宜。黄仲林副教授的治疗分期从X光片上看一般偏高一期，应按实际疗效重新高调分期。

②临床证状及功能有明显好转，但因治疗时间短，X光片尚不能明显改变。一般骨科治疗效果要在2~3年后才能在X光片上显示。

③临床症状分期应与X光片的分期相符合。

专家签字：

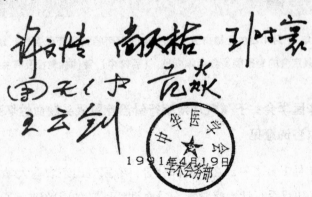

五、生物空间医学双手行针"治疗骨髓炎"病的典型病例

一位被济南市黄河医院骨科决定施行截肢的"化脓性骨髓炎"患者，经我用气功双手行针及血管导线回路针刺疗法，治愈了恶疾，保全了肢体。

这位患者叫程××，男性，年仅17岁，山东省平度县香点乡种子村人。1988年初因受外伤，持续高烧不退，常在37℃以上，最高时达42℃；同时心动过速，脉搏每分钟高达120多次，且左侧大腿溃流脓血，剧烈疼痛，病情日趋恶化。1988年3月下旬，经县医院确诊为"败血症"，病情危急，但因县医院条件所限，无能为力，只好速转省城济南。因其叔父、山东大学技术开发公司副经理程绍臣和济南市黄河医院骨科名医高玉山颇有交往，因此，程××即顺利地住进了该医院。

高大夫随即对程××进行检查，只见其左侧股骨中段溃流脓血，左侧髋关节疼痛不能抬腿，因为左小腿内侧静脉瘪缩，伴有粘连，呈葱皮样肿胀，心率快，血象高。X光片显示；左股骨中段出现骨破坏区，呈虫蛀样散在破坏（X光片①）；左股骨头密度变稀，关节腔呈水肿，（见X光片②）。检查结果，确诊其为"弥漫性骨髓炎"。随后，他又与骨科几位医生会诊，即决定对程××施行截肢手术，并确定于4月30日进行。腿被截肢，终生致残，谁人不为痛惜！然而不截肢，生命将受到严重威胁！！……"

那时程家人把我接到山东济南向我介绍病人的情况。听过程绍臣的介绍后，一是觉得自己以前既没有治过"败血症"，更没有治过"骨髓炎"，心里没底，毫无把握；二是认为黄河医院已经决定作截肢手术，而且患者正在住院，万一贻误病机，责任重大；三是在手术前满打满算仅有8天时间，怎么可能从根本上扭转病机！？最后商量决定：在手术前治疗6次，要是有点效果，就尽量不要截肢，继续治下去；要是6次毫无效果，就按医院的原方案进行。

程××有四大症状：体温高、脉搏快、腿上的静脉血管粘连缩瘪、左腿股骨溃流脓血疼痛难动。我遂采用"血管导线回路针刺"和"生物双手行针"为程××进行治疗。

当天治疗后，程××的脉搏减到 108 次/分，体温也下来了。这一变化虽然微小，但是患者家属说：三个月来其脉搏从未下过 110 次/分，体温也没下过 37℃。

第二次治疗以后，患者脉搏减到 96 次/分，体温近于正常，腿痛减轻。

第三次治疗以后，出现奇迹：脉搏减到 80 次/分，体温正常：左腿居然可以抬起，左小腿内侧静脉血管血液充盈，富有弹性，恢复正常，葱皮样肿胀及疼痛消失。更使人惊叹的是，程××竟能下床站立。

在此情况下，黄河医院原来的截肢决定也随之撤销。病房的王主任和好些大夫见此显著疗效，无不从心眼里佩服不已，施行了"血管针"和"生物气功双手行针"后程××的病情日见迅速自愈。经 10 次治疗后，他能持杖行走；40 次治疗后，其功能全部恢复，行走正常自如。X 光片显示：股骨坏死部位由逐渐修复，直至修复正常（见 X 光片③、④）；关节肿胀消失，恢复正常（实际股骨头坏死被治愈）（见 X 光片⑤）而痊愈出院。

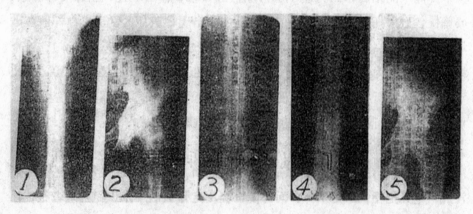

第四节　典型病例解析

1984 年至 1998 年以来，我共收治股骨头缺血性坏死症 484 例，其中 369 例出院时取得 X 光片治疗前后的对照资料，大多病例均表明股骨头坏死明显修复，血供重新形成；骨质密度增高；骨小梁重新生成或增多；缺损处修复和股骨表面轮廓复原；伴有股骨头半脱位者，有的已自行复位。因股骨颈骨折致使股骨头缺血性坏死，经手术钢针内固定，骨折处仍未愈合者，我给予治疗20余次后，破裂的骨块和骨折断裂间隙愈合，功能也明显改善。106例能弃拐行走3公里以上，另有68例弃拐行走2公里以上，髋部均无痛感，有25例能拄拐行1公里以上；其中38例登游千佛山，5例登泰山；另外有37例曾在山东医科大学同位素室进行同位素99MTC—MDP骨扫描检查，结果与临床症状的改善和X光片变化是一致的。

　　在临床中发现，病人功能的恢复远比X光片的病理报告表现的更好。有的经过几次治疗后，功能都有明显增强，如能翻身、下蹲、两腿分开、痛疼减轻或消失，口服药全部停用了。但X光片并不象患者自觉症状改善的那样好。

　　根据病人功能恢复情况、自我感觉、疼痛、跛行步态、关节活动范围、关节功能活动、生活劳动情况及X光片分期所见等七个功能指标结合疗效分期标准评定结果为：

　　显效者——97例，占70.3%

　　良好者——27例，占19.6%

　　有效者——14例，占10.1%

　　从临床发现，由于病因和个体差别，接受治疗者其疗效不尽相同，临床证明：

　　病因与疗效差别——服用激素致病者比外伤致病者恢复慢，动过手术者疗效更差（见表8-1）

表8-1　病因与疗效临床观察

疗效分级	病因			
	外伤（42例）	激素（58例）	原因不明（29例）	其他（99例）
显效	74%	83%	48%	78%
良好	100%	5%	14%	22%
有效	10%	12%	38%	—
无效	—	—	—	—

年龄与疗效差别——年龄小比年龄大者恢复快（见表8-2）

体质差别：敏感者比不敏感者恢复快；病程与疗效的观察：得病时间久与得病时间短可以取得同样良好的疗效。

表8-2　年龄与疗效临床观察

疗效分级	15岁以下少年	16~30岁青年	31~50岁中年	51岁以上老年
	7例	21例	67例	43例
显效	100%	90%	75%	58%
良好	—	10%	12%	7%
有效	—	—	13%	35%
无效	—	—	—	—

例一，范××，男，73岁。原上海水产局局长，住上海复兴西路24号。于1977年外伤致髋关节疼痛，X光片检查未发现骨折，服用激素类药物缓解疼痛，一年后病情加剧，1978年经上海华山医院X光片检查，诊断为左侧股骨头缺血性坏死，髋关节间隙变窄，骨小梁模糊不清，股骨头扁平塌陷，经我50次气功双手行针治疗，患侧髋关节疼痛消失，弃双拐，一次能行走5公里以上。

例二，付××，女，52岁，农民，辽宁省瓦房店老虎屯镇大田村人。患大骨节病，双腿活动不便，伴寒凉感觉，服用强的松约六年。1982年X光片报告诊断为"股骨头缺血性坏死症"。临床表现不能站立，卧位不能翻身，行走需人扶持，拄单拐仅能行走10米，不能下蹲。X光片显示关节间隙狭窄，股骨头呈蘑菇状，骨质密度不均，半圆形透亮区及致密影，股骨干外旋。经10次治疗后功能开始好转，疼痛减轻，70次治疗，获得很大疗效。弃拐可行100米以上，能下蹲，大小便不觉困难了，抬腿有力。

例三，杨××，女，25岁，住安徽省桐城水产局，待业。1983年骑自行车摔伤，致左股骨头缺血性坏死症。临床检查除患髋疼痛外，自觉该外侧肢体短，上下楼梯不方便。经40次双手行针治疗，髋疼痛消失，行走如常，关节活动大大改善。

例四，白×，女，26岁，住北京民族学院。激素致骨坏死，拄拐，行走疼痛。经10次治疗，功能恢复；经20次治疗，X光片显示修复，弃拐行走自如。

例五，刘××，男，33岁，左侧股骨头大面积坏死，塌陷，骨碎裂，坏死面积2.5 2cm，关节间隙变狭。为Ⅳ期。1993年2月起经50次治疗，囊性坏死明显吸收，塌陷区回升长圆。临床症状消失，关节间隙改善，变为Ⅲ期。1995年12月随访，X光片显示，塌陷区囊性坏死完全吸收，股骨头长圆，骨小梁增生，关节间隙恢复正常，临床证状消失，1996年4月信访，功能加强，疗效稳定。

例六，李××，女，41岁，左侧股骨头大面积坏死，髋关节疼痛剧烈，拄双拐，行走时疼痛加重。经多方治疗，效果欠佳。1993年3月起，经我75次治疗，临床证状改善，疼痛消失，弃双拐。X光片显示，骨坏死明显吸收，骨小梁明显增生，关节间隙恢复正常，临床症状消失，步行二公里左髋无疼痛感，疗效巩固。

治疗结果

（1）显效，189例，占39%

①临床症状消失，关节功能完全恢复，连续步行一公里以上无疼痛。

②CT、X光片显示，股骨头囊性坏死吸收、好转，断裂的骨小梁增生。

③股骨头扁平修复变圆状，髋关节间隙由狭变宽，骨坏死改变提高2个期以上。

（2）好转，279例，占58%。

①临床症状消失，功能恢复，连续步行一公里以内无疼痛感。

②CT、X光片显示，股骨头囊性坏死不同程度吸收，呈现肉芽组织增生灶，新生骨生成，骨小梁出现增生，骨坏死改变提高一个期。

（3）无效，16例，占3%

①临床症状稍有改变，步行后有疼痛感。

②CT、X光片显示，股骨头囊性坏死无改变，骨小梁不呈现增生状态。总有效率为97%。

诊断及治疗标准

人体与植物体导线回路疗法、脉络导线回路疗法在临床中根据病情选择运用，都可取得良好的疗效。

（1）双手行针不同于传统的单手针刺，它在传统针刺的基础上，由单手行针发展为双手行针，以正、负（阴、阳）为一体，逐步发展运用一人双手行针或多人多手行针，同时行针直接作用于病灶，使病灶区形成中心能量的聚合。

（2）双手行针以医生、病体和地磁场三者组合为整体性，从而逐步认识了人体存在感传的方向性、层次性和三维立体感传的统一性。在医生与病人的合作上做到医生与病人的一致性、意念的统一性、调息的同步性和方位的选择性，对疗效都有直接影响和作用。

①临床中以天人相应、人与植物相应、人与人之间相应的信息统一性理论为治疗依据。

②双手行针以阴阳、正负作用于病体，能量的序化体现了不同于非生命的能量序化，提示了我们人体是"单极体"而不显示极性，自然界正负（阴阳）组合定理是同性相斥、异性相吸，而人体正负（阴阳）组合是不存在同性相斥、异性相吸的，如用正负手法捻一根针，可以出现多道次的感传，这种能量序化，又显示了平面传导和立体传导。

③骨坏死组织的再生与修复不仅是生理效应，还存在一种能量效应，从而认识到生命序化能量与非生命序化能量是有区别的，对人体的作用与疗效也不同。

④双手行针实践证明，医生能量作用于病体产生的能量是有序的，这种效应提示我们人体不仅是一种"电磁效应"，而且是一种"超光速效应"。

（3）骨坏死通过双手行针和脉络导线回路能再生和修复，提示我们在生命体中一切被破坏或坏死组织都具有恢复的可能。

鉴于国内外无统一认识，为了方便临床治疗及疗效评估，我们采用 CT、X 光片结合临床病情分为 N 期：

Ⅰ期：临床表现：髋部稍有不适

CT、X 光片：股骨头有斑点状致密影，俗称囊性坏死，股骨头外形未变。

Ⅱ期：临床表现：髋关节轻度疼痛、压痛，呈现为阳性。

CT、X 光片：股骨头明显坏死，出现大小不等的致密影，头边缘毛糙不平，骨小梁断裂。

Ⅲ期：临床表现：髋部轻中度疼痛，活动稍受限，活动时疼痛加重。

CT、X 光片：股骨头大片骨坏死，头扁平，关节间隙不狭。

Ⅳ期：临床表现：髋关节疼痛剧烈，仅能做小范围的活动。

CT、X 光片：髋关节间隙消失，股骨头变形呈不等状，部分患者呈半脱位，髋盂部骨质明显增生。

Ⅴ期：484 例患者中，男性 294 例，女性 190 例；年龄最大 78 岁，最小 5 岁；双侧坏死 245 例，左侧 109 例，右侧 130 例。其中股骨颈骨折，创伤引起的 33 例，占 27.5%；类风湿引起的 187 例，占 38.6%；服用糖皮质激素引起的 154 例，占 31.8%；早期结核菌感染引起的 10 例，占 2.2%。病程最长达 38 年之久，最短仅 6 个月。其中Ⅰ期 121 例，Ⅱ期 16 例，Ⅲ期 102 例，Ⅳ期 98 例，Ⅴ期 47 例。

治疗分期标准

显效	股骨头外形接近正常或虽有塌陷，但原形变化基本定型清晰，血供明显恢复，骨小梁增多，或稍有轻度骨质疏松，但骨质密度增浓，硬化，碎裂骨块融合，囊状透光区基本消失，属旺盛修复期
良好	关节间隙呈不匀称狭窄和股骨颈边缘基本清晰，头外形变趋于定型融合，骨小梁大部连续增粗，骨质密度普遍增深，硬化区欠均匀，囊状透光区缩小，大小不均，隐见，属明显修复期
有效	关节间隙不匀称狭窄或增宽，头外形变形或台阶存在，骨小梁部分通过，分布不均，骨质疏松，周围骨密度增深，不匀称，囊透光区显见，或扩大，属趋向修复期
无效	关节间隙消失或不均称狭窄，骨小梁结构破坏，骨质疏松，囊状透光区一带明显不规则，头严重变形碎裂，塌陷或游离

股骨头无菌性缺、血性坏死功能疗效评定标准

治疗次数	评定等级	自我感觉	疼痛	跛行步态	关节活动范围	关节运动功能	生活劳动情况	X光片对照 治前 治后
	显效	满意	消失	正常步态或轻度跛行	伸屈髋>120度，髋外展>30度	徒步行走5公里以上	恢复原来工作能做轻体力劳动	
良好	明显改进	基本消失		跛行明显改善或弃拐行走	伸屈髋119~90度，髋外展>29~20	徒步行走2公里以上	可坚持日常工作或家务劳动	
有效	有好转	减轻		常需用手杖行走跛行改善	伸屈髋89~30度，髋外展>19~15	徒步行走1公里以上或用手杖行走	可参加部分工作半休能生活自理	
无效	无改变	不良或加重		跛行加重不能徒步	伸屈髋<30度，髋外展<15度	须用拐杖行走或用轮椅代步	不能劳动生活不能自理	
X线片所见								
医生意见								

　　一门科学没有自己民族的特色、技术和理论就不能屹立于世界文明之林。中医是我们祖国的瑰宝，它有待我们进一步去挖掘和发展。中华民族的医疗科学是一定会走向成功、走向世界！

参考文献

[1]《成人股骨头无菌性坏死治疗进展》. 国外医学外科学分册，1987.4 P217－222

[2]《激素所致缺血性坏死 X 线分析》. 张雪哲著.《中华医学杂志》，1977.5P.303－305

[3]《气功与生命的探索》. 黄仲林著. 山东科学技术出版社，1985

第九章　生物空间医学
对人体生命科学发展的重大意义

　　在人类哲学史上，老子对"无"的发现与阐释是中华民族对全人类最伟大的贡献。只有认识"无"，才能认识"有"，否则，"有"便是无源之水，无本之木。在人类科学史上，老子对"无"的发现，更是对人类持续发展独一无二的最伟大的贡献。因此，老子说"道生一、一生二、二生三、三生万物"。"道"就是"气"，"负阴抱阳，冲气以为和"。老子特别强调了"阴阳对立"是暂时的，只有"冲气以为和"才是永恒的、和谐的。所以，他在描述"气"时，说"道之为物，惟恍惟惚。惚兮恍兮，其中有象；恍兮惚兮，其中有物；窈兮冥兮，其中有精，其精甚真，其中有信。"这就明确地阐释了，宇宙就是"气"，"气"就是物质，宇宙全息都充斥着这一物质——气。只有认识"气"，才能认识生命，才能探索出"生命"这一个"有"的来源。"有"和"无"总是在循环往复，周而复始，所以，老子又说，"周行而不殆，可以为天地母"。

　　我经过几十年的生物空间针刺医疗实践，运用序化的能量激发调节和调控失去序化的生物场的双手行针导线回路疗法，是遵循"天地人合一"整体观的生物场控信息医疗新技术，它不仅减少自然资源消耗，减少环境污染，而且对保持生态平衡，对我国中医学的可持续发展，具有重大历史意义。这是"遵天之道，顺地之道，物无不得其所哉"（汉·班固），是弘扬中华民族优秀传统文化的重大举措。

　　我国是针灸疗法的发源地，尤其利用气功与针灸结合的现代生物空间医疗新技术，是集物理学、生理学、电子学、信息学、人体、控制论等多学科的综合利用，使现代生物空间医学更具完备性。因此，需要国家大力扶持与倡导，以利向全世界推广。

第一节　人体生物功能态研究

从生物物理学角度去认识这种诊治方法，目前可以认为是生物信息感应。"生物信息感应"是医者人体生物功能态下出现的一种超光速的"力波"，病体在不停地向体外辐射着病变的生物波，生物波的本质性物质也是一种"力波"，均属多维时空物质。因此，病变的"生物波"与医者的"生物信息相互作用，并将病变的信息反馈给医者，使医者从反馈的信息中判断病变情况。

这种"生物信息感应"，是人体生物功能态，亦即"气功"。（"气"是一种物质），气功是我国文化遗产中的瑰宝，是祖国传统医学的重要组成部分。迄今已流传数千年而不衰。古代有关练功的记载，遍见于经、史、子、集等多种书籍。近年来，我国科技工作者和练功者密切合作，从生物物理、生物化学、电子学、信息传导等多方面对气功进行了探讨和测试。通过红外遥感仪的测试，已经测出气功师手掌中心劳宫穴发出来的"气"，是异于常人的、受低频涨落调制的红外辐射信号，即带有信息的红外电磁波。人们据此制成红外辐射仪、气功信息治疗仪，使用这种仪器，能在某种程度上象气功师那样对病人进行治疗。

在多次测试中发现，气功师发出的"外气"有不同的彩色光，有温度的变化，有磁场变化，有光电效应，有微波发射等。"外气"的穿透力很强，墙壁、石头、铜板、铅板等都不能屏蔽。

气功可用于治病强身，只要坚持练功运气，使"气"在体内运行就可治疗多种疾病。人们为自身治病保健所运的气称为"内气"，而为别人治病所发射的气称为"外气"。外气可用来麻醉，也可用来进行治疗。

关于气功的基础理论，古代学者作过很多研究，积有大量论著，是现代生物空间医学发展最可宝贵的文化遗产。

生物空间医学的概念，即用物理学、生理学、电子学、信息传导，人体控制论等学科的理论来阐述分析中医和气功学中有关"经络"、"气化"、"气血"、"脏象"、"五运六气"、"阴阳五行"等论述，探索气功的机理，用现代的科学技术手段进行检验和测试。

以气功的"气"来说，西方的解剖学、组织学是无法得以证实的。古人认为气有先天后天之分。《灵枢·刺节真邪论》说："真气者所受于天（指与生具来的先天之气），与谷气（即地气，水谷之气，是吸收后天养料而生的）并而充身者也"。《老子》一书更把这种气说成是一种恍恍惚惚的，拥有能量，载有信息的、流动的物质——"惚兮恍兮，其中有象。恍兮惚兮，其中有物。窈兮冥兮，其中有精。其精甚真，其中有信"。（《道德经》21章）。

老子哲学为现代西医学所不容。可喜的是近几年来关于气功"外气"的测试拂去了蒙在古代关于"气"的理论上的"面纱"，证实了"气"的客观存在。气功"外气"能使人体血浆中的cAMP显著增加，由于cAMP的合成需要腺苷酸环化酶的催化作用，所以说气功"外气"可能作用于上述环化酶，或作用于细胞膜特异受体，引起受体结构形变从而催化胞浆中的ATP生成cAMP。

综上所述，气功的"气"不是虚幻莫测的东西，而是有物质基础的。但为什么用不同的仪器来测试会出现不同效应呢？这是因为生命运动是高级运动形式，用某种物理方法来研究它，所反映出来的只能是某一侧面，由此得出的结果必须经过一个相应的变换，才能复现生命活动的本质。至于这种变换关系到底是什么？正是有待继续深入研究的课题。

尽管近几年我对气功的本质作了可贵的探索，取得了引起国内外科学工作者关注的重要成果，但距离揭开气功的整个内涵还相去甚远。气功"外气"的奥秘是远非现在所拥有的科学检测手段所能完全认识和证实的。因此，今后的研究势必要采取一些非常规的特殊的研究方法，那就要诉之于植物、动物乃至于人类本身某些特殊的敏感器官，比如中国科学院高能所特异物理研究组就采用生物探测器进行实验，探测器的敏感元件就是树叶。当气功师发功时，探测器就会发生脉冲状信号。实验结果与常规实验结果是一致的。我提出的现代生物空间医学正是探索气功外气本质的新途径。为人体生命科学的进一步发展提供了可靠依据。

　　除了气功的"气"以外，"形"与"神"又是什么？形、气、神三者之间的关系如何？这也是需要加以探索的重大理论问题。

　　中医学说是以古代人民对人的生命的整体性认识为基础发展起来的。按照中医学说，人的生命是形、气、神三者的统一。古人说："夫形者，生之舍也；气者，生之充也；神者，生之制也。"就是说，形体是人的生命寄生之处；气是充盈于周身的物质，它把形与神联结成有机的整体；神则是生命活动的主宰，是起主导作用的物质。形、气、神三位一体，构成了人的生命。

　　"形"是人的肉体本身，包括五脏六腑，形体百骸，这是好理解的。"神"在有些典籍里也叫做"心"。《内经》指出："心者，君主之官也，神明出焉"。"心"是"思之官，智者之舍，'神明'之所出"，也就是思想意识的发源地、指挥人体行动的司令部——大脑。因此，研究气功师练功，发功过程中脑电的变化自然引起人们的普遍关注。在这方面，国内外近几年来都作了不少研究。

　　练功中脑电图的变化是中枢神经系统机能改变的一种反映，他的变化与人在松懈清醒状态和闭眼静思状态以及睡眠状态都是不一样的。它的特点：一是 a 波周期延长，波幅增高，频率减慢；二是两侧半球前部出现 Q 波，并逐渐扩散。脑电图的这些变化，可能是大脑皮层和皮层下结构相互作用的结果。气功状态是一种特殊功能态，与醒觉功能态、警觉功能态和睡眠功能态不同。这种功能态的特征是从额叶开始而渐至整个大脑的高度协调动作，表现在脑电信号上是功率谱呈现窄而高的尖峰状，几乎为单一频率的 X 波所构成。脑电图的测试不免要受到很多方面的干扰。比较理想的测试手段是脑磁图，它可在不干扰大脑正常活动的情况下取得大脑皮层活动的信息。但由于这种测试需在具有大量屏蔽材料的消磁室内进行，造价很高，国外也很少用。随着科学技术的日益发达，今后的研究将逐步采用更先进的测试手段，这是可以预期的。

　　根据气功态下的脑电变化等情况的分析，可以认为大脑皮层活动的有序化可能是古代气功所要求的"静"、"虚"、"定"、"空"、"无"的物理内容，而脑电有序化的程度将为"静"、"虚"、"定"、"空"、"无"提供具体的定量测量。可以预测，在人体生命科学领域里，将会出现一个崭新的学科，即从形、气、神三位一体的生命观出发来研究人体生命运动规律。

第二节　生物功能态与现代医学

从古至今，用气功治病的方法不外乎两种：

一是病人自己进行气功锻炼，叫做内气治疗。病人通过气功锻炼，逐步提高自我调节能力，发挥自身潜在功能，以达到祛病强身的目的。

二是病人接受由气功师发射的"外气"，达到治病目的，叫做"外气"治疗。国外仿照气功师发射"外气"治病的机理制造的这类治疗仪，有皮温回授仪，血压回授仪，皮电回授仪等。国内模拟气功师发功机理制成的治疗仪有气功经络信息治疗仪，红外辐射信息治疗仪等。中国人民解放军第一职工医院已用这类仪器治疗各种慢性疾病 200 余例，收到令人鼓舞的效果，第四临床医院用最佳信息通过内反馈治疗癌症效果很好。病人的最佳信息（加强意念）和运气练习以及医生给予的最佳信息，结合 issels 医疗方法，与单独用化疗方法进行治疗的其他同类病人相比，生存期可延长 2～3 倍。上海、广东、保定等地医务工作者，除将气功外气信息治疗仪用于临床外，还观察了在这类仪器作用下血管容积、脉象、皮温等方面的变化，并用这类仪器来诱发经络感传，诱导气功练习。

生物回授仪和"外气"信息治疗仪仅能模拟气功师发射的某种调制信息，远远不能反映气功"外气"载体及其信息的全部内容。因此，这类仪器总不如气功师本人发射"外气"施治的疗效好。

气功"外气"是实体性的物质，它以生命场的性质存在。气功师不仅可以通过直接接触病体发放"外气"，而且可以通过有一定间隔的空间向病人发放"外气"。人体生物场的存在和作用方式，加强了人体的调节控制机能，使人体内部和人体所处的环境更紧密联系起来，组成一个统一整体的运动。人体生物场的发现给现代医学打开了一个新天地。过去用神经内分泌学、人体解剖学无法解释的"气至病除"、"循环取穴"等现象，很可能是生物场的作用。

　　在地上任何方便处挖个坑，就称为穴。在人体上也是如此，采用针刺方法治疗病症，为达到治疗效果，在任何位置均可取穴，"阿氏穴"就是这个意义。我们在运用气功结合双手行针过程中发现，凡是穴位特别是一些重要穴位，电磁波辐射能力强。这些穴位很可能是生物场能量传导的进出口，而经络则很可能是能量信息的传输线。循此研究下去，可能揭开中医经络学说、升降平衡、气血理论之谜。由于场的存在不易为人们所感知，所以人们对场的认识必然大大迟于对实物的认识。随着生物场理论研究的展开，必然推进现代医学事业的发展。

　　在用"生物针刺"和自身气功锻炼（内气）及"外气"的方法治癌，许多气功师和医疗人员正在进行可贵的有益的探索，取得了不同的成绩。皆认为有安全和无痛苦的特点。它可以改善患者在接受放射疗法或化学疗法过程中产生的损伤和副作用，舒经活络，消肿散结，吐故纳新，化液生津，更新气血，增强体魄和提高免疫能力，使许多已被医生判定为最多只能活三个月或半年的晚期癌症患者，通过一个阶段的气功锻炼和辨证施治的特殊方法治疗之后，转危为安，有效地改变了他们的心理、病理与健康状况。

第三节　　生物功能态与体育运动

　　我国现代体育运动的发展方向，一是着眼于普及，大力开展群众体育，以增强全民族的体质，保证有强壮的体魄和旺盛的精力投入四化建设。二是着眼于提高，要在体育上达到或保持世界先进水平，这就必须采取科学的训练方法。一个项目在国际体坛上取得突破，对振奋全国人民精神提高我国在国际上的声誉，起着很大的作用。

　　要提高体育项目的竞技水平，必须研究科学训练方法，必需解决与此相关的一系列问题。为此，体育科学越来越注意吸收其他学科领域中的知识和方法，这其中日益受到国内外体育科学工作者注意的，就是气功在体育上的应用。

目前练气功在体育运动中，主要是用来治疗运动系统损伤，消除运动中的疲劳，改善身体机能，并在一定程度上提高竞技水平。

在治疗运动系统疾患和损伤方面，练气功治疗效果很好。肩、腕、膝、踝关节扭伤，活动受到限制，暂下"火线"的运动员，用气功点穴，并施以双手行针治疗，轻者一二次，重者三五次，疼痛即可解除，红肿消退，扭伤部位的活动功能即可恢复正常。这主要是由于受人体生物场的作用，提高了人体各器官的功能。如果自己再配合进行气功锻炼，平时结合按摩，则可增强自我调节能力，使身体失去平衡的细胞机能更快恢复平衡状态，早日得到康复，特别是由训练引起的软组织损伤和淤血，可通过气功锻炼和针灸得到有效的治疗。

练气功锻炼对于消除运动疲劳具有积极的、良好的作用。气功与运动训练的活动的形式是不同的，一种是"外场"运动，一种是"内场"运动。外场运动是神经和肌肉运动，具体表现为动态——动作；而"内场"运动是一种信息运动，也叫静态活动——思维运动。由于运动的形式不同，他们产生的效应和对人体的作用也就不同。有了气功的锻炼，也可减少运动员在训练中的损伤。

从提高人体调节机能，消除身体疲劳上讲，气功和运动训练的机制是相反的，从生理机能和消除训练后的疲劳，以及恢复竞技状态来说，静态活动比动态活动要更好些。运动员在大运动量训练后，由于中枢神经系统兴奋过度，某些部位会出现机能性紊乱，神经能量消耗过多。练气功可使运动员中枢神经系统紧张程度缓和，骨骼肌放松，呼吸柔和，耗能作用减弱，储能作用相对增强，中枢神经某些部位的机能性紊乱可得到复原，有利于训练的继续进行。

从血液系统来看，大运动量的训练后，必然产生大量乳酸。而乳酸的堆积，可产生运动性肌肉疲劳，产生酸痛感。进行气功锻炼后，一方面可消除乳酸的积累，促使它转化；另一方面可增加肺细胞的扩张和收缩幅度，使肌体供氧充足，能量供应增加，有利于运动性肌肉疲劳的消除。气功锻炼还可使运动员胃肠等内脏器官得到调节，促进胃肠蠕动功能和腹腔内的血液循环，降低呼吸频率，增进食欲，加快体内代谢物的排泄，使疲劳的肌体及时得到恢复。

为了提高运动员的竞技能力，许多国家的体育工作者和医疗人员都在进行探索。据报道，国外已有人试用中国的针灸来提高运动员的比赛成绩，并取得了一些效果。联邦德国的布朗和坦吕布克曾对 11 名举重运动员进行针灸试验，试验时间为 12 周。运动员针灸后觉得肌肉有劲，力量增大，训练精力集中，并有明显的兴奋感而无副作用。有 6 人针刺后反应很好，4 人觉得训练期间针灸特别有效，只有 1 人针灸后没有明显感觉。

河南中医学院附属医院的曹钟刚，运用气功调整运动员的竞技状态，提高比赛成绩，取得令人满意的效果。

在增强体质保健方面，"脉管针导回路"针刺疗法，具有很好的效果，在临床治疗和保健方面的施治中发现，一般经过 10 次治疗后（有的仅 5～6 次）受体增、减肥双向调节的作用就突现出来。众多病人实实在在地反应："经过治疗，睡眠好，想吃饭了，面部有光泽、泛红，且腹围缩小，身上感到有力，有精神，爱动，想干活了……。"

对运动员的保健方面也是如此，运用脉管针可起到机体自动调节作用，促使其入睡、放松。经过调理，可激发运动员的身体机能，精神振奋，竞技状态转佳。

第四节　生物功能态对自身的影响

加强体育锻炼和气功动静功结合训练对改善心肺的功能有积极作用，对正常组织新陈代谢有促进作用，改善血液循环，促使末梢的血液循环，可使机体内贮存的血量发生变化，毛细血管数量增多，管径扩张，血液输出量增加，使大量肾上腺素分泌，冠状动脉扩张，心脏的营养（内能）改善，提高机能活力。

在气功锻炼中，要非常重视呼吸动作，它是气功功法中的核心操练。

深吸气时经常缓慢的收腹，可以使腹腔内血液循环改善，增强各种在血液循环调节过程中的作用。同时深呼吸"8"字波浪形运动，能促使胸廓扩张，提高肺活量，使肺内贮备大量氧气，加强氧气的吸入和二氧化碳的排出，增强肺内代谢。由于静脉系统的收缩与呼吸同时加强，可以使静脉血流增多。

对于心血管病患者，尤其需做呼吸练习，对提高心、肺功能大有好处，以提高静脉血流速度，预防血栓形成。做深吸气后再缓慢呼出的锻炼，可以使心动过速逐渐改善或消除。

呼吸与方位

空气中的氧气进入人体参加反应，从而产生新的能量以维持人的生命。科学家证实，人的能量是在脱氢反应中产生的，就是说人体是通过氢的燃烧而获得能量的。人吸收的是氧气，呼出的是二氧化碳，这一呼一吸，有其自身特定的运动规律，并与方位有一定的关系。

人走路有方向，鸟类、鱼类，甚至植物，它们也要伴随方向运动，一切生命，物体运动都具有导向能力。中医的理论强调阴、阳两气对人体的调理。阴气和阳气的性质不同，而其运动方向也相反。

闭上眼睛，用手指压塞右鼻，此时左鼻进气，光图运动向左移动。用手指压塞左鼻，右鼻入气，光图往右移动。从光图的颜色来分辨，也是相吻合的；左鼻入气，多数是红与紫色；也有黄与白色。右鼻入气，多数是蓝色与绿色，也有黄与白色；这样左阳、右阴与体位、光的颜色和产生的温度，以及与自然界的物理现象均有磁向的特征，都存在着一定的联系。

用顺式呼吸法练功时，光图的转向往右侧（逆时针）移动；用逆式呼吸时，光图就往右侧（顺时针）移动。当把嘴和鼻憋住时，光图的形态和转向消失，眼前一片黑暗；松气时，光图的形态和转动又会恢复。

气功的调息作用

调息就是调整呼吸频率，运用顺、逆两种不同的呼吸方法，使呼能和吸能沿着"8"字运行，达到能量转换的平衡。尽管气功流派众多，功法各异，但都十分重视调息这一功法。

调息就是通过意念达到人体能量遵循一定规律作肢体运行，使运行到各器官的能量可自控调节，进而达到延年益寿。

本文着重阐述的是：呼吸类似一个振动波，一呼一吸（一阴一阳）；人体中心肚脐（磁场中心）是"8"字回互能量的转换点，是生命运动的"拐点"。

调息与意念

练习气功要解决好两个问题，一是调息；二是意念。它们既相互作用又相互影响。调息是自然界磁场对人体的作用和影响；意念是人体本身"磁场"在体内对身体各器官的作用和影响。调息是人体本身电磁场受自然界电磁场的作用；意念是人体阴阳能量转换的运动形式。

心脏的跳动反映了人的生命运动规律，而肺脏运动反映了生命需依赖于自然界中的能量，所以心与肺的结合，是内能与外能构成生命运动能量的源泉。协调配合，阴阳才能平衡，也就是说："呼吸正常，心率正常；调息干扰，平衡失调"。

我们认为，生命活动有其本身运动的特殊规律，不能等同于化学和物理的运动规律，但是有着一种类似"机械运动"的特殊规律。

在实践中，我们发现这样一个规律，左鼻孔吸气进左肺，右肺扩张很小，基本不进空气；右鼻孔吸气进右肺，左肺扩张很小，基本不进空气；用嘴吸气，空气进入左肺和右肺的通气量类似"射流原理"，总是似向肺脏一侧进入的气体多，另一侧就少。为此，我们认为上述呼吸是一种"附壁效应"现象，气体总是沿着气管壁进入肺内的。一个鼻呼吸，总不如两鼻同时呼吸舒畅，而用嘴呼吸，总是感到心闷头胀，喉头干燥，这很可能是空气进入气管和肺时不均匀，造成体内能量转换的不平衡，这就涉及到能量转换问题。

调息与人体能量转换

调息

呼吸有两种，一是顺呼吸法；二是逆呼吸法。调息就是合理地运用这两种呼吸方法，使能量转换达到最佳境界。

①逆式呼吸吸气时，气输入体内与收腹（丹田）运动向相反，即吸气收小腹（丹田），呼气鼓小腹（丹田）。

②顺式呼吸呼气时，气输入体内与鼓腹（丹田）运动方向一致。

呼吸好似一个振动波。把吸气和呼气两个振动波的波峰和波谷组合起来，恰好是一个"8"字，因此称它为"8"字呼吸法。我们把振动波的"波峰"和"波谷"阳（＋）阴（－）来表示，"波峰"增强身体能量，"波谷"降低身体的能量（图 9 - 1）。

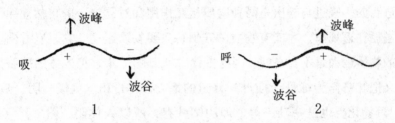

图 9 - 1

了解并运用这两种呼吸方法是练习气功的关键，从而才能深入进行较复杂的呼吸方法。因为，功法不同所释放的能量也不同。

通过在上海复旦大学激光组用灵敏炭斗计仪器的测试，证实逆式呼吸产生的能量是热的；顺式呼吸产生的能量是冷的。

因此吸是阳生阴，呼是阴生阳，即动生静，静生动。一呼一吸就是阴（－）阳（＋）相互关系。从生理机能来看，吸影响肺脏，呼作用心脏。所以呼吸的振动组合是人体能量沿着"8"字运行规律，推动生命能量的转换。因此维护生命的一呼吸，也是正、负相互关系，是一种能量转换。

尽管人体中能量转换的形式多种（电能转机械，机械能转电能，电能转光能，光能转化学能），但多是在细胞膜上进行的。就其感受来说，我们的体感就是冷与热。而酸胀和麻木也都是一种能量转换。

如果我们把练功时的吸与呼同生命体中的能量转换相联系，可以概括为"吸能"与"呼能"两种。而吸能是从鼻孔进入肺部的空气（氧），与生命体中的物质发生化学效应，这就产生热能，是贮存能量阶段；而呼能就是把生体中吸能产生的代谢物（二氧化碳）等的一部分吐出体外，这就进行能量分配阶段。即：

"呼能"是空气在血液中进行"氧化"过程。

"吸能"是空气在肺腔中进行"还原"过程。

为什么人体能量转换遵循"8"字运行呢？我认为，人体的体位不同，并且受磁场的影响，能量在体内是遵循肢体轨迹运行的。以人体体位的十二阴、阳划分，沿人体上、下，左、右，前、后三维"磁体"的中心运行，恰好是"8"字往返运行的轨迹，反映了物质（能量）的运动是以一种"回互"形式进行的。吸进与呼出是两种物质相互作用和对立统一的自然规律。物质只有遵循往返规律，才能有物质的守恒；只要物质运动，它就有方向。没有方向的物质运动是不存在的。因此古代"八卦图"中，把人体的肚脐比作太极，又把肚脐作为练丹（仙丹）修道的地方，称丹田。太极分阴、阳（正、负），万物化生也是一动一静，即阴阳并存，所以人体阴、阳二气（能量）在体内遵循两个不同方向的力，是通过肚脐沿"8"字回互进行着能量转换，肚脐是人体三维磁体能量转换的"拐点"。

"丹田"的说法不一，我发现肚脐不仅是人体的中心，还是人体"磁场"的中心。运用肚脐来正确调息，能促进人体各脏器的相互作用，达到防病和治病的目的，并能延年益寿。

调息时，呼吸的节律变慢，使神经系统的兴奋性下降，易于入静；通过对副交感神经的调节，心率变慢，改善外周血液循环，活跃了组织中的能量转换，使各器官和组织功能增强。

调息与微循环

微循环在八十年代初期才受到人们的重视，它系指小动脉吻合部的血灌溉，在此，动脉血放出氧，吸收二氧化碳等代谢废物而转变成静脉血。这一过程，血流的方向由微动脉端流向微静脉端。

调息时，深呼吸呈"8"字运动，促进胸廓扩张，使肺毛细血管与肺泡空气接触面增大，提高肺活量，从而增加氧气的吸入和二氧化碳的排出。因此，在肺微循环中，肺内气体代谢增强，而且，由于静脉系统的收缩与呼吸同时加强，可促使静脉血流量增多，淋巴循环增强。

我在同济大学试验时发现，气功态时，指端微循环温度下降，血流量逐渐减少，心跳明显下降。

调息对微循环的影响通过神经系统来调节，它主要影响微循环中的物质代谢，而这种在调息支配下的神经调节，受气功师的意识情绪支配，肺部微循环能增强气体交换，指端微循环能抑制血流量，因此说，调息可改善末梢血液的重新分配，加强血流向心脏回流，从而调节整个血液循环机能。

调息与体育锻炼的关系

气功调息和体育锻炼，前者是以提高血管神经机能的活动而影响心脏，其表现为心率减慢，是人体的一种"静功"；而体育锻炼是从增进肌肉神经机能性的活动而影响心脏，其表现为心跳加快，是人体的一种"动功"。

由此可见，生命的运动就是动静结合。当外因影响这种平衡时，就出现疾病，即所谓阴阳失调。

体育锻炼时，能使心率加速，甚至可体温升高，这是提高交感神经兴奋所致。

气功调息时，能使心率减慢，可达到30次/分，体温下降，血流速减慢，但心搏量增多，这是提高副交感神经兴奋所致。

第五节　生物功能态与生命科学研究的意义

就目前来说，人类对客观世界的认识已经达到相当高的程度，但对自身的认识还相当肤浅，就研究方面而言，仍依然沿袭15、16世纪以来的老方法，即把人体分成各个部分，把各部分从整体的生命活动中孤立的抽象出来，逐个加以研究。不能否认，这种研究也是有必要的。但由于这种研究方法把有生命的东西变成死的东西，一些对生命来说至关重要的东西（如信息）被舍弃了或被歪曲了。生命科学的主要研究对象应是活人或说是活体。只有研究活体，才能反映生命活动的本质。

气功是活的生命体的现象，信息是活的生命的具体体现。对气功的内在联系和出现的气功功能态（称之生物功能态），气功态时发出的生物能量对人体系统的影响，内气如何外发？人体对回授信息效应，这些都是生命科学中需要加以研究的问题。因此，著名科学家钱学森说，中医理论、气功和特异功能是开展人体科学研究的钥匙，人是一个复杂的巨系统。许多未知的园地有待开垦。

上海中医学院气功研究所所长林海在他主编的《气功养生学》一书中断言：气功锻炼是发挥人体潜在能力，打开人体生命科学大门的一把钥匙。通过对气功作用和原理的研究，将为人们从整体上认识心与身相互作用的规律，开辟新的前景；使人们有可能通过气功的锻炼，对人体本身的生理机能起影响、调节、控制作用，及调引心身机体不平衡的状态，进一步掌握人体固有的自我调节控制系统，探索生命的奥秘，取得巨大作用。

可以预见，人体生物场、气功信息和机理、气功生理效应、外气效应的研究，以及"精"、"气"、"神"三位一体的综合性研究及对潜在的生理功能、生命能量转换的研究，将会把人类对自身的认识提高到一个新的水平。这里很可能孕育着生命科学的新的突破。

第六节　生物功能态对受试者生理效应的观察

生物能量（指在功能态时发放的外气——能量）作用于人体，部分反应很强烈，亦有部分无感觉，这和电流可以通过导体而对绝缘体则几乎无影响有些相似。临床疗效好坏，往往与患者对气功的反应强弱有关，我们把人体能量的反应称为"生物能量的生理效应"，为了探讨这种效应的规律和机制。1983 年，我对上海第二医科大学 103 位四年级学生及若干医生和教授，以及在泰州市卫校 106 位三年级学生做了观测。

一、感觉方面的测验

1. 观测方法

受试者一般均无气功方面的知识，接受试验前也不对其作有关生物能量态的介绍和暗示，试验是个别进行，受试者闭目静坐。我在其背后或头顶距离约 10 厘米左右布气。

2. 观测结果

①觉察到眼前有各种形态的彩色光环或光带出现，这些光环或光带可以

是静止的，也可以向不同方向转动，其变化可由布气者操纵，209 例中有 81 例出现这种效应，占 38.8%。

②受试者身体某一部分或整个身体有明显的胀、麻或凉、热等感觉，甚至大汗淋漓，209 例中有 138 例出现这类现象，占 66.3%。

③有个别受试者受气功的作用后，恶心呕吐，整个胸腹部剧烈蠕动；也有个别受试者，当气功外气由头部上方射入时，头发发出明显焦味，周围的人都可嗅到。

④无感应 209 例中占 71 例，占 40%。

3. 温度改变的测定

临床中发现，接受外气治疗的患者，在受功部位有明显的凉感觉，我们作了几例典型观测（观测时室温 17℃）。

沈××，女，40 岁，患腰椎不正，纠正后作布气治疗，患者俯卧床上，受功位置为第五腰椎（测温点即在此处）。接受气功前，用半导体点温计测皮温为 32℃，测温头放置原位不动，发功后，点温计温度上升；4 分钟后温度升至 33.8℃（绝对温升 1.8℃），而患者感觉受功部位如凉风吹拂一般；同时，闭眼有一圈圈红光出现，停止发功，温度渐降，经过 12 分钟后，点温度计温度降至 32℃。

陈××，男，56 岁，患食道癌，测试部位左手合谷穴，受功前温度为 26.4℃，施放外气后，点温度计脉冲式上升，3 分钟后升至 27.8℃（绝对温升 1.4℃），而 6 厘米外对照点温度计无变化，整个过程中，患者腹部发凉，肠鸣明显，闭眼见光环很清晰。

4. 体会和讨论

①布气引起的生理效应，报道很多。本文观测中受功者闭眼出现光环，有待进一步探索。

②布气令受功者局部皮温升高，但受布气者主观感觉反是凉感，参阅其它资料，可能是布气使局部皮肤血管扩张、血循改善引起的感觉。

③接受布气点的皮温明显升高，而相距 6 厘米处的对照点温度不变，提示布气有很好的方向性。

（上海第二医科大学病理教研组陆欧伦主任主持）

5. 生物信息态时对心脏的影响　1985 年 12 月 5 日

Dev：表示左心房排血推开二尖瓣的速度（单位 cm/秒）

EFV：左心室血流推动瓣叶半关闭的速度（单位 cm/秒）

ACV：二尖瓣关闭速（单位 cm/秒）

EPSS：二尖瓣 E 峰与室间隔之间的距离（单位 mm）

6. 生物能量态时自身的变化

（1）生物能量态时对人的心脏活动控制与调节作用的初步观察（附三例观察小结）

观察对象与方法（共观察三个病人）

①张××，女，50 岁，心肌炎后遗症，心动过缓，每分钟 60 次左右，外气及脉管导线回路针刺法。

②李××，男，40 多岁，风湿性心脏病二尖瓣狭窄，房颤，平均每分钟 90 ~ 108 次，外气及点穴放气。

③马××，女，33 岁，心肌炎后遗症 4 年，曾发 2 次，心动过速，住院治疗，心率每分钟 80 次。

（2）采用美国 Diasonic 公司扇形超声心动仪，探头频率 2. 25MHZ，作生物能量态过程的心脏活动的实时观察与分析生物能量态过程中，心动周期的变化情况：

①对第 1 例心动过缓病人在气功态过程中未观察到明显的变化，但病人主观感觉心前区平静、舒适，在针刺脉管导线回路法过程中亦未见明显客观反应。

②对第 2 例风湿性心脏病二尖瓣狭窄患者施外气及点穴放气，均使心率呈明显减慢，病人感觉舒适，心率从施功前 108 次/分钟减为 84 次/分钟。

③对第 3 例心肌炎后遗症心动过速患者，在施放外气（逆式运气）过程中，病人的心率在 2 分钟以内从 80 次/分降为 66 次/分，病人感觉舒适。

休息 10 分钟后，心率仍维持在 66 次/分，再次施放外气，2 分钟后心率减至每分钟 62 次，病人自觉舒适。

7. 生物功能态对自身心功能的影响的初步观察（据两次发功观察小结）

（1）观察方法

①在静息状态下，取仰卧位置，以自发气功态对自身心脏的活动进行控制、调节。

②进行如下五种自发气功：

逆向调息；

顺向调息；

逆顺组合调息；

逆顺停息调制；

意念调息。

每种方法之间相隔 10 分钟以上。

③采用美制扇形超声心动仪，重点观察左心室二尖瓣区的活动与二尖瓣的活动情况，并作连续录像记录与定时摄影记录作参数测量。

④超声观察如下项目：

左心室内径（LVDd、LVDs）

二尖瓣的活动状态（Efv、EPSS）

输血比数，每次每分钟输出量（EF、SV、CO）

（2）观察结果

①发功期，心脏随呼吸动作发生明显移位，即吸气是心脏向左前下方，呼气时心脏向右后上方移位。

②发功期心脏容积随呼吸动作发生明显变化，即吸气时左心室内径缩小，呼气时左心室内径增大。

③发功后二尖瓣出口的血流呈降低，表现为 E 峰与室间隔的距离（EPSS）增大，与二尖瓣的开放早期下降速（EFv）变慢，EPSS 最大达 24mm，Efv 最慢为 37.75mm/秒。

④发功后心率发生改变，心功能降低，表现为 EF 降低，CO 减少。

EF 最低者达 0.28，CO 最小者达 2813.84 毫升。

注：

E 峰：为二尖瓣前叶曲线上升的最高峰，二尖瓣开放达最高限度。

（二尖瓣前叶距前胸壁最大）

EF：左心室快速充盈期，血液从左方快速输导到左心室后，左心室有个反冲作用，左心室由最前很快移动结束下降到 EF 段。

附：五种自发功时对心功能影响的观察项目

	RH	Dd	Ds	SV	EF	Co	EPSS	EFv	
逆式调息	前	65	56	45	84.48	0.48	5491.2	4	96.5
	中	76	57	42	111.11	0.60	8444.36	10	66.75
	后	63.8	67	60	84.76	0.28	5424.64	22	72.12
顺式调息	前								
	中		45	35	48.25	0.53	3281	5	66.72
	后	68	55	39	107.08	0.64	7280.08	10	66.72
逆顺式组合调息	前								
	中	85	58	40	131.11	0.67	11144.35	15	61.94
	后								
逆顺停息调制	前	64	58	44	109.93	0.56	7035.52	10	53.63
	中	68	55	50	41.38	0.29	2813.84	20	37.75
	后	75	54	40	93.46	0.59	2009.5	7	64.27
意念调制	前								
	中	75	50	38	70.13	0.56	5259.75	10	69.29
	后								

注：RH 心率（次）

Dd 左室舒张期内径（mm）

Ds 左室收缩期内径（mm）

SV 每次排血量（ml）

Co 每分钟排血量（ml）

EF 排血比数

EPSS 二尖瓣 E 峰与室间隔距离（mm）

Efv 二尖瓣开放早期关闭速（mm/秒）

8. 生物能量态时对心脏的影响

注：DEV 表示左房排血推开二尖瓣的速度（单位 cm/秒）

EFV 表示血流推动瓣叶半关闭的速度（单位 cm/秒）

ACV 表示二尖瓣关闭速度（单位 cm/秒）

EPSS 表示二尖瓣 E 峰与室间隔之间的距离（单位 mm）

（本实验由上海第二医科大学病理教研组陆欧伦主任主持进行测试。）

二、生物功能态的探测

我进行生物功能态锻炼已有二十多年，在能量态时功能态，手掌能呈现一种能量，我与复旦大学合作在 1980 年夏季用物理方法作了三种测试，发现生物能量态最强时灵敏检流计上电流大于 1.19 微安，真空毫伏表上的读数为 11 毫伏，视觉电生理扫描仪的荧光屏上出现强烈的波峰，测得结果：光电流（量）2.2 毫伏，脉冲宽度约 0.8 秒。继此以后我们又做了以下几项测试：

1. 西德毫奥表测试（上海市计量局协助测试）

用西德毫奥表为测试仪，观察能量态时空间磁场变化，仪器用 1 号探头，调好零点，能量态前手掌（左）靠近探头，仪器无反应。在能量态时指针向右慢漂，2 分钟后指针突向右漂移 5 格，5 分钟后增至 10 格。此时嘱我停止发功且离开仪器，但指针仍向右偏，18 分钟时到达 29 格，指针向右漂浮的过程中速度不均，有晃动，是往返回复的前进，指针半小时也不回零点。

2. 点温计测试（泰州科委田兆斌协助测试）

受试者 3 人，我发功时点温度脉冲式上升，绝对温升：1.4℃，1.8℃，2℃，需时 3~7 分钟，距受功部位 6cm 处则无此现象。说明外气有方向性。

3. 灵敏炭斗计测试（复旦大学）

我处在能量态时，运气至"丹田"时手掌温度下降，炭斗计指直向下降，当我运气胸腔膻中穴时，手掌温度上升，炭斗计指针向上（估计此时为红外辐射）。因此这个实验证明了人体具有阴阳二气的客观存在。

4. 肌电机测试（浦东医院经络现象研究室）

采用上海制 I 型肌电机作为测试仪，将机上连接线上的针（同针灸的针相同），刺入受刺者的曲池穴，让我处在能量态时手掌向受试者的合谷穴发功，距离约 5 公分左右，约 2 分钟，肌电机荧光屏上显示低频涨落有规律的电讯号，这种电讯号与氦－氖激光辐照合谷穴所引起的曲池穴上"得气"的电讯号一样，与肌纤维收缩而引起的电讯号完全两样。

以上的测试说明人体生物能量有光电效应、磁场效应、温度效应，在生物能量态时能同时发出。而人体内又有什么变化？为此设计了以下测试：

超声诊断医师：凌梅立

5．"B"型超声仪测试

用"B"型超声仪探测黄教授的内脏，因为黄教授每在能量态疲劳时感到脾区胀感。探测时让黄教授平卧在探测台上，手掌功能态如平时一样，测试结果如下：

"B"型超声仪（美制 ADR213 型）

脾脏体积的变化：

①气功师发功前：脾脏宽 8.7 公分（脾内光点分布均匀）

②气功师在发功中：脾脏宽 7.2 公分，维持 1 分钟。

③气功师收功后：3 分钟后脾脏恢复为 8.7 公分。

生物能量态时脾脏体积的改变

美制 ADK — 2130 "B"型超声摄影片

①功能态前脾脏胞膜

②功能态时脾脏胞膜增厚

③停止功能态脾脏胞膜恢复

自身调息功能态时脾脏体积的改变：

①气功态前脾脏与肾脏贴紧；

②脾脏体积为 8.7cm 渐渐收缩向内卷与肾脏离开；

③气功态时银屏上可见脾脏；

④脾脏体积收缩为 7.2cm；

⑤脾脏周围出现许多气体；

⑥停止气功态，脾脏体积渐渐恢复；

⑦3 分钟后可下床。

注：a. 肾脏；b. 肺；c. 肋骨声形；d. 测量移距。

6．肝脏体积变化

①发功前　肝宽 8.4 公分。

②发功时　肝宽7.9公分，维持1分钟。

③发功后　3分钟后肝脏恢复8.4公分。

"B"型超声仪（日本 EUB – 22 "B"型）

卧位时：

①发功前　脾脏5.3公分。

②发功时　脾脏2.8公分。

③发功后　3分钟后脾脏恢复5.3公分。

立位：

①发功前　脾脏5.2公分。

②发功时　脾脏2.8公分。

③收功后　3分钟后脾脏恢复5.2公分。

以上测试第一次在华东医院，第二次在上海第一妇婴保健院（美制 ADR – 213 型），第三次在瑞金医院（日本制 EUB – 22 型）。三个医院的超声仪均得到近似的结果即气功师发功时其内脏如脾脏体积缩小，肝脏也有不同程度的缩小，这两个脏器都是血液循环最丰富的地方。气功师发功时此内脏的缩小，必将血液传输到发功最强的部位，即为左上肢。

7. 讨论

（1）中医学认为肝脏是藏血的，而中医学中所指的肝经是在两肋，即是现代医学中肝和脾脏的部位。中医学中又指出："气为血帅"，血随气行。我在以左手运气发功，藏血的内脏受气的引导而供出大量的血液到发功的左上肢，所以肝脏、脾脏明显缩小。

（2）发功的手臂微血管数量突然大增，以适应发功带来的大量血源。人体本身本来能发出生物电，生物电的来源之一与血有密切关系。我在发功时，左臂及手指肌肉饱满，功能统一，正如《内经》中说："独立守神，肌肉若一。"我在发功时正是如此。肌肉能发出肌电，"若一"的肌肉群已成统一化、有序化，即阴阳统一，此时血液的状态也是统一化、有序化。所以此时我能激发超常人的生物电，在真空毫伏表上的读数是11毫伏。

（3）我在发功时，手不仅饱满尤其手指呈绛红色，此时可测其甲皱微循环（二医中医教研室），发现微循环呈停滞状态。说明我在发功时，手微循环呈暂时静止状态，统一状态，有序状态，才能发出本身最大的生物电。

（4）我在复旦大学、华东师大测试时，好几位教师，及几位有特异功能的儿童，都看见我发功的手掌有彩色光，光和电都有一定的波长，若所发出的生物电其波长与受试者体内生物电波长相近，从而引起共振，就同激光共振管一样能使之放大，这种放大后的光电效应可能是调整受试者机体内阴阳状况的机理。

本文仅以我发功的探测内容进行讨论，气功师各有各的特征，除非能探测十几位气功师的实际内容才能发现外气的共性和特殊性。

本文中所提出的阴阳统一，机体的阴阳统一和有序化，则有待进一步探测和研究。

三、人体具有阴阳二气

生命与非生命都具有阴阳属性，因此宇宙万物都是由阴阳（正、负）组合，但是生命是活性的阴阳物质，是"随意"的，非生命物质阴阳（正、负）物质，是不随意的。我们为了论证人体是不是存在阴阳二气，我们做了一个实验。

1980年11月12日上海复旦大学激光组万新浓教师说人体有阴阳二气吗？我回答说人是有生命的活体具有阴阳两气，万新浓说您能在仪器上测定能体现阴阳两气吗？我说，可以。

仪器——用灵敏炭器斗器加检流计。

目的——观察右手气功态时手掌的温度变化。

第一次：能量态前：——右手掌对着检流计17移上升到20格。

气功态时：——右手掌对着检流计2.5秒上升10格。

万新浓说这是红外辐射是一种热的能量，这个现象不奇怪，您能使仪器的指针正转，我就相信人体存在阴阳二气，现不准换手测试，仍用右手。

第二次（腹腔调态）

气功态前——检流计9移上升到10格

气功态后——检流计上升明显减慢，直到停止，以后又在25.5秒内，指针回跌8格。

万新浓说我现在给您写实验报告是无法写的，因为第一次指针上升是红外辐射，能量是热的，可是第二次实验，指针是倒转，我不能写冷辐射——是冷的能量。万新浓接着讲，您用什么方法体现了阴阳二气？我说第一次我是用"逆式调息"法；第2次我是用的"顺式调息"法，看来"逆式调息"在人体产生的能量是热的，"顺式调息"法在人体所生的能量是冷的。

万新浓又说：那么我这个实验报告就这样写："逆式调息"是红外辐射——能量是热的。"顺式调息"是温度下降——能量是冷的。

四、外气的测试

我进行气功锻炼已有几十年，运功时，手上能发放"外气"，我们对这一过程作了物理方法的测试。

1. 灵敏检流计测试

我们采用GB-23型光电倍增管作为探头，与ACG型直流复射式检流计相连接，我运功发放"外气"之手与光电倍增管都罩在两层黑布中，发放"外气"时由光电倍增管接收信息，发放"外气"最强时，使检流计的光斑移动大于140格，若以140格计算，每格相当于8.5×10^{-9}安培，则$8.5 \times 10^{-9} \times 140 = 1.19 \times 10^{6}$安培。这表明发放"外气"最强时的电流大于1.19微安。

2. 真空管毫伏表测试

我们采用G-23型光电倍增管作为探头与真空毫伏表相连接，全部仪器都放在暗室中，暗室外上开一个窗口，手与窗口的距离约20厘米，其间再加一个扇板，因我们当时认为"外气"的信号可能是直流的，而真空管毫伏接收的是交流信号，故加入扇版调制成交流，事后觉察"外气"是交流信号，不加扇板也可以，但交流信号在加扇板后不会影响测量，当我发放"外气"时，毫伏表上的读数为11毫伏。

3. 视觉电生理扫描仪测试

我们还是采用GDB-23型光电倍增管作为探头，与视觉电生理扫描仪相连接，人和光电倍增管都在暗室中，当发放"外气"达到高峰时，荧光屏上出现强烈的波峰。测得结果：光电流（量）2.2 毫伏，脉冲宽度约 0.8 秒。（以上曾刊载于《自然杂志》5 卷 2 期）

4. 研究与讨论

（1）用双手行针治病临床疗效显著，但不敏感体质的疗效不如体质敏感者效果快，这是否与人体阻抗有关系，阻抗大感传不利传导；阻抗小感传容易传导？从对临床治疗来看，患者在第一次或第二次接受治疗时，往往对针刺传导的敏感度不太强；但随着病情好转患者对针刺传导的敏感度增强。

（2）实验用 QT 型电桥对两位不同患者进行测试，证明两手同时行针时，病灶阻抗的急剧振动性降低，提高了细胞组织的代谢功能，我们认为这是双手行针加强了细胞的新陈代谢，使之在短时间内有大量离子输入和输出于细胞，而输出为多，使细胞组织的阻抗在一定范围内急剧下降。

（3）是否可以认为，组织细胞的阻抗下降，提高细胞新陈代谢，从生物电磁规律讲是促进细胞由无序向有序转化。

（4）气功、双手行针的作用与机理的复杂性尚待进一步研究。

（5）生命能量与非生命能量的序化是有别的，因此人体的生命现象与电磁场的非生命现象，其能量的组合和能量的转化是一个新的问题，我们以科学的态度来观察和研究新的事物，有益于世人。

人体科学研究院科学研讨会

……请各位专家、领导多提出指导性意见，另外，也希望能得到各方面的支持，包括专家的指导和领导的支持。从中国人体科学研究院来说，今年是首批科学基金项目，黄仲林教授的是其中之一。首批一共是32个项目，涉及到15个单位，其中7个是高校，还有一些是研究单位的，象中国科学院、工程研究所及一些医院单位，涉及了7个研究方向，其中很重要的一个是骨科治疗，就是黄仲林教授在股骨头缺血性坏死方面的医疗实践。（那么）从整个研究院来说，也准备把这个课题作为研究院在医务方面的一个重要的课题，就是说，用气功双手行针的方法、人体潜能的方法和传统医学的方法加速骨科治疗，这是一个总的课题。黄仲林教授做的就是其中很重要的一部分。当然，他还有其它方面的研究，今天可能都要讲到。所以，在这方面希望得到各方面专家的指导和帮助。下面不多说了，最后，对各位领导、专家及各位来宾再次表示感谢和欢迎。（掌声）

现在请黄仲林教授做报告。

（人体科学研究院院长林书煌同志的讲话）

各位领导、各位专家：

今天由中国人体科学院组织一个科学研讨会。刚才，林院长已经做了简介。现在，让我借这个机会向大家汇报一下，我在治疗股骨头缺血性坏死及其他一些病的临床研究的情况。我很高兴能够得到大家的赐教，我将十分愉快地向大家做这个汇报。

去年，我们开展股骨头缺血性坏死研究工作期间，得到了中华医学会许文博会长、王树院长、尚天裕教授、王云钊教授、周天健教授、范焱教授等的支持。所以，我们的工作一直没有断，一直在进行。从我们临床研究来看，这个工作是有广阔前景的，待会我们还要做些实验向大家汇报。我们的方法又有了改进，疗效提高了。所以，今天请专家们来就是更好地给我指教，更好地指导我们的工作如何继续开展。这里不仅是股骨头缺血性坏死，还涉及到运用双手行针发展到其它方面的血管针导线回路及仪器（即三环）。

第一个问题，我想谈谈发现。

一、人体光路的发现与启示

人体光路的启示，是我搞科学、搞临床开始的。我从人体光路的发现，到双手行针、血管针导线回路及人体与植物体的串连闭合疗法。刚开始是我在练功当中出现光图，我很奇怪，怎么会有这种现象呢？于是，我得到一个很大的启示。第二天我就找了一个年轻人。我想，用针灸的方法是否能激发这个光图？我用单手行针没有激发出来，当我换成双手，他马上就感觉到了，说："红光！"。于是我就明白了，是正负两极闭合激发出的光图。于是我又很快换方向，他马上告诉我："是紫光，方向向左"。换过来之后，他又马上说："方向向右"。通过这个启示，我明白了，人体光路不是幻觉，它确实是我们人体内存在的一种物质。这就是双手行针的发现。双手行针在出现的光路中可以控制方向。于是，我又大量地进行了临床实践。通过双手行针，我又发现了血管针。在一次偶然的行针过程中，我把针刺入了血管。当时，我很害怕，心想：坏了，这可是个严重的心脏病人，我把针刺到血管里去了。可又一想，已经进去了，我先观察一下。咦，血管本来是充盈的，一下变软了。接着，我马上问他："你有什么地方难受吗？"，"不难受，我感到很舒服。""那今天就针至这儿，你赶紧休息。"那时已经十一点半了。第二天早晨五点，天还没亮，我就去敲他的门，因为我仍担心针到血管内可别出什么事呀。我一敲门，他说："黄老师，有什么事吗？"我问他："你有什么不舒服吗？""没有，很好"。于是，我明白了，血管里也是可以针的。这个启示后，又有一次，一个肝癌患者，在肚子上行针，也偶然针入了血管，由于有了上次的经验，我在双手行针的另一头又针入一根针，血管很快就软了。这些启示就发展为血管针。但又怎样发展到用导线回路进行串连的呢？就是通过双手行针的闭合想到血管针的闭合。我开始并没有在血管针而是在肌肉针上形成闭合。那天，我用棉纱线把两根针在捻完针后连起来，是在我们学校一个患食道癌的副院长身上进行的。我把两根线连起来，他没什么感觉。当我把第三根连起来时，他马上说："黄老师，我感觉到光在旋转了"。我用右手拿针问他："现在方向向哪转？"他说："右旋"。我用右手一拿，他说："停了"。接着我又捻，他说："左旋"。那就是说，我用左右手可以控制方向，三根线一连，就可以形成光路。通过这些启示，使我知道，必需三根针闭合才可以产生光路。这样，就发展到血管针用导线闭合。

二、人与植物的关系如何发现的呢？

在上海瑞金医院，我给华东师大一位肺癌患者挂上血管针后，她感觉出现许多光图的变化。我把这一现象给刘主任做了汇报，她开玩笑说："好！你可以想一下，为什么过去在神话传说中的鬼是喜欢躲在柳树之下，因为说桃树是避邪的，她看到了光，她能看到鬼吗？"她只是随便开玩笑说了一下。我想这倒很有意思。第二天，徐州师范学院一位中文老师的老朋友到我那儿来，吃过饭后，我们聊天，我谈起了刘主任的话。这启示了他，说："我记得在古书上有这么个记载：'公孙背上起了个疱，一日抱树大哭，一会，身上疱没了，树上起了个大疱。过几天，树上疱化脓，树枯死，人好了。'"这个典故给了我很大启示。第二天我便去花房买了颗很大的铁树（很旺盛，有十五片叶子），把它带回去与病人闭合连了起来。她说，都是光图，有长的、圆的、螺旋的。我刚把针与树接触，她说："黄老师，光图变了，我看到了梅花、蝴蝶"。于是我赶快连上，我又问："你看到什么了？"她说："我看到松树了。"一会儿，他又看到葡萄了。通过临床启示了我们：树，不仅有植物信息，而且有人的信息。通过大量的临床诊疗，发现病情很快好转，植物对人有很好序化作用。那个十五个叶子的铁树，有八叶死了，中间七叶仍活着，后来又长出五片叶，比原来的大一倍半。这儿都有照片。我们还看到大部分树，最终是要死的。后来，我又做了松树、罗汉松……的实验。各种树各做了实验，发现了各种树的病变，死亡（或者不死）都有不同。铁树是周围死，罗汉松是长出了新叶，死了一半，一半是绿的，不全部死。松树是从里面开始死，不是从树梢开始死。通过这些，我们发现，血管针与树的闭合，对病的疗效比较高。这就是第二个发现。

在这些发现的基础上，通过闭合与回路的治疗方法，其疗效提高，这是源于治病的整体概念：不仅包括病人，还要包括医生。这个试验是在上海复旦大学进行的。他们对我提出："黄老师，您说阳阴，是不是有阴阳两气？阴阳两气您怎么体现出来？"要我试试看。我在他们碳零检流计上进行了试验。他们说："你一个手不能动，要把指针正转、倒转。"我说可以，我把右手对准检流机的探头，用逆式调息，它正转了。他们说这是红外辐射，不奇怪，要倒转了，我们才承认它的阴气真正出来了。我说好，换成了顺式调息，指针倒转了。因此，我们气功里的顺式呼吸、逆式呼吸就是正负阴阳关系。他们无话可说，真有阴阳问题。后来，他们又说："双手行针是闭合回路，这在物理上是讲得通的，两手正负相对中间产生场，闭合回路形成电流，那么，我想问一个问题，其他医院针灸是单手捻针也能产生麻，你说这是不是电流，是不是闭合？"我突然来了灵感，答复说："这也是闭合。"他们说："怎样闭合？"我说："你我同站在地球了，通过地磁场的闭合。"他们说："对"。这时我又受到了启发：病人、医生、地磁场产生闭合。"我们的生物场控治疗仪（就是三环，已申请专利，今天将在此公开），就是根据这个原理发明的。这个仪器的作用在于，医生不行针时，利用病人本身的能量进行自身调节。我们就当场演示。

三、人体光路的实验

这个问题涉及到双手行针及血管针的问题。关于人体光路的问题，为什么闭上眼睛就能看到光图，睁开眼睛就看不到了，人体光路到底存不存在？上海华东师大、复旦大学、瑞金医院、同济大学等与我合作，研究光的问题。通过复旦大学的测试发现，人体确实可以发光。当时有很多科研单位参加，一百多名专家在场，当场测试结果大于 119 毫微埃，碳零检流计指针已出格了。这个实验证明人是可以发光的。在《自然》杂志（1983）上发表了这一结论。关于闭着眼能看到光，是否幻觉这一疑问，我们在上海第二医科大学找了103位四年级学生，每两人一组进入暗室试验，看看能否见到光路，并没有给他们任何启示。后来我们又去扬州找了106位三年级的卫生学校的学生进行了试验，共209位学生，统计38.9%的人能见到光。因此说，人体光路并不是每个人都能被激发出来的。后来，我们通过许多方法试验，都没能摄到这个光，但它确实出现了。现在，理工大学校医院的巴大夫就在这里。她在挂上血管针后就看到光路及内脏。海南岛一位学员，回家后给他父亲挂血管针。第二天他告诉我，他父亲能够透视了。还有个湘襄市的工程师，患了血癌，挂了血管针后不仅病治好了，而且成了有透视能力的特异功能的人，现在很多人都去他家找他透视。临床表明，特异功能能够被激发，诱发出来。不过，血管针的原理还有待于我们进一步研究。

（1）华东师大的微波试验　这次试验也出现了阴阳二气。第一次用3毫米探头，"叭"的一下出格了，我离开后指针一直回不到原处。后来又换了台有两个指针的仪器，让我右手对准5毫米探头，肚脐对准8毫米探头，同时进行，看看有何变化，结果5毫米探头正转，8毫米探头逆转。这个结果他们也不好解释。我想，我们在座的专家们以后也可以试试，看看人体的阴阳到底应该如何区分，怎样体现，这有待于我们将来的研究。这对感传、治病都有很大的意义。

（2）磁场实验　那次，我在青岛给人治病（国家海洋局第一研究所），用磁化验仪在治病前测病人为41加码，然后由我在病人肚脐上发功，到了81加码。后来我又跟随他到青岛，专门去试验，同去的还有海洋物理学院的一位教授。物理教授先上去试验，指针不动，后来他发功，指针动了3加码。我上去，手刚放上，指针到了43加码，我一发气，指针到了82加码。他说练功人平时的能量就比一般人要高。我们针灸大夫平时练了功，去捻针与其他人当然能量不一样。我们在双手行针前面加了"气功"二字。我们平时练功，能量就大。关于气功与行针我就先解释到这儿。

（3）关于癌细胞　我只是简单地说一下。我们做的肺癌细胞杀伤率为58%（获上海市科技二等奖），宫颈癌细胞杀伤率为42%，上海的肺癌细胞，北京的宫颈癌细胞试验都是成功的，这表明气功是有物质基础的，值得研究的，将来我们可以共同把这些事情弄清楚。

（4）双手行针技术与临床现象　双手行针的发现是从光路开始的。后来在临床中，双手行针出现的很多现象，我无法说清楚。我认为，针灸产生的感传是人体能量有序化的体现。针刺感传的整体性应该包括病人、医生及地磁场。我们认为生物场治疗仪也是根据这个原理。体位的不同决定我们捻针的感传能量的序化和方向也不一样。

①针刺感传的坐标系　我们发现，双手行针的坐标系很强，可以上下、左右、前后联系，去掉一方都不行，就没有了立体感传。双手行针就有这种感觉。我治疗股骨头坏死就是利用立体而不是平面感传。在这个基础上，我们把双手行针予以发展并用多人多手行针，有了立体性。

②感传的层次性　我发现麻的感传有层次性。右手捻针是在深层，在肌肉层；左手捻针在皮肤及脂肪层，在浅层。不同的手捻针，感传的层次也不一样。

③感传的可控性　捻针时左手为定向，右手为指向。我们换手时，就可改变感传的方向，医生就可以控制感传，使它传到病灶上，作用到病灶。

④针刺感传及其运动形式　感传的传导有多种形式。我们发现，右手捻针是脉冲传导，左手捻针是波形传导。双手行针形成一个回路，既有脉冲传导也有波形传导。其运动形式改变了，前后行针产生感传为螺旋形，左右捻针为弧形。在捻针时，我发现运动形式是多样的，尤其肚脐针为最强。肚脐为丹田，开始捻针时产生的感传为波形，如石子落水。其他地方为直线传导。我通过人体光路也发现它确实是涡旋形。这就证明肚脐是人体磁场中心，也是人的中心。人在胎中是先由肚脐，先由中心，而不是头、手、脚开始的。在大量的临床中，我发现肚脐不仅可以针，而且治疗效果非常好。

⑤针刺感传与能量转换　行针有左右、阴阳之分。阳与阴的热度不一样。阳是热的，阴是凉的，所以有阴阳之分，我捻针时可以控制它温度，可热可凉。在临床中，能量的转换对治疗很有作用。有些股骨头病患者在捻针时感觉发热，有的却感到冒凉气。为什么出现热或凉的现象？暂时还不清楚，也许与病人的体质有关，要通过大量的临床实践才能肯定这个问题。我1987年

前一直在上海瑞金医院搞肿瘤诊治。我们研究发现，恶性肿瘤向外辐射的能量是热的，良性肿瘤是凉的。到底用热好还是凉的好，我做了大量工作，至今仍未得到结果。我可以通过手感觉肿瘤的热凉，告诉病人肿瘤的恶性或良性。针灸可以产生能量的转换。这个问题有待进一步研究。

⑥针刺感传与穴位　我们针刺不完全讲穴位，因为每个细胞都是磁场，都有电场，行针就能传导。因此，我主要讲方位。比如股骨头，我在左右捻，另一人在前后捻，按方位来进行。医生站的方位不同，本身的能量也改变，方位很重要。

⑦针刺感传与机械运动（脏器运动）　可以通过捻针让病人感觉到肝的跳动及温度的改变……

⑧针刺感传与人体光路。（无录音）

⑨针刺感传与调息　人有阴阳二气。逆式吸气时收丹田，呼气时鼓丹田。顺式吸气时是先鼓丹田，膈收丹田。我们平时都是顺式呼吸。我们行针时要调息，产生逆呼吸来行针，改变感传方向。

⑩针刺感传的对称性　针刺感传的对称性很强。八卦中也讲对称。我现在捻针，右手拿针为阴，患者左手拿针为阳，上为阳，是阴阳阳三者能量序化，产生传导，我左手拿针为阳，患者右手为阴，下为阴，是阳阴阴，正好是八卦对称，组合阴阳。

四、双手行针技术的发展

（1）多人多手行针　三至四人位，医生与病人组合行针。一开始，我就发现用双手平行针能激发出光路，而单手行针则不行。有人说，我们平时闭眼也能看到光。但那是无序的，而我双手行针激发出的光则是有序的，可以控制方向。现在我已发展到三至四人行针，后又改进为两个医生加上患者三人行针，疗效更高了。医生与患者组合对病灶进行行针，由医生双手主行针，另一医生、患者各单手执针。换手后可由左旋转为右旋。这样功能与电子的显示都有了改变。吕万有、汪伟、周永锤、权昌道四人的病是最厉害的，X片显示，经25次就有了改善。患者请吕万有说说他的情况。"……我针灸后

（27～28 次）功能改善得特别好。我以前蹲，只能脚尖着地、脚跟挨不到地。现在脚跟能挨地，效果很明显。在运针时我觉得股骨头周围发热，就象针是烫过一样；还感觉到股骨头周围的热流在旋转。我自己拿的针也有感觉，通过几次拍片，都发现有明显的效果，骨小梁转得比较快。"（注：患者所讲的应是指骨小梁开始修复）汪伟："扎了 25 次，关节的间隙明显增宽，骨小梁都比较清楚了，疼痛减了，功能也改善了。"

以前我针刺的方法只是医生捻针，现在发展为医生与病号一起组合捻针，疗效更高了。

（2）肌肉针血管针组合运用　针完血管针，马上针上肌肉针，我一手拿血管针，一手拿肌肉针，发现疗效更高了。通过这儿几根方位针能控制全身主要的内脏器官。

五、血管针导线回路

我们先给病人扎上针，然后再讲。（扎针准备）。

试验患者是理工大学校医院的大夫巴东同志，内循环不好，胃寒。现我用导线绕成 8 字形，因为 8 字形是立体的。你们看看，她的脸比刚才红润多了，微循环得以开放。我在山东曾做下一个试验。一位 62 岁的患者做了血管针后，他的微循环开放相当于 35 岁的年轻人。同时，我们在泰山医学院做下20 项血液指标，发现血脂降得特别快，免疫能力增强，个别可增加到 500～800，有整体调节作用，对心脏病的疗效也比较好。我给日本的有田治过 1次。他的心脏传导组织有点失常，做了 1 次后，用心电图观察已显正常。血管针对心血管治疗很理想，对糖尿病的治疗也很理想。据我们在徐州分析统计，有效率为 80%，个别很理想的至今未犯。还能治脉管炎。理工大学的家属，她脚面、脚趾都是黑斑，治疗 3 次有改变，九次就正常了。济南一个脉管炎患者，她从大腿根一直往下都是黑的，治疗 12 次基本上就改变了。通过挂血管针，可以整体的调理病人。如挂血针治疗糖尿病、鼻息肉疗效也很好；治疗心脏病的同时，膀胱炎也好了；有的 26 年便秘也好了。有些事我无法解释，只能说整体改善了。

请巴大夫说说她的感觉。她说："开始的光，中间是绿的，周围是黄色的，现在中间是黄色，周围是绿的，而且排列得很好，很漂亮的光圈；全身发热，手心出汗，接上线后，眼脸不停跳动，不由自主，10 分钟后才停止。我挂了 6 次，胃也不寒了，晚上值班夜班也不冷了。"

血管针与肌肉针组合可使内脏器官发生机械运动。我现在做示范，叫巴大夫自己来说。我们已扎上四根方位针，暂且称为东南西北吧。我上面拿个血管针，下面拿个肌肉针开始组合。这下面是脾。"到了吗？脾跳了吧？""跳了"。现在我可换一个，叫她肝跳。"跳了吧？""跳了"。用这个方法，曾给秦皇岛燕山大学一患肾癌的教授治疗 20 次，就变为良性瘤。我们现在是把感传直接作用到病灶。我们需要它到肝它就到肝，需要它到胃就到胃。我们再加上三环，效果更好。会前我给一领导同志（肝癌患者）加上下三环。他患肝癌，有几位专家同志去看了，他感觉很好。所以说，血管针与肌肉针组合，效果非常好，可以治疗脉管炎、心脏病、糖尿病、肠胃病等多种疾病。你们所看到的仅仅是我可以组合的 80 多种血管针的挂法的其中的一种。巴大夫："我现在感觉扎上方位针后，光变成方块的，全身很舒服。"

现在我们有四根方位针，由我们三人捻针。我拿两根，他们一人一根，形成闭合回络。我都用右手，患者自己也拿一根，她就会麻得很厉害。"到了吧？""麻了"。它就开始左旋。我们用上仪器三环，就不用人捻针了，她自身可以自己进行调节。这仪器需要一个启动时间。

我们先到血管针这边来。"你有什么感觉？""全身很热。"她的血液循环加速。取下针，由她自己说。"我微循环不好，胃总是凉的、胃、腹部都是寒的。我以为我有胃病。因为我患过浅表性胃炎，结果西安医院测得我的胃的温度很高。他们说不是胃寒，是微循环问题。他们开的药没有吃。后来我请教黄老师，他利用中午休息的时间给我扎了 4 次血管针。第一次全身大汗淋漓，第二次从来不出过汗的脚也出汗了，而且出现了不同的光，开始见好。以前我睡觉时总觉胃里象搁了什么东西似的，绞着痛。扎了几次就好了，现在就只是觉得后背有点痛，胃没什么感觉了。指甲原来发紫，现在也变红了，不怕冷了，觉得有使不完的力；睡觉也安稳了。我以前有内分泌系统的疾病，甲状腺机能亢进，免疫功能不好。我觉得血管针对我全身的调节有很大好处，而且我每次都有不同的反应，还看到过立体的光标，象长方形，正方形、球形的，而且颜色都是很漂亮的，症状都比以前好转了"。

我们再到股骨头那边去看看，"你感觉好吗?"患者："现在围绕股骨头右旋，扎针的部位及大腿部位的血管都在跳动。这种感觉很舒服。开始旋转慢，现在渐渐加快，股骨头有一种酸胀的感觉。"我们现在也叫自身调节，她自己拿中间这根针，她捻针，自己的感觉就重。患者："现在感觉强烈了。"以后可以此治疗股骨头坏死，我们医生治疗是一种方法，病人自己参与行针治疗也是一种方法，利用自身能量让它旋转在病灶周围。

另一患者成大夫："我是膑骨软化，类风湿型关节炎，上下楼困难，骑车两腿软得无力。我扎了第一次针就见效。我因时间比较紧张，每周才扎1次，第二天有些针灸反映，第三天比较舒服，第四天象好腿一样，上下楼比较容易，到今天一共才4次。那天我们单位春游，至碧峰山，我爬上去了。这在以前是不可能想象的。双手行针与单手行针的疗效就是不一样。"

再看看股骨头患者。"现在转得比刚才还快，感觉从膝盖到小腿，一股热气从涌泉穴涌出，整条腿热乎乎的，涌泉穴开始出汗。"针感的旋转方向跟我们的绕线形式有很大的关系。我向右绕它就右旋，向左绕它则左旋。

下面我们医生再加入她的调节。我开始行针："到了吗?""到了。"这里我得说明一下，我们医生调整和患者自己调整是截然不同的两回事，所产生的能量也不同。关于这点，我们暂时不做详细说明。

关于股骨头我治了300多例，没有疗效的基本上没有，恢复速度有快有慢。恢复最快的是济南的张莲礼，只治疗5次。来时不能翻身，拄双拐来的，五次后完全恢复，正常，能翻身，弃拐，而且可走20多公里路。X片显示恢复最好的是上海的曹世刚，仅两星期股骨头就开始修复，功能也恢复了。但也有很慢的病例，一般需3~5个疗程；有明显改变，可撒开双拐。

六、人与植物相互作用

有个叫张万林的病号，针了6个疗程，每个疗程12次，没有疗效，他说："黄老师，你给人治肺癌，用松树连起来，也给我连颗松树试试吧。"于是我选了两盆桦树，一盆留作对照，一盆给他连起来。两个疗程 24 次后拍 X 片，裂开的骨头愈合了，五块碎的骨头也开始愈合了。通过这次，我发现树对股骨头坏死有很好的作用，是以生命问题对待生命问题，是活的对活的，不是死的对活的。这是一个很有研究潜力的课题。

中医讲究正负和阴阳。大家都知道，要研究人体科学就必须要讲正负。我们治病讲正负，是讲科学。所以，中医所讲究的正负阴阳潜力很大。

从我们了解的大量的临床现象及研究的情况来看，我们还有大量的工作要做。但靠我自己是没有办法来完成的，首先缺乏经济条件。我没有仪器，只有两根针，光靠两根针能解决科学问题吗？显然不行，要得到一些数据，没有仪器是很难的。所以，需要各位专家的鼎力相助。二来我年纪大了，不是专门搞医的。我学的是运动医学，要独自完成这么一项多学科的研究也是很难的。所以，我希望能够得到专家们的支持，共同深入研究祖国宝贵的医学理论，丰富诊疗方法，使祖国医学理论发扬光大。

下面是专家发言

我先来做个抛砖引玉吧。我的名字叫谢焕章，北京理工大学的。我也是中国气功科学研究会学术委员会的负责人，我从学术研究方面，对黄仲林教授的工作提些看法和建议（我的电话号码：8416688 转 3228，邮政编码100081）。今天详细地听了黄仲林教授的报告，对我们很有启示，对我们气功研究会来讲，这种带有气功的双手行针的研究方向、方式、态度都很好，我们都是非常支持的，因为气功界很乱，有的气功师讲的就是神神鬼鬼的那一套，但黄仲林教授就没有这样，他都是很科学的、实事求是的，并且很谦虚的讲他的经验，实实在在地把病治好。对于这种态度，我们气功科学研究会是支持的，我们学术委员会也是支持的。至于说双手行针的原理还有待于研究，这种态度是科学的、正确的。我从我对气功的研究，对工程热力的研究来谈谈我的看法。我觉得，双手行针的原理就在于不平衡和变化的多样化，是推动生命向前发展的动力。人体上很多东西都是不平衡的；多样化的，变化多端的。正是这种不平衡，多样化才能推动人体的健康发展。举例说吧，人们都以为心脏的跳动是均匀的，但我们用精密仪器测得它是杂乱无章的。哈佛大学测出人在死亡之前心跳才是均匀的，濒临死亡了就平衡了。所以说，健康的人是不平衡。

黄仲林教授正是运用了这个生命不平衡的原理。因为两手之间温度不一样，电磁波、电场都是不一样，所以两手并行必然构成一个回路，我非常赞成黄仲林教授提出的这个"回路是有生命的回路"。我们吃中西药都是无生命体中不平衡信息（包括电、磁、红外线、电磁波）。其它用途上大于人工制造的这一切，因为这是活的，有生命的信息。所以双手行针是用的生命体的信息治病，效果很好。至于为什么高疗效，我的建议就是要很好地注意电磁波的问题。根据不同体位测出不同的电磁波。钱学森——钱老也认为，在外气、内气中，电磁波也起了很大的作用。细胞能发射电磁波。还有一个是时间的问题。比如，深夜两点做的实验和晚上六、七点做的实验效果肯定不一样。人体是一个发射电磁波的总体，同时，也是一个天线，可以接收电磁波。我猜想在双手行针中，电磁波起了很大作用。当然，电流、磁场也起作用。双手行针跟身体的方向有关系，跟外界电磁波结合，产生某种高频的短波（8毫米波、5毫米波）进入到人体中来，起比较大作用。还有，你那个仪器就是环形天线，加强了直线的作用。我觉得应在电磁波方面多下点工夫。建议跟我们学校五系合作，来测量其中的电磁波。但困难是很大的，因为我们生活在一个充满电磁波的空间，要完全测这些电磁波是不可能的。我们学校有个地球物理研究所零磁实验室。在这儿它的磁场为零。普通一般为0.5，可屏蔽外面的磁场，在里面做的双手行针实验才比较科学。我听了报告后觉得很好，是治疗股骨头环死有效的方法之一。更重要的意义在于使人体科学打开了一个窗口。钱老讲过，气功是敲开人体科学的敲门砖。我说，双手行针也是敲开人体科学的一块敲门砖。通过双手行针深入下去，研究细胞与电磁波的关系，可能揭开人体科学的奥秘。我觉得它的意义大于治股骨头坏死。今后我可以和黄老师一起做实验，技术合作。完了。

积水潭医院王云钊：去年有一次我到黄教授处参观学习，他给我扎了一次，感觉很强烈，受不了。这可能就是谢教授讲的电磁波。他扎的不是传统穴位，这又跟针灸不完全一样。我觉得要进行研究的话，有的感传觉得热是不是与血管有关系？血管扩张感到冷、凉，是否血管收缩？这是否能作血管摄影，高速摄影，X片摄影，还有DAC？不妨找一两位患者试试。至于说看到光环，我觉得这是一种感觉，因为我们蹲着，站起来眼冒金花。这金花实际上不存在，是视神经的一种感觉。为什么38.9%的人感觉到光环？这不太好捕捉。还有一个问题，治疗肿瘤缩小了，这有CT，就能证明。这个工作要继续研究下去。治疗一个疗程前后做了CT，就能证实它确实能好。至于为什么，这是否能通过免疫系统来考虑，慢慢探索。针灸是我国医学，是科学的，这是全世界都公认的。加入气功了，不完全按穴位，这是否调动了人的免疫系统确实提高了，也可能现在有这种材料了，能否继续进行下去？怎样才能证明这些病确实好了？我就提这么两个建议。完了。

北京安贞医院内科范正定：我是黄老师的学生，想通过这一机会谈谈自己的体会，主要目的是向黄老师学习，因为我们医院是搞心血管的。一般有这种现象，越是大医院，有现代化手段的，对这些越是不信任。前两天，人家看报道，安贞医院换心成功。这在人体科学上也是一个很重要的突破。其实人体上有许多无法解决的病，希望能通过这方面的研究得到解决。癌症，过去的治疗，一是化疗，二是射疗，再就是手术。但最重要的是第四种手段：免疫疗法。在50年代有人就偏重这个问题了。把病人身上的癌细胞经过处理后，再用到病人身上去。现在，我们病人通过气功，双手行针治疗后，能够活得很健康，这是免疫系统在起作用，正气战胜邪气。打开人体科学大门的一把很重要的钥匙就是气功。黄老师的血管导线回路，线的本身，如漆包线，一段普通线也能出现光图。所以我觉得有些病的治疗就是取得了一个信息疗法的作用。信息疗法到底是什么，还有待于我们进一步探讨。有时我们人体的局部问题就会引起整体反应。我们的耳朵就代表一个整体。有耳针疗法，鼻针疗法，面针疗法，眼针疗法等。我觉得黄老师的双手平行针疗法是立体概念，是三维空间与多维空间的方法，产生了很好的效果。我认为，治疗股骨头坏死，主要是三维空间方面的。平面和立体是不一样的。血管针不是三维的，是多维的。有些病人在治疗期间产生不同的现象，确实有很多出现光图现象，我们并没给他任何暗示。有一位神经性耳鸣引起耳聋的病人，两个耳朵，一个几乎听不见，一个很差，有几次在挂血管针期间，行针后耳鸣有所减轻。还有一位心血管病人，在针的过程中效果不明显，现在停针后一个星期左右吧，他的胸痛慢慢没有了，心电图正常了，而这位患者在针的第一、二次时出现的现象在别的病人身上没有，他的感传是从中指开始，波浪性传导，不是象传统针灸的直线传导，波浪性传导后转圈 11 次，然后又波浪性传导。这个问题证明，在目前许多疑难病，双手行针可以取得进一步疗效。要证明光图比较难的。我们每个人都有光圈，有的比较微弱。虽然我解释不清楚，但是我觉得这个现象还是客观存在的。不止一位病人跟我谈起这些现象。北京朝阳区无线电厂修理部主任，得了白沙氏癌，很严重，他过去每次针刺都出现光圈，形象非常具体，什么形式，什么颜色都能说出，可是现在每次都没有，他也奇怪，我也奇怪，但更奇怪的是针后几天出现了类似的光图现象。甚至他到四川出差一个月，有四次出现类似现象。我想那是自身调节的作用仍在继续。还有一位民政局福利处的白先生，白沙氏病人，他吃了两三年的激素，没有作用。他来时我向他提出停止服用任何中西药。他还有口腔溃疡，外阴溃疡，脚后跟痛，针了 3 次后出现很明显的效果，出现的光图五花八门，非常美妙，身体还发热。我给他留下两个小时的针，他感觉浑身象冒火似的，有时还感觉左手非常轻，右手非常重。当时我想，是不是电作用于经络？因为黄老师不讲究经络，只讲立体。黄老师双手行针治疗股骨头坏死已通过了鉴定，成效可观。但我想丰硕的成果远不止这些，远景是十分乐观的。拿治疗股骨头来说吧，他通过方位的概念，把能量聚焦。血管针则能通过自身进行调节。有几位病人都有瞬时的飘起来的感觉，这决不是偶然现象，但又不好解释。我们若是能通过这些现象进一步探索其本质，更能推动它前进。我觉得提高微循环气功学这是很重要的一点，也就是钱学森同志提出来的，着重从临床的角度探索气功和人体科学。双手行针本身属于边科，交叉学科。在这里，都觉得免疫功能的问题属于流变学的改变。为什么病人都感觉热？这要从免疫、微循环、生化、物理等学科多方面来解释，简单说一个方面是不好解释的。每前进一步，在治疗上都有一个新的突破。我觉得气功双手行针的方法起了一个全息疗法的作用。国外许多病在无法治疗后，又回到自然疗法中来。黄老师提出的气功双手行针，我理解有两个概念：一个本人在气功方面练得不错的，他跟别人扎针效果不一样的；另一个，病人在双手行针中，可能诱发出气功态，如血管针导线回路中，病人出现的诸多现象。现在我们应有这么一个共同认识：不管你用什么方法，何种手段；只要有效，我们就要去研究。我们对于任何一种学说都是这种态度。如小平同志所说："不管白猫，黑猫，捉到耗子就是好猫。"所以我们第一点就是肯定疗效，第二点为什么有效？这就需要我们进一步探索，举一反三。请指正。

这是另一位同志的发言：我今天是做为一个病人来的。我是晚期肺癌，作为病号，不管他用什么方法，什么手段，只要治好病就行。我又是特异功能研究所的，能源部才能研究所的。我挂了好几个单位的职务，对这个研究，我们从科学上讲，有欠缺的地方。比如，你讲的阴阳问题和行针的关系。据我们调查研究，左右手是有极性的，有极性的占了82%，而且多数人左手有发热的感觉，右手有凉酸的感觉但有些人也相反。如果按照你那样不变的阴阳说的话，多数人会有效，但有人则效果会差些。我觉得要用科学的仪器测量某个人的阴阳是否相反，因人采用不同的方法。有的人几天就好了，有的人一年都好不了，这是否与人的阴阳极性相反有关系？如果不加上现代化的科学仪器，单靠经验摸索，这种方法在古代行得通，但在现代，我认为就有点盲目了。这就得增加科学仪器。做好人体科学研究，关于光图，如果我不是搞特异功能的话，我不会相信你这种说法，因为是病人的主诉，没有科学依据，不是科学。但我可以给你介绍，上海科技大学材料系的一位教授叫吴翁海，他介绍过一种方法，说可以看到人的光环和人体发光的现象。你可以跟他联系。如果他的方法能用到你这儿来，那么你的科学性就可以大大提高。关于人与电磁的关系，我们在1988年已经开过鉴定会，在理论上已解决了。我们研究的结论是人体的细胞具有半导体的性质，人体接收和发射无线电信号。这样人体的电磁特性就很完美地解决了。我们科研88年就公开了。搞科研不注意别人的信息，这很遗憾。关于癌症的问题。作为病号来讲，我肯定他的成果。作为科学研究工作者来讲，我觉得其中有些还不很完善，因为我本人也是癌症患者，又是晚期转移的。按医生的说法我已经死了。而我还活得很好，因为我做过化疗、针灸、按摩、药物治疗等，究竟是哪一种起作用呢？还是综合起作用？一套方法要证明对癌症有效，第一，对癌细胞有没有作用？第二，行针使癌细胞有何变化？先在动物身上做，把癌细胞移植到动物身上，再双手行针看看有没有效。若是没经过动物直接在人身上做是违法的。作为我自己来说，效果也不错，我底气很足，说话声音也宏亮，脸上也胖起来了。癌症与免疫功能的关系还值得研究。再者，关于人与植物的关系，我们拿仪器从人身上、动物身上、植物体上都发现有各种各样的二极管出现。我对把人与植物联系起来治癌特感兴趣，因为我发现人与植物都有共性，就是它的光外子特性。如果能测出不同植物对不同癌症发生作用的数据的话，我想这对您的科学研究会有帮助吧。最后一句，不管在理论上怎样，方法有用是很有意义的，是值得推广的。

　　我是搞气功健美的。我想从理论方面探讨气功对医疗的作用，解决一些疑难杂症。我个人觉得双手行针比单手行针的优越性在于：单手行针是一条直线，比较弱。气功讲究多维空间。大家都在探讨外气和经络的问题。黄老师气功、经络、针灸结合在一起了。双手行针的作用比单手行针强烈，作用范围也广。治疗股骨头坏死，国内还没有比这更好的方法。手术既痛苦也不保险，因此，在这个疑难杂症上黄老师对医学方面还是有贡献的。他和他的学生们都在艰苦创业，逐渐发展，我愿意与专家们一起共同探讨。黄老师与医学方面结合起来还是很有前途的，但这种前途与各位专家的支持与引导是分不开的。我个人患膑骨软化、类风湿关节炎、骨刺等，我仅扎了4次，疗效非常好。我觉得只有自己体会后才有发言权。治疗股骨头，有的骨头碎裂，治疗一两个疗程就长圆了，有X片显示可以做证，这是科学的，假不了。黄仲林老师这方面的突破对人体科学的研究是很有意义的。他能解决高血脂、高血糖、高血压的问题，这种疗法可在医学方面、健康方面、人体虚弱等方面相结合，这方面还有待于临床的进一步验证和收集资料。只有这样，才能发展下去。

　　我是煤炭建筑工程学院的。黄老师的双手行针已经有多年。从他今天所讲，可见已发展到一个高层次了。从咱们中国的中医来讲，是老传统了。在国外也有很大发展。去年我去西德，就想把黄教授的方法向西方宣传宣传。我在柏林大学医学院找了几位外科教授，专门治股骨头坏死的。我把材料译成德文，加上自己口述，他们都很爱听，觉得很神奇，了不起。但由于我不懂医，他们提出的一些问题，比如"股骨头已坏死，怎么能再生呀？"我也答不出来，从 X 片上看，确实痊愈。欧洲许多国家对我国的针灸很感兴趣，他们也想做一做，虽然他们医学很发达，但对化学药品也很反感，想学中国的气功、针灸这一套理论及方法。带去点儿中草药他们很欢迎。黄教授搞的这些层次比较高，效果又很明显，所以不但要在中国发展，而且要传到全世界去，为全人类造福。打到国外能得到一些财政的支援，对科学发展有好处。黄教授搞了这么大的成果，也得到了许多人的承认，要有国家颁发的证书才好。因为在国外，有证书人家才会来聘请。因此我们国家的一些权力机构在这方面应给予支持。另一个方面，也可向成都中医学院挂上号。我在柏林问人家："你们在哪儿学的中医？"很多人都是在成都学的。人家每年都办半年的学习班。黄教授的层次更高，所以也可以办个学习班，吸引他们来学习，并进行临床治疗。不但在国内宣传，而且向全世界宣传，这样发展更快。我是搞自然科学的，听了几次演讲，发现许多问题已超过医学范畴，涉及到物理范畴。许多科学难就难在跨科学，在某种程度上可以和国际上联合起来。

今天会就开会这里，散会。

一九九二年四月十八日

黄仲林教授论证宇宙圆周率是 3.2

本刊讯（中央人民广播电台记者王瑞庭、北京卫戍区司令部张永敏、本报记者张砚）

山东农业大学教授黄仲林长期从事易学研究。黄教授认为，远古数学起源于自然界，起源于天体运动，在 6000 多年前体现中国传统文化的易经中就表达了当时人们对天体运动规律的认识以及对数学的研究。今年 10 月，在郑州召开的中医与周易国际研讨会上，他递交的论文"中国《八卦图》与宇宙圆周率"，论证了圆周率的值是有理数。

中国《八卦图》揭示出宇宙圆周率值　《八卦图》的"圆居中央，线列八方"是用宇宙全息符号"－－"来表示，图中央的回互"～"是宇宙太阳系九大行星以第五颗行星为中心左右对称而形成的三维立体的圆周运行轨迹，是一条时空扭曲线。若把九大行星的总体结构划分为 8 个角，每个角是 45 度，以线相连，就会发现以第 5 颗行星为中心的左侧 4 个星球（1、2、3、4）是右旋，而右侧 4 个星球（6、7、8、9）是左旋。在每个空间方位角上均匀对称于中心行星数"5"分布 2 个行星。因此，左右对称行星相反力形成"场"，其运动的扭曲力矩右旋为阴，左旋为阳。由于九大行星的运动，产生了太阳系的能量中心，即太阳，天体运动的圆弧边界轨迹为 360 度。把这个能量旋线涡的中心圆，其值用天"3"为阳，地"2"为阴，以天地定位，写成 3.2，称为"宇宙圆周率"常数。"八卦图"回互运动曲线，阴阳对称，能量守恒，能量转换与递送形成均衡的能量旋线涡——能量中心，体现了宇宙太阳系一切物质演变、转换和进化。

3.2 是确定圆周方位角度为 360 度的依据　任何圆周角的标定角度都采用 360 度，这是由于天体九大行星分布在三维空间直角坐标系中的 8 个方位数确定九个行星平面运动圆，共在 8 个方位角度（块）中。第一个行星分占一个角度块，第二个行星分占两个角度块……直到第 9 个行星分占九个角度块。每个方位角内是 45 块，整个圆周有 8 个方位角，用 45×8＝360，说明九大行星运行一周是宇宙太阳系的整体。在八卦中，用方圆 3.2 按太阳系九大行星沿方位角运行一周 360 而定的圆周角度，从 1×8＝8 至 9×8＝72 之系列数相加，其总数为 360，既反映了客观实际，又是严密的数学结构。

黄仲林教授认为，360 度是天体圆周运行的周长数，3.2 是方位圆旋线能量中心数之比值，是整个太阳与阴阳变化，万物生长之数，是中心与边界对称平衡运动的能量守恒规律，是宇宙太阳系统一场的整体描述。如果将 3.2 与 360 度合为一个图像恰好是一个《太极图》和太阳磁场变化的曲线图。

有关人士认为，黄仲林教授发现并提出宇宙圆周率，前所未有，意义深远，会引起国际和国内学术界的关注。

（本文为《人民日报》情况汇编第 595 期）

《八卦图》的启示

——宇宙自然数与"宇宙常数"3.2

序

　　中国《八卦图》是东方文化一颗璀璨的明珠，是一份宝贵的文化遗产。是先哲们智慧和心血的结晶。产生了巨大的影响，并将继续影响和推动着世界的前进步伐。……

　　圆图是讲"坐标"，方图是讲阴阳"对称"互补。合图为三维六合体坐标系，这是数之自然规律。是天圆、地方的宇宙观。

　　任何自然科学理论，都离不开哲学思想的指导，正确的哲学思想有助于自然科学形成正确的科学理论。而错误的思想和方法会把优秀的科学家引入歧途。因为哲学的洞察力是会远远超过自然科学的本身。《太极图》是人类祖先留给后代的绝佳传世瑰宝。这是全部宇宙数理论，是亘古一图，包罗了"天、地、人"之万象。

　　老子说："道生一、一生二、二生三、三生万物"……

　　《八卦图》的"模式"函盖了宇宙自然界一切的信息：物质的转换，生物的进化，天文、地理，等等。揭示了三生万物的真理和自然界一切，生命的和非生命物质都要严格的遵循自然规律：不是人能完全改造自然，而是人在"改造"自然的同时，要顺服自然规律，降服于大自然："天、人"合一。

　　《八卦图》《太极图》是论宇宙天体三维坐标运动结构的"模式"，它所透出的信息和宇宙空间的信息是相同。形象地反应了天圆、地方、阴阳互补、万物演变的自然现象的普通规律，天圆为"9"（九大行星回互运动），地方为"8"（八个方位），先哲们的聪明和智慧给我们留下了这张宝图，为我们后人的继用和发展，提供了科学的论证。

从数学的"模式"的《八卦图》是一个方法论——作为一个工具和导向的认识，把客观的事物，从空间推向社会，另一个是宇宙观——把握阐述和解释宇宙万物生长发展和万物演变而运用于社会，因此"八卦""太极"包含着极其深刻的中国古代自然哲学的世界观和方法论原理。

《八卦图》不仅是社会发展史上的进步，也是哲学史上的一个逻辑起点，通过人们的不断挖掘、探索，从而使我们能用《八卦图》的思维"模式"，加强对宇宙自然规律深入的认识、规范、发展和推广，才能去"改造"自然，顺服自然，使人和"自然"和谐相处，这将对人类的进步及科学各个领域的发展，起到重大作用。

18世纪，被誉为德国当代百科全书的莱布尼茨说："圆图是在传于宇宙间科学中之最古纪念物"。中国的八卦，就是人类流传于宇宙间的一个万能方程式。它所表达的阴阳对立统一的法则，从本质上认识了世界、模拟了宇宙数理模型，是人类大智慧的产物。中国历史久远，从伏羲氏算起，有6400年之久，且有文献可考证，如始于尧，也至少有5000多年的历史。在《周髀算经》中有言数之法出于圆，圆出于方，方出于矩，矩出于"九九八十一"。

从《八卦图》的无极"0"和太极"1"，用阳"——"为3，阴"－－"为2符号完全函盖了整个宇宙万物的辩证法，用"一分为二"（X^2）和"一分为三"（X^3）的数理思想，用阴阳"对立统一"的哲学宇宙观和阴阳象数对称的自然数，统一"回归"到"1"，说明的恰当、透辟之极。《八卦图》的阴阳学术代表了东方哲学智慧的精华，解释自然界的一切物质都具有对称和互补的矛盾运动，用阴阳描述了天体、时空、运动的自然系统性变化和规律。

数学体现了自然规律。"宇宙常数"3.2是描述天体九大行星沿8个方位三维运动一周360°（周天）的轨迹。3＋2称"五行"是坐标系"中心"的含义（圆的中心）。

宇宙空间最大只有8个方位，黄道一周360°，宇宙最大或最小只有一个"中心"，也是360°，一个点、一条线、一个圆都是360°，宇宙最大到最小万物都具有自然数。《八卦图》阐述了天体自然数，1.2.3.4.5.6.7.8.9九位，论述天体九大行星（九位数）三维循环运行为 64 维空间。宇宙之大，万物如此复杂，都不能超越九和三生万物的循环规律。论证天体的演变物质的转换和生物的进化，也应遵循这个法则。

物质出去了又"回归"，把"回归"的物质称为反物质，即正向出去，反向而"回归"。直线运动是无边的，曲线运动则必须守循往返运动。《八卦图》中央的回互"～"线，是论述天体运动，是人守循曲线回归往返的运动，是循环双向运动。人体能量是活性的，既有直线导向的单向运动，又有曲线的双向运动，因此，生命能量是可控的（随意的），非生命能量是不随意的。

"6"是自然圆，是"封闭"的圆，没有中心和对称就没有坐标，自然圆就不成立。天圆取法于天象，地方取法于地象，圆方合图以"5"为中心。古易讲"5"为祖数。"中心"就是 360°圆，是宇宙自然数全息凝聚点。

《八卦图》的太极圆图，是三个不同的坐标圆组合，具有 3 个"中心"（5.5.5）称"三五"归中。是三维"毛比斯"坐标循环图。数学中有名的"毛比斯"对称循环图，只有 2 个中心（5.5）是"对称"循环。所以太极"毛比斯"是三维循环图，是讲三维坐标循环如：$360° \div 555 = 0.648648648$……循环，$1 \div 555 = 0.00180180180$……循环。

宇宙万物没有纯阳和纯阴的物质，均是阴中有阳，阳中有阴，才能平衡。如，只有天"3"没有地"2"。就没有阴阳"对称"。就没有宇宙周而复始的规律运行。

万物都是由三组成，三比二是中心坐标，揭示了宇宙哲学观。

第一组	第二组	第三组
1. 2. 3	2. 4. 6	3. 6. 9

1. 每组数的第三位数等于前二位数之和。

2. 第三组的第一位数等于第一、二组的第一位数之和。即：$1 + 2 = 3$

3. 第三组的第二位数等于第一、二组的第二位数之和。即：$2 + 4 = 6$

4. 第三组的第三位数等于第一、二组的第三位数之和。即：$3 + 6 = 9$

从以上数列可看出三比二充满了乾（阳 3）坤（阴 2）及宇宙万物各个

层面。

在我国古代天算体系中，独特的几何分析法《周髀算经》：万物周事而圆方用焉，大匠造制而规矩焉，或毁方而为圆，或毁圆而为方，于方中为圆者，谓之圆方，圆中为方者，谓之方圆也。"现代有人认为毁方破圆属于"万事周事"数理哲学，也是古代的宇宙理论学。毁方破圆二圆的数理关系是《古太极》天圆、地方思想模式，并与"易"之大衍之数五十的基本数理和宇宙结构吻合"。由此可认为大衍数是古代宇宙理论——天圆、地方学说的数理大数。

圆体现圆弧的度数，方体现了直线对称，所以圆的成立不仅有弧线的运行还要有直线的导向，这一规律就是"道"的作用。因此宇宙空间没有平面的物质，只有圆的自然规律的有限循环运动（三维六合坐标）这就是老子说的"周行而不殆，乃为天地也""三五归中""九九归一"又回到原点。任何数叛离这一圆的三维循环运动规律，都会带来灾难。老子说："人法地、地法天，天法道、道法自然"，提醒我们，要依从自然规律办事，决不能以自己的主观臆断去妄自非为。实验只能服从自然规律，不能要求自然规律服从实验（人为）。人类所做一切应遵循规律的法则。

从17世纪开始，特别是本世纪近几十年，研究证明西方许多新的科学研究甚至于顶尖的科研成果都是受了《道德经》《周易》的启迪。由此《周易》《道德经》不仅具有历史性而且具有未来性，世界性。要认识我国古代的科学思想，东西方之间的距离只有《八卦图》才是唯一的桥梁（引自吴漱泉《易经入门》）。

现在人们的观念仍停留在"对称"模式，对自然界的认识仅是一部分，而不是全部，有局限性，"三生万物"只有进入三维立体坐标模式，才会纵览一切，科学将会回答："三"才能去全面认识世界和万物，并且才能更好地解释世界，改造世界。

欧洲诺贝尔奖获得者普里高津说："中国文化是欧洲科学灵感的源泉"。

《八卦图》向人类揭示了"道"的秘密，它包罗万象，充满了神奇和科学的色彩。吸引我们去探索，去攀登，去挖掘，以造福于人类。它告诫我们要遵循"道法自然"的法则。道，就是暗能量，是一个无法抗拒的主宰，只有能认识自己，才能清楚自己将怎样行。人类将知道怎样规范一切。老子的唯道论其中也包含了唯象医理、数理等等。

因"八卦图"的吸引，使我不能自拔，经过了几十年的临床实践，使我明白了"和谐医理"的辨证理论，即"天、地、人合一"的真谛——明白了凡事都要有中心，就象天体、日月星辰都有它的规律，任何物质都是三维一体，阴阳组合，并生存于其空间之中。我将悟出的这些理念应用于临床的针灸治疗之中，取得了很好的疗效，在前面针灸的论述中已详叙。

人应适应和顺服"大自然"，就像九大行星遵循它的轨迹一样，来不得半点疏忽。下面我将我几十年来，在数象理论方面的研究、感悟，一部分不成熟的心得，呈现给大家，其中会有很多的欠缺和不完善之处，在这里我只是抛砖引玉愿和大家商讨，请批评指示，愿大家共同探索。

《八卦图》含概了二个数论

一、世界上最早的"有界直角坐标系"

数学是用来探索生命与非生命的形与象，是探寻宇宙万物之源，洞察天、地、人之变化的一套密码与信息系统。用数来描述物体的结构和物体的象数形成和天体自然数的密码排列，及对"动态"数学和"静态"数学的研究。

我国著名数学家华罗庚，曾经设想过这样一件事，如果其它星球上有和我们人类一样高级生命，那么我们拿什么东西作为与这些外星人交流信息的媒介？他建议用下列三个几何图形。

第一个：我国古代神话传说中的"河图"与"洛书"，以说明数的概念；

第二个："勾股定理"，说明数形关系；

第三个："青出朱入图"，说明几何证明。

《八卦图》和中央的"太极图"是描述天体三维时空运动论，中央的曲线"～"，是天体三维运行的轨迹。

《八卦图》的数学模式，用天圆、地方描绘了宇宙空间天体三维六合运动的坐标系，用简易的 +、-、×、÷ 运算宇宙自然界万物阴阳象数演变，三生万物。用万物 3：2 论证三维六合坐标系。

莱布尼茨（W. leibniz1646～1716）从中国《八卦图》中受"阴、阳"对称互补的启示，提出了"二进制"（0.1）的模式。现在"三生万物"启示我们实现"三进制"（0.1.2.3.）。

吴文俊教授说："中国的数学在 100 年前是世界领先，100 年后数学落后了"。

（一）《八卦图》是论天圆、地方三维六合坐标整体模式

天圆为阳"-"用 3 表示；地方为阴"--"用 2 表示。

世界上最早的"有界直角坐标系"，（$3 \times 4 \times 5 = 60$）。天圆、地方，阴阳"对称"互补，论象数演变，物质转换，和生物进化，描述宇宙万物都是阴阳"对称"三维六合坐标，三生万物。自然数也不例外，每一位自然数都是1.2.3。

（1）"1"$\times 1 \times 2 \times 3 = 6$；"2"$\times 1 \times 2 \times 3 = 12$；"3"$\times 1 \times 2 \times 3 = 18$；$60° + 120° + 180° = 360°$，因此每一位自然数为 $360°$

1）$360° \div 6 = 6$；$360° \div 12 = 3$；$360° \div 18 = 2$

$2 \times 3 \times 6 = 360°$，每一位自然数都是三维六合 $360°$

2）根据每一位自然数，都具有三维坐标系，明确自然数0.1.2.3是三维六合的坐标系，"6"是自然圆，圆"一分为二"阴阳对称为12；圆"一分为三"阴阳阴组合为18

$6 \times 12 \times 18 = 648$

（2）《八卦图》把数与象组合，既把象用于数，又把数导入象，象数阴、阳以"一分为二"的对称哲学观，再引伸出阴阴阳和阳阳阴组合为"一分为三"的宇宙观，神奇地把数导入象，为宇宙万物象数阴阳阴三维哲学观。

天、地、人，天是讲：宇宙的演变；地是讲：物质的转换；人是讲：生物的进化。自古以来，我们的祖先把自然界物质的形成归纳为"3"。

老子说："三生万物"，就是把自然界物质的阴阳变化，阴阳阴能量转换，万物生长总结为"天人合一"。又以"无极"生"太极"，太极生二仪，二仪生四象，四象生八卦，八卦生对称，对称生坐标。

信息是体现"磁场"有序，自然数也是有序的，宇宙万物都是有序的。信息是能量载体，能量也是有序的。天圆、地方是宇宙全息之源。内含着宇宙自然数全部信息，就是说宇宙万物是统一信息：0. 1. 2. 3. 4. 5. 6. 7. 8. 9.。因此自然数的信息就是宇宙万物的信息，在宇宙空间没有第二种信息。$9 \times 123456789 = 1111111101$，是"宇宙统一场"。

1）**塑造物质运动和生长的自然规律化，体现万物三维运动"对立统一"的宇宙观。**全图论述了天圆、地方三维六合坐标系：

①64维空间72候：$360° \div 555 \rightarrow 648$（$648 \div 6 = 108$）

②宇宙三维六合坐标系：$3.2 \div 555 \rightarrow 576$（$576 \div 6 = 96$）

2）乾阳为"——"3、坤阴为"－－"为2，阴阳匹配为"五行"

"一分为三"为坐标：$369 \div 123 = 3$ 为阳"——"（X^3）

"一分为二"为对称：$246 \div 123 = 2$ 为阴"－－"（X^2）

①宇宙万物都是由无极生太极，从三维坐标系象、数演化而来：

三维坐标圆：1. 2. 3（圆）、2. 4. 6（对称）3. 6. 9.（坐标系）

$123 + 246 + 369 = 738$，$738 \div 6 = 1.2.3$，三生万物也是按坐标系而来。

$369 \div 123 = 3$（阳），$246 \div 123 = 2$（阴）

宇宙是"场"，是包罗万象的统一自然场。宇是空间，宙是时间。《周易》的气、光和时间统一的自然场概念是时空统一。

八卦图上对时空观念上的认识和现代科学的今天对宇宙时空整体思想的认识是一致的。"八卦图"对宇宙的描述充满了高深莫测，好象一幅图画将"天、地"隐在了"弯曲"、"重叠"、"立体"的变化之中。

②乾阳为3、坤阴为2，阴阳匹配为"五行"

易学讲：乾之策，二百一十六（$72 \times 3 = 216$），阳"——"X^3：$3 \times 6! = 3 \times 1 \times 2 \times 3 \times 4 \times 5 \times 6 = 216$；

坤之策，百四十有四（$72 \times 2 = 144$），凡三百六十（360）当期之日。

阴 "－－" X^2：$2 \times 6!$ $= 2 \times 1 \times 2 \times 3 \times 4 \times 5 \times 6 = 144$

$216 + 144 = 360°$

二篇之策万有千五百二十（11520）当万物之数。

古人把天地之数 11520 作为"三生万物"之数。

从 $11520 \div 72 = 1.6$ $11520 \div 64 = 180$

以上说明古人已经正确运用"卦"和"象"推算出天体运行"360"度，取"象"阴阳能量中心 3.2 为宇宙太阳系的万物变化哲学思想（宇宙常数）。即"宇宙圆周率"。

（二）关于"宇宙常数" 3.2 的论述

宇宙常数是三维空间的立体概念。中国古人认识宇宙世界的朴实观点，是天象为圆，地象为方，实质上天是指九大行星运行圆弧周长的 360 度，地是指 8 个方位场的能量旋线的中心圆——即太阳（磁爆中心），是由行星两侧作左右旋线产生能量的相反力矩扭曲形成的。这个场的能量中心是一个比率或称比值，"宇宙圆周率——3.2"。对宇宙率的涵义描述如下：

（1）3.1415926……是一个除不尽的无穷小数值，无穷小数是一个不肯定数，有限小数是肯定数。3.2 是有限小数，是按太阳系天体运动而总结天地阴阳变化值——即 3.2。按天体运行 360 度，求其中心圆数值：

（2）中心的"5"与边界的"1"和"9"

"5"是任何物质中心体现的自然数，是《易经》上的宇宙中心思想的体现，具体地说是太阳系天体运动的中心。"5"是九大行星中心数第"5"颗行星的方位与天体（8 与 9），是太阳系运动的规律。

（三）无穷小与无穷大

在九位自然数中，只有中心数五可以无穷大为"100"，也可以无穷小为"1"，月也就是说圆的中心 360°，无穷大的圆也是 360°，圆的中心周长常数是 3.2，无穷小圆的周长常数也是 3.2。所以圆的"中心"是阴阳，也是阴阳匹配。

"5"为无极之数，是无穷小，是宇宙万物中心，"9"为太极之数，是无穷大，为宇宙自然数之极数。但在"河图"与"洛书"中把"10"为太极，即以"10"是进入另一个能级的新开始，所以把"10"又表示为"1"，意思是无极，用"0"表示是无形的，"1"是有形的，往往把"10"边的"0"作为小到看不见（无穷小）就写成"1"。无穷大与无穷小，是阴阳对称互补，体现物质相对平衡的含义，最终无穷小还是统一在无穷大的范围内。宇宙太阳系是一个整体，我们把小与大，与大与小看成是一个物质运动的可变性和可逆性，又是物质运动的相互性和"对立统一"性。

"1"与"9"是太极之数，"1"是有形，为所有数的缩影；"9"是无界，为所有数的极限，即有形无界之说，这与爱因斯坦提出的相对论是一致的。

（四）天乾圆坤地方

古易说：圆图以南北为经；以东西为纬。法天：阳生于北而极于南；阴生于南而极于北，故乾南而坤北。

方图以西北、东南为经；以东西为纬。法地：阳生于东北，而盛于西北，阴生于西南，而盛于东南，故乾西北而坤东南。

天体三维圆运动的 12 阴阳组合把圆分"三"为三维坐标系，因此八卦图是世界上最早的"有界直角坐标系"。因此我们较熟悉乾用"九"坤用"六"之词："九"就是指九大行星圆运动，坤就是指天体三维运动的坐标合为三维六合（空间）六合（圆的封闭数）。用数字表达可写为"36"，形成圆的周角 360°。

宇宙为空间，是"圆"还是"方"，现代科学尚未确证，太阳系是"圆"还是"方"？

任何物质由无到有，由小到大，由点到线由线到面，由面到立体，由三维空间到多维空间。从物质的发展到物质的回归都是遵循这个规律，但是自然界物质分成生命与非生命二个系统，非生命体发展到立体三维坐标，早在 6000 多年前中国《八卦图》就以乾用"9"——太阳，坤用"6"，太阳是最早用直角坐标系描述天体数码的坐标系，$9 \div 6 = 1.5$，$6 \div 9 = 0.666666$ 即三维六合，符合五大行星的运动数码排列，$150 \times 0.6666666 = 9999999$。

老子说"三生万物"，生命体的发展客观来讲也是三维六合坐标系，但中国的《八卦图》在三维坐标基础上用阴阳对称互补，阴阳阳三字组合为 64 维空间 72 候，描述天体圆运动的多维性，就是说生命物质是多维性的。非生命物质不运动是三维性的，运动是多维性的。因此非生命物质是静态为三维空间，生命物质是动态为多维空间。成 64 维空间 72 候运动，周而复始。

因此圆与方都是用"6"封闭，圆与方是一个整体图，圆可为方有用，方可为圆而有用。

从图可以看到直线直径数为 16，曲线直径数为 32，圆以东南西北 4 个方位故 $4 \div 11111111 = 360$ 度。方以东南、西南、东北和西北 8 个方位组合，封合，封闭 $8 \div 11111111 = 72$。

宇宙太阳系的形成之奥秘，当以太极为圆点（有形），形成空间的同时，一种永恒的天体运动规律，即在 360 度内浑然旋转，这个奥秘就隐藏着 1、2、3、4、5、6、7、8、9，其数之本身内含，体现了——太极的圆点既是周角，也是圆的周长，因此圆的中心点，是周角 360 度，也是圆形的周长，因此天体运动的周角和周长是同一中心，同一坐标系和同一个中心圆圈的概念。360 度以圆（$360 \div 999999999 = 360°$）$32 \div 888888888 = 360$ 也是圆的轴标线（$3.2 \div 111111111 = 288$）$288 \div 8 = 360°$ $288 \div 9 = 3.2$。$1 \div 888888888 = 1.125°$；$1.125 \times 3.2 = 360°$度。

要构成个圆，必须先有一个点为中心和一个半径，黄道一周以 8 为半径，（九大行星 8 个方位黄道一周）等距离绕圆心移动。中心也随之转动，才能构成一个自然圆，所以中心的太极点的转动一周也是圆，我们从《八卦图》中央的阴阳《太极图》有三个圆和三点太极点，计为"6"之数，实为"6"个圆。因此《八卦图》中央阴阳圆形是论述天体九大行星的立体回互周形运动 $6 \times 1 \times 2 \times 3 = 36$……即 $360°$。

太极图是人类祖先留给后代的传世瑰宝。是宇宙数理论、宇宙物质转化和宇宙生物进化的最高结晶。自古一图包罗了宇宙万物（图1）。

1. 圆居中央三个圆论

乾、坤三维坐标，0.1.2.3（$3 \times 360° = 108$）称：三爻。

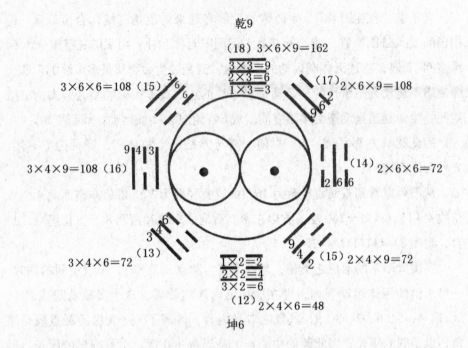

图1　《八卦图》的天圆、地方三维六合坐标系

2. 线列八方阴阳对称

艮、兑；坎、离；巽、震六合（3×3.2＝9.6）称：六爻。

（艮、兑：72＋108＝180°；坎、离：72＋108＝180°；巽、震：108＋72＝180°）乾阳、坤阴符号是"宇宙常数"3.2。

乾3，坤2阴阳匹配为3.2（X立方平方为3.2）。阴阳象数相加为"5"，是自然数"中心"，也是圆的"中心"，为阴阳"五行"，古人称"5"为"祖数"。

天体运动和生命运动是相互依存的运动。

生命与非生命运动物质的象数演变：太极、阴阳，八卦、五行，河图、洛书，干支和吕律，都是描述天体时空运动和生命运动的密码排列。以天体和时空论述引生出"一分为二"和"一分为三"的三生万物，3:2常数的宇宙观。

"3"是圆图，用符号"——"，"2"是方图，用符号"－－"，圆、方合图为《卦图》。

古易认为：河图象数"天圆"其数为"3"，洛书象数"地方"其数为"2"。又说：河图体圆而用"方"，洛书体方而用"圆"，古圆、方之比3∶2。

3. 宇宙万物都有"中心"

617283945 ÷ 123456789 = "5"

《八卦图》坐标系是以圆、方定位：乾为3，坤为2。

圆是最对称，从"中心"开始，在空间任何一个点，它是"0"维，它起的作用，向8个方位的，任何方向移动，都可以为"对称"线，如果这个点绕圆运动就成圆，因此在空间的任何一个点，其周围都是360°度。

在宇宙空间，任何一个点，就是"0"维，它起的作用向8个方位任何方向移动，都可以为线（图2），如果这个点沿周运行，就成圆。《八卦图》8个方位"对称"为8条直线，一周为8个方位角45°，就是9个行星运行一周的圆弧，8×45＝360°。所以8条直线是坐标直线，8×8＝64，9个圆弧为坐标圆，8×9＝72。

中心"5"与8个方位坐标线每一位自然数都是圆、方图全息，"九九八十一"

1 ÷ 123456789→081（9）

2 ÷ 123456789→162（18）

3 ÷ 123456789→243（27）

4 ÷ 123456789→324（36）

5 ÷ 123456789→405（45）

6 ÷ 123456789→486（54）

7 ÷ 123456789→567（63）

8 ÷ 123456789→648（72）

9 ÷ 123456789→729（81）

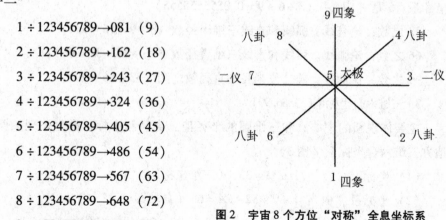

图2　宇宙8个方位"对称"全息坐标系

太阳自转一个周期27天，也是天体9大行星三维运行一周的全息周期数。

（五）三维六合坐标系

三维坐标系

认识宇宙自然界万物，"1"是世界万物的全部；"2"仅是认识世界万物的局部；只有"3"才是了解自然界万物的全部，了解宇宙，探索自然，认识真理，把握世界，运用于世界。老子明确指出"三生万物"。

宇宙自然数：0、1、2、3、4、5、6、7、8、9，每一位自然数为一个圆，都具有三维，每一位自然数都有"一分为二"和"一分为三"的阴阳自然规律。

"0"是自然圆，其"封闭"数是"6"，所以自然数"0"（零）就是自然圆"6"。

从"1"开始，所有的9位自然数，都具有三维坐标自然圆"6"合。

1. 古易论三维六合坐标系

宇宙空间没有平面物质，数也不是平面的，也是三维立体。

①直线（左、右）；②弧线（上、下）；③曲线（前、后）。

所以天体运行也必须遵循三维六合坐标系。

2. 33.66.99.（3.6.9.）就是论天体时空运动坐标，必须遵循三维六合坐标系。5 是"中心"（3÷6÷9 = 0.0555555555）

33 之数：论直线、弧线和直线三维半径数（8 + 9 + 16 = 33）；

66 之数：论弧线、弧线和直线三维直径数（16 + 18 + 32 = 66）；

99 之数：论曲线，前二位半径和直径数之和（33 + 66 = 99）。

3. 三维六合坐标系(33.66.99)

主要体现圆的中心、和三维圆的半径值、直径和坐标，都是体现天圆、地方三维六合坐标系（图3）。

（1）坐标系"竖"：1 + 32 = 33，（三维坐标线）

（2）坐标系"横"：1 + 9 + 32 + 24 = 66（自然圆）

（3）坐标系"纵"：1 + 5 + 9 + 24 + 28 + 32 = 99（同心圆）

（六）宇宙天体三维六合坐标系全息图（简称：宇宙全息图）

①三维自然圆循环模式"3"（3 × 360 = 108）　　3 ÷ 555 = 54

②三维六合坐标自然圆"6"

（$6 \times 360 = 216$）　　$6 \div 555$：108

③三维六合坐标系同心圆"9"（$9 \times 360 = 324$）　　$9 \div 555 = 162$

$108 + 216 + 324 = 648$（64 维空间 8 个方位），$54 + 108 + 162 = 324$

④宇宙三维六合坐标系全息图

直线直径 16（$3.2 \times 5 = 16$）

弧线直径 180°（$360° \times 5 = 180°$）

曲线直径（$360° \times 5 = 180°$）

周长（$180° \times 3.2 = 576$）　　$16 \times 3.2 \times 1.125° = 576$

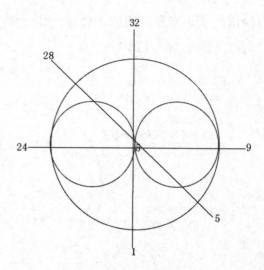

图 3　天体三维时空 3.6.9（三维六合）坐标系各个方位对称数都是 33

（七）自然圆 6 是三维六合"封闭"圆

$555555555 + 5 = 555555560$，自然圆的"封闭"数。

1. 天以"6"为节，地以"5"为制

自然圆的"中心"是"5"，圆的"封闭"是"6"，圆是 360°，$5 \times 6 \times 360° = 108$（0）。

$5 \times 5! = 5 \times 1 \times 2 \times 3 \times 4 \times 5 = 6$（0）；

$5 \times 6! = 5 \times 1 \times 2 \times 3 \times 4 \times 5 \times 6 = 360°$。

2. 圆的宇宙自然数为 0、1、2、3、4、5、6、7、8、9，圆的"封闭"数为"6"

宇宙空间没有平面的圆，如果说是平面圆，科学的回答，肯定不是"封闭"的圆，或者说是没有中心的圆。只要是自然圆，就是"封闭"的三维立体圆，也是三维六合坐标圆，这是自然规律。圆是根据天圆为 3"一分为三"和地方为 2"一分为二"的阴阳象数演变的哲学思想，以"中心"和半径画成的圆，再以半径在圆弧上分割，恰好是"6"段（6 半径值），所以圆的"封闭"数为"6"（图 4）：

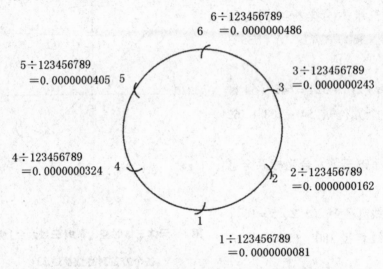

$$6 \div 123456789 = 0.0000000486$$

$$5 \div 123456789 = 0.0000000405$$

$$3 \div 123456789 = 0.0000000243$$

$$4 \div 123456789 = 0.0000000324$$

$$2 \div 123456789 = 0.0000000162$$

$$1 \div 123456789 = 0.0000000081$$

图 4　九大行星三维运行 64 维空间三维六合坐标圆

（1）在圆的每个弧都内含着自然数全部信息（1~6）。

（2）自然圆 6 个方位对称数都是"7"，是自然数的"对侍"数，最遵守平衡。

如：$1 \div 7 = 0.14285714285$，$3 \div 7 = 0.42857142857$，得数都是"对称"平衡。

（3）"6"体现宇宙空间是 360°，宇宙常数 3.2 是太阳系天体三维运行自然圆。

（4）"6"是自然圆的封闭数，是三维六合的坐标圆。所有的生物都具有"6"个密码子，代替了 20 个氨基酸有三个密码子，$6 \div 20 = 0.3$；$20 \div 6 = 333333333$，因此生命与非生命运动都遵循三维循环坐标圆。

同心圆——"九九八十一"。

$$999999999 \times 9 = 8999999991$$

$$999999999 \div 9 = 111111111$$

111111111÷8999999991＝0.0123456790123456790……循环

3. 中国《八卦图》明确论证伏羲六十四卦方位图，是根据天圆、地方学说。圆图取法于天象，方图取法于地象。

又说天象从阴阳变化，方图和圆图结合各有经纬，乾南为阳，坤北为阴，天为"3"，地为"2"。在《律吕合洛书洪范图》，九为圆，八为方。《河图》为天体时空运动，为三维空间；《洛书》是沿8个方位绕圆（圆心）运动的坐标系。所以"9"（弧线）与"8"（直线）之数，是太阳系天体时空运动和象数阴阳变化的宇宙自然数全息运动规律。

4.《八卦图》天体完整的三维六合坐标系

探讨宇宙万物之源，洞察天、地、人之变化的一套密码与信息系统。《八卦图》就是仰天于天象，俯首洞察万物，描述出宇宙万物象数阴阳变化，论太阳系行星分布，以及论圆与方是宇宙天体的坐标系，是太阳系"统一场"。

天体运行1°，太阳运行1.125°，天体运行32°，太阳运行360°（天）。（图5）

《易经》早就以天圆、地方论述宇宙象数阴阳对称演变，描绘了太阳系天体三维六合生标系运动的自然规律。

无极生太极、太极生二仪、二仪生四象、四象生八卦、八卦生对称、对称生坐标。

周长3.2：　　　周角360°：

①无极生太极：0－1÷1111111＝9　　　　比值：1÷88888888＝1.125°

②太极生二仪：1－2÷1111111＝18　　　对称：2÷88888888＝2.25

③二仪生四象：2－4÷1111111＝36　　　分角：4÷88888888＝45°

④四象生八卦：4－8÷1111111＝72　　　直角：8÷88888888＝90°

⑤八卦生对称：8－16÷1111111＝144　　平角：16÷88888888＝180°

⑥对称生坐标：16－3.2÷11111111＝288　周角：3.2÷88888888＝360°

288÷3.2＝9　　　　　　　　　　　　　288÷360°＝8

5.《河图》为体，《洛书》为用

《河图》、《洛书》体用结合，方明数学，汉代刘歆说："河图、洛书"相

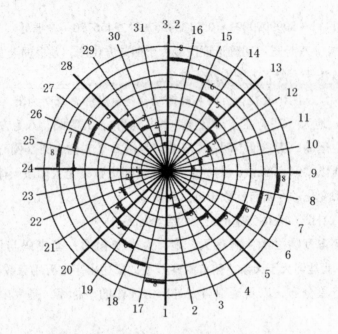

图5　经线直径移动1°纬线圆弧线移动1.125°

合为经、纬。

（八）二进制和三进制的模式

自然数只有"9"为"极限"。2与3符合天圆、地方象数阴、阴、阳哲学观。是三维六合坐标系。"一分为二"是二进制，和"一分为三"是三进制，是宇宙万物三维哲学宇宙观。所以天3称三进制，地2称二进制。

0、1是阴、阳对称"一分为二"，是二进制的模式，只能认识宇宙万物的局部。0、1、2、3是阴阳阴3字组合"一分为三"，三维坐标系，是三进制的模式，认识宇宙万物的全部。

①二进制和三进制都遵循三维六合自然圆的坐标系（图6），如：

无极生太极1，坤6为2：阴、阳（对称），乾9为3：阳、阴、阳组合

"1"：$1 \times 2 \times 3 = 6$　　　"2"$2 \times 1 \times 2 \times 3 = 12$　　　"3"$3 \times 1 \times 2 \times 3 = 18$

②阴、阳"对称"是二进制的模式；阴阳阳，阳阴阴……是"三进制"的模式0、1、2、3。认识宇宙，二不是全部，三才是全部。不久将来，三进

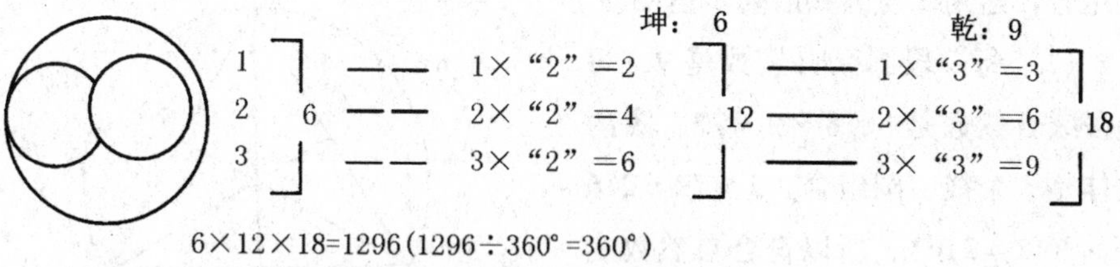

坤：6　　　　　　　　乾：9

$$1 \times "2" = 2$$
$$2 \times "2" = 4$$
$$3 \times "2" = 6$$

$$1 \times "3" = 3$$
$$2 \times "3" = 6$$
$$3 \times "3" = 9$$

$$6 \times 12 \times 18 = 1296 (1296 \div 360° = 360°)$$

图6　中央圆论宇宙空间三维坐标圆弧周角360°

制的出现，将使科学更上一层楼。

二、世界上最早的"平面对称坐标系"

天圆为9，太阳系只有九大行星，$9 \times 9 = 81$ 个圆（360°）；

地方为8，太阳系只有8个方位，$8 \times 8 = 64$ 维空间。

$64 \div 81 = 0.790123456790123456790123456790……循环$

$81 \div 9 = 9；64 \div 8 = 8$

天圆、地方三维六合坐标系，是根据三生万物。

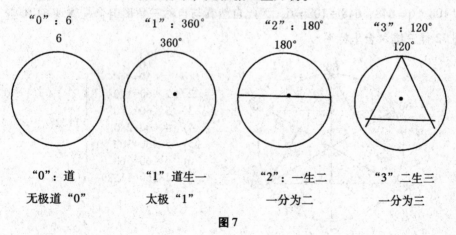

"0"：6　　　　　"1"：360°　　　　"2"：180°　　　　"3"：120°

"0"：道　　　　"1" 道生一　　　　"2"：一生二　　　　"3" 二生三

无极道"0"　　　太极"1"　　　　一分为二　　　　一分为三

图7

（一）线与圆弧组合

1. 线与圆是相依的，因为直线不能拐弯，圆拐弯而没有直线导向，圆就成为无方向的运动。在三维六合"封闭"圆内，画出等腰三角形，圆与三角形组合，达到线与圆和谐同步运动。

（1）每一段圆弧自然数是 9，每一段线自然数是 8，8×9＝72，圆的整体是 3 个线、圆组合，3×72＝216（6×360°＝216），所以符合自然数三维六合坐标系。

（2）圆弧是 9，3×9＝27，直线是 8，3×8＝24，24×27＝648（图8）。所以线、圆组合方能认识天圆地方三维六合坐标系。

（3）6.6.6. 是 1－36 所有数相加之和，所以圆只能是 360°。

（4）486÷666＝0.729729729729……宇宙自然数全息循环

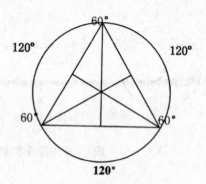

图 8

1. 3 个圆弧：3×120°＝360°　2. 3 个锐角：6×6×6＝216　3. 3 个 6.6.6 是 360 系列数从 1－360° 的相加数为 360°
4. 中央为 6 个 180，6×180＝108 所以宇宙空间是 360° 是自然规律。所以中心 360°，圆的封闭也是 "6"

中央 6 个自然三角形与圆，如果以 108×6＝648，648÷108＝6，因此自然圆与自然三角形组合是体现 64 维空间 72 候三维六合坐标系。

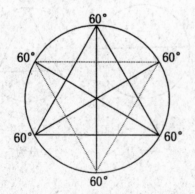

1）1×60＝60°
2）2×60＝120°
3）3×60＝180°
4）4×60＝240°
5）5×60＝300°
6）6×60＝360°
（3.2×360＝1152）
1152

图 9　"宇宙常数" 3.2 与勾股定律

3. 直线与弧线组合　1÷555＝0.00180180180……循环。

（1）一条直线 180°（图10），为直线用来丈量物质的长度，圆为弧线，弧线用来测量空间的角度。一个是直线丈量长度，一个是弧线测量圆的弧度。直线是不能拐弯，弧线才能拐弯，当"9"（圆弧）不拐弯，这条直线保持180°，当"9"要拐弯，这条直线就成为"（8的对称数），画的圆弧是180°（9的对称数）。就是说圆的弧线直径为180°，圆的直线直径为16。

举个例子说：以线、圆的比值1.125°×16＝180°，在直线上画一个半圆也是180°（图11）所以线与圆的比值1.125°是自然界万物"对立统一"，三维坐标圆的自然规律。

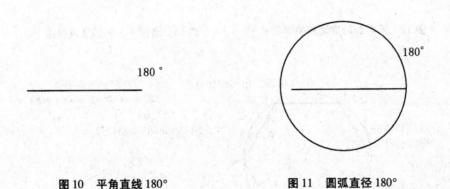

图10　平角直线180°　　　　图11　圆弧直径180°

（2）弧线与直线

在圆内不通过中心划的直线称半径，通过中心划的直线称直径。

所以在圆内不通过中心的直线都是半径8，弧线都是9，（图12），就是说在圆内划的直线都是8为半径数（图12），通过中心划的直线都是16为直径数，（图13）。

线8与圆9组合才是三维六合的自然圆。因为直线比弧线有差距。如果要保持相互距离一致，就是说线与圆之间有个比值，这个比值是9÷8＝1.125°，就是说弧线要比直线长1.125°，直线移动1°，弧线就移动1.125°，圆就大一圈，因此线、弧是同步运行，所以圆与线的比值为1.125。5×8×9＝360°　5×8×8＝3.2

①自然圆6的对称数都是"7"，486＋81＝567

②567÷81＝"7"，所以自然圆最守恒。

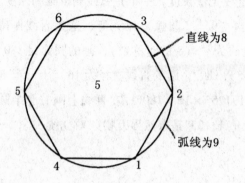

图 12　圆内划的直线都是半径 8　　　图 13　通过中心划的直线都是 16

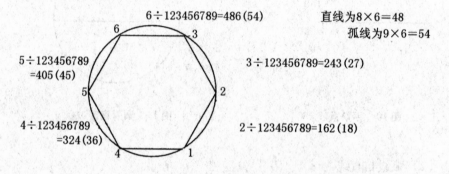

图 14　"静态"三维六合"封闭"圆图

（3）直线是 8，弧线是 9，9÷8 = 1.125°，就是说每一段圆弧与每一段直线之间的比值数为 1.125°，天体九大行星沿空间八个方位运行，圆和线对应比值是 1.125。

如：无极"0"－宇宙空间只有 888888888 个方位

无极：0 － 88888888 个方位

无极生太极：1÷88888888 = 1.125°

太极生二仪：2÷88888888 = 2.25°

二仪生四象：4÷88888888 = 45°

四象生八卦：8÷88888888 = 90°

八卦生对称：$16 \div 88888888 = 180°$

对称生坐标：$3.2 \div 88888888 = 360°$

所以经线是360°，纬线是3.2，圆弧与直线是对应同步和谐运动。《八卦图》中讲天圆，地方，就是说宇宙太阳系只有九大行星为9，宇宙空间只有8个方位为8。

$3.2 \div 999999999 = 3.2000000032000000000320000000\cdots\cdots$

$3.2 \div 888888888 = 3.6000000003600000000360000000\cdots\cdots$

三维——坐标圆：也称"三爻"（图15）是3个圆：$3 \times 360° = 108$；

六合——坐标线：也称"六爻"（图16）是6个面：$6 \times 180° = 108$。

（二）圆居中央

圆图为阴阳阴三维组合线列八方：方图为阴阳对称互补

（1）三维六合（6个弧"封闭"）：

$3 \times 5! = 3 \times 1 \times 2 \times 3 \times 4 \times 5 = 360°$

（2）三维六合（6个面"封闭"）：

$2^5 = 2 \times 2 \times 2 \times 2 \times 2 = 3.2$

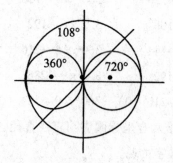

图15　圆图：三维六合坐标圆

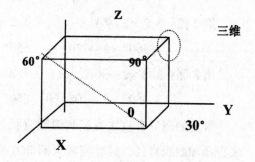

图16　方图：三维六合坐标线

$360° \div 333333333 = 0.00000108$

$720° \div 666666666：0.00000108$

$108 \div 999999999：0.00000108$

$108 \times 3 = 324 （3 \times 360° = 324）$

$288 \div 324 = 0.888888888$

$3.2 \div 333333333：0.00000009$

$64 \div 666666666：0.000000096$

$96 \div 999999999：0.000000096$

$96 \times 3 = 288 （16 \times 18 = 288）$

$324 \div 288 = 1.125$

1. $125 \times 0.888888888 = 0.999999999$

（3）天体沿 8 个方位三维运行一周 360°　　　中央圆图是论宇宙常数 3.2

$6 \times 360 = 216$　　　　　　　　　　内圆对称：$6 \times 3.2 = 192$

$6 \times 720 = 432$　　　　　　　　　　中圆对称：$6 \times 64 = 384$

$6 \times 108 = 648$（$360° \div 555 = 648$）　　外圆对称：$6 \times 96 = 576$（$3.2 \div 555 = 576$）

$216 + 432 + 648 = 1296$　　　　　　$192 + 384 + 576 = 1152$

①圆图坐标系遵循：1、2、3　②方图坐标系遵循：1、2、3

$123 + 246 + 369 = 738$（$738 \div 6 = 1.2.3.$）　$456 + 159 + 258 + 357 = 1.2.3.$（0）

（三）《八卦图》的圆线三维最对称

1. 圆是三维最对称：1、2、3；2、4、6.；3、6、9

"宇宙常数" 3.2

第 1 圆：$3.2 \times 1 \to 3.2$　　　　$3.2 \times 2 \to 64$　　　　$3.2 \times 3 \to 96$

　　　　$1.360° \times 1 \to 360°$　　$360° \times 2 \to 720$　　$360° \times 3 \to 108$

第 2 圆：$3.2 \times 2 \to 64$　　　　$3.2 \times 4 \to 108$　　　$3.2 \times 6 \to 192$

　　　　$2.360° \times 2 \to 720$　　$360° \times 4 \to 144$　　$360° \times 6 \to 216$

第 3 圆：$3.2 \times 3 \to 96$　　　　$3.2 \times 6 \to 192$　　　$3.2 \times 9 \to 288$

　　　　$3.360° \times 3 \to 108$（0）　$360° \times 6 \to 216$（0）　$360° \times 9 \to 324$（0）

常规的圆只有直线直径和弧线直径。三维六合坐标圆讲：直线直径、弧线直径和曲线直径，这才完善天圆地方的三维宇宙观。

2. 勾股定理与坐标系

自然三角形与自然圆三个不同的角度，构成的三角形，称自然三角形，也称勾股定理，由三个不同自然数 3、4、5 所组合的直角三角形，称自然三角形，在我国古数籍《周髀算经》，也称 "勾股定律"：

（1）"横线 1、竖线 2、纵线" 3：0、1、2、3 表示自然圆（6）。

（2）"勾三、股四、弦五"：3、4、5 表示对称，"一分为二"（12）。

（3）自然 "直角三角形" 分别是 30°、60°、90°，表示圆的弧度，"一分为三"，（图 17）。

（4）《八卦图》中央的三个圆论三维坐标系；钩股定律以左、右，上、下和前、后"对称"三条线论三维坐标系。

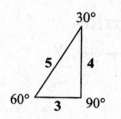

1. 1+2+3=**6**（0、1、2、3 自然圆）
2. 3+4+5=**12**（2、4、6 对称）
3. 30°+60°+90°=**180°**（3、6、9 坐标圆）
4. 6+12+18=**36**（0°）
5. 6×12×180=**1296**（1296）与《八卦图》所论是一致的

图17　钩股定律论三维坐标

（5）自然三角形与《八卦图》都遵循三维六合 0、1、2、3（图18）。

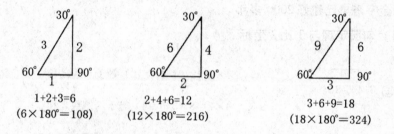

1+2+3=6
（6×180°=108）

2+4+6=12
（12×180°=216）

3+6+9=18
（18×180°=324）

图18　自然三角形也遵循三维六合坐标

（四）《八卦图》与黄金分割率 3：2

1. 黄金晶体分割率图与《八卦图》论天体象数阴阳"对称"互补三维坐标系是一致的，与自然数和符号的编码竟是一致的（图19）。

2. 晶体黄金分割率 3 比 2

在圆中央的一条曲线"～"就是黄金分割线 3 比 2，就是天 3 地 2 阴阳匹配为"中心"——"五行"

古埃及金字塔中，陈放法老灵枢的墓室，其尺寸为 3：4：5 和 2：5：8

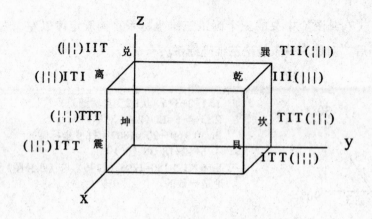

图 19　黄金晶体图符号与《八卦图》阴阳符号编码是一致的

参考下面的计算，二种尺寸的墓石，这二个数字正好是 3 比 2。是坐标自然三角形的公式。公式发明人，是希腊的哲学家毕达可拉斯。而毕达可拉斯诞生时，金字塔早已建好 2000 多年。

（1）勾股定理与 3 比 2 坐标

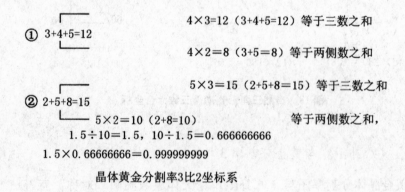

晶体黄金分割率3比2坐标系

（2）黄金分割线，是一条回互"～"曲线

三、中国易学之"无极"与"太极"

中国易学中心的"无极"与"太极"是当代微积分的基本理论依据，因为微积分的中心是极限，易学中的"无极"与"太极"，严格地提示了天体运动是对称互补规律。中心与边界是对称平衡的，是无穷大与无穷小，是解决物质平衡运动，能量的小可以到无穷的小，能量的大可以无穷大，所以是物质阴阳对称、相对平衡的含义。最后无穷小还是统一在无穷大的范围内。宇宙太阳系是一个整体，我们把小与大、大与小看成是一个物质运动的可变性和可逆性是物质运动的相互性和统一性。因此，宇宙形成一太阳系，就是无穷小的中心到无穷大的太极，就是无极生太极，如果天体的圆心3.2与边界360°度不对称，平衡被破坏，太阳系也就不平衡了。

（一）"无形有界"和"有形无界"

"0"是空间概念，是无穷大没有量的概念，无穷大到宇宙空间最大称"无形有界"。

"1"是有量概念，是无穷小为中心的体现，无穷小到宇宙空间最小称"有形无界"。

"无形有界"，宇宙空间最大，只有360°，最小也是360°。

"有形无界"，宇宙空间最长或最短，周长常数是3.2，宇宙全息只有0、1、2、3、4、5、6、7、8、9。

"无极"：是以"0"为无形，没有空间量，而量没有形成极性，是"无形有界"。无极"0"，含有空间量的意思（图20）。

"太极"：是以"1"为有形，空间有体，而体没有形成极性，称"有形无界"，（图21）。天象、地象，从阴阳变化，方图和圆图结合，各有经和纬。

"0"——《河图》：555555555 ÷ 9 = 61728395；555555555 × 9 = 499999995

"1"——《洛书》：444444444 ÷ 9 = 49382716；444444444 × 9 = 399999996

61728395 + 49382716 = 1111111101，对立统一。45 + 36 = 81。

1. 宇宙太阳系经度和纬度

(1) 经线：天体三维运行的　　　　(2) 纬线：宇宙空间 8 个
　　　周长常数 3.2，　　　　　　　　　　方位 360°

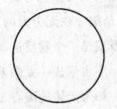

图 20　无形有界"0"无极
012345678

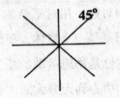

图 21　有界无形"1"太极图
123456789

2. 周角 360° 与"宇宙常数 3.2

经线是等距离的，纬线的间隔是递增，递增的目的是去保持经度一分和纬度一分长的比值（360° ÷ 3.2 = 1.125°）1.125°。经线移动 1°，纬线移动1.125°。因此周角和周长的比值是 1.125°（就是说圆弧直径 180° 比直线直径16 要长 1.125）。180° ÷ 16 = 1.125°。

3.《八卦图》论 3、6、9 坐标系圆居中央；论天体三维时空运动的模式：0、1、2、3，是宇宙万物遵循三维演变的自然规律。

线列八方；坤：2、4、6，乾：3、6、9，艮、兑；坎、离；震、巽；论象数阴、阳"对称"互补，三生万物 3 比 2 的自然规律：

0、1、2、3 是从三维六合坐标系总结的规律，自然圆：123（圆）、246（对称）、369（坐标），123 + 246 + 369 = 738，738 ÷ 6 = 1、2、3，是宇宙万物以三维发展和生长的基源。

$$1 + 11 + 111 — 1、2、3：1 + 2 + 3 = 6$$
$$2 + 22 + 222 — 2、4、6：2 + 4 + 6 = 12 \left.\right\} \; 36 \;（0）$$
$$3 + 33 + 333 — 3、6、9：3 + 6 + 9 = 18$$

$$6 × 12 × 18 = 1296 \;（1296 + 360 = 360°）$$

因此天圆、地方是论述宇宙空间只有 360°，天体九大行星须三维运行 81个 360° 才运行完 64 维空间 72 候（648）。

4. 无极"0"和太极"1"

微积分的基础在于"极限"。而世界上最早的"极限"概念，中国早在7000 年前论述无极"0"和太极"1"，圆方合图——《八卦图》中提出，1是一切数之"缩影"，9 是一切数之"极限"。"0"、"1"是无极和太极的无穷小和无穷大的"对立统一"体现。

德国数学家莱布尼茨（W. leibniz1646 – 1716）就是根据《八卦图》阴阳对称互补原理，创造计算机二进制（0、1），由能量转换为物质，就是从"0"—"1"。任何物质都是"0"开始，数字也是"0"开始。

自然数：1 2 3 4 5 6 7 8 9

"一分为二"：8 16 24 32 40 48 56 64 72

五行：5 10 15 20 25 30 35 40 45

"一分为三"：9 18 27 36 45 54 63 72 81

天圆、地方是象与数的关系，是宇宙思想，天圆为3；地方为2，天地合一，象征体现了既导向数用于象，又导向象用于数，这是宇宙自然规律。宇宙原是象和数的整合，依据自然规律结合自然数推理，与西方数学，纯逻辑推理是有区别的。

万物都是阴、阳（正、负）"对称"互补，宇宙圆周率常数3.2 也不例外，也是圆与方的阴阳组合。在《河图》中明确"9"为圆，《洛书》"8"为方。一个是讲空间0、1、2、3、4、5、6、8、9。另一个是讲时间9、8、7、6、5、4、3、2、1。所以天圆地方就是论阴、阳（正、负）对称互补，"对立统一"。

5. 宇宙自然数0、1、2、3、4、5、6、7、8、9 都具有自然圆"6"的内含，所以"0"是1、2、3 三维坐标。

如：下列表内自然数 $1 \times 6 = 6$；$2 \times 6 = 12$；$3 \times 6 = 18 \cdots\cdots$

三维六合坐标系（33、66、99）与"五行"系列数排列

编号	自然数×6	6	12	18	24	30	36	35	48	54	60	66	72	78	84	90	96	三维坐标系
1	自然数	1	2	3	4	5	6	7	8	9	10	11	12	13	14	15	16	
2	一分为二	2	4	6	8	10	12	14	16	18	20	22	24	26	28	30	32	
3	五行	5	10	15	20	25	30	35	40	45	50	55	60	65	70	75	80	
4	一分为三	3	6	9	12	15	18	21	24	27	30	33	36	39	42	45	48	
1	自然数	17	18	19	20	21	22	23	24	25	26	27	28	29	30	31	32	33
2	一分为二	34	36	38	40	42	44	46	48	50	52	54	56	58	60	62	64	66
3	五行	85	90	95	100	105	110	115	120	125	130	135	140	145	150	155	160	
4	一分为三	51	54	57	60	63	66	69	72	75	78	81	84	87	90	93	96	99

（二）宇宙自然数和"宇宙常数"3.2

数是自然数，也是自然规律。"宇宙常数"3.2 是描述天体九大行星沿 8 个方位三维运行"黄道"一周（周天）的轨迹，以自然数系列序化之数（1-32），并非人为测量出来的，是自然规律。

数是用于解释宇宙自然的。所有的物体都是由点或"存在单元"按照相应的对称规律组合而成，通过了解数及数的性质，我们对世界任何事物的关系都会有清楚的认识和了解。《太极图》主要提示我们认识和了解天体。

物体都是由"点"构成的，实际上是点和线。"1"是宇宙的全息基元，"点"或"1"是宇宙全息，"点"或"1"作为圆或方的起点，其周围都是 360°。从"点"向"1"移动，"点"可以发展为线，"1"延伸的后继数为"2"，"2"后继数为"3"，以此类推为"9"。所以每一个数的成立，自身就是一次圆形运动，到"9"即为 9 个圆形，每一位数为一个星球数，既是圆为天"3"，又是方为地"2"，阴阳匹配为 3.2，阴阳组合为"五行"。古易称"5"为"祖始"。

1. "0" 是宇宙空间概念

"0" 是圆，圆就是数，是自然数的之源。

（1）"0" 的运用，是中国古代数学史上的一次发明。"0" 的概念，位置，进位原理的使用方法，是数学史上公认的划时代的进步。现代数学史的研究者，大多认为它最早在公元五、六世纪的印度开始使用。《周易》早在 6000 多年前就在"无极"生"太极"这种观点中提出，我们的学者对中国在几千年前就能熟练地运用这个符号只字未提。

（2）我国古代天算体系中独特的几何分析法《周髀算经》："方中为圆谓之圆。圆中为方者谓之方也"。

积乘论 $360°$：$3 \times 5! = 3 \times 1 \times 2 \times 3 \times 4 \times 5 = 360°$

次方论 3.2：$2^5 = 2 \times 2 \times 2 \times 2 \times 2 \rightarrow 3.2$

2. 0、1、2、3，……"0" 是一个自然数，由"无"到"有"。9 是"极限"数，就是说：9 是一切数的"极限"，不能超越"9"。

（1）"点"是"0"维，这个"点"在直线上，就起着把直线分为左右两段的作用，这个"点"在坐标（三维）线上，就起着把直线拐弯形成圆的"中心"。9 大行星绕"中心"数 5 作圆形运动，叫公转，自转就有 9 个"5"（能量"中心"）。

（2）"0"是宇宙自然数，是三生万物的模式，也是空间概念，也是"场"的宇宙观。宇宙万物都是阴阳组合，宇宙空间没有纯阳和纯阴的物质，就数也分单数是阳，1、3、5、7、9 为圆图，双数是阴 2、4、6、8 为方图。因此数只有阴阳组合，才是天圆、地方合为三维六合坐标系。

（3）黄道，天球上的一个大圆。是天体"黄道"坐标的基本运行圈，是地球绕太阳公转的轨道平面无限扩大，同天体相对应而成，亦即以地球为参照物时，地球绕太阳作圆周运动的轨道。现代有人认为它是阴阳学说的基础和先天《八卦图》的基础。

在《律吕图河图洪范图》："九"为圆、"八"为方。《河图》为天体时空运动，其运动路线为三维立体绕圆运动，《洛书》为天体沿"8"个方位运动的坐标系。所以《八卦图》是论述太阳系天体九大行星沿 8 个方位三维运行的整体图。

$9 \div 111111111 = 0.000000081$

$8 \div 111111111 = 0.000000072$

$81 \div 72 = 1.125$；$72 \div 81 = 0.888888888$

$1.125 \times 0.888888888 = 0.999999999$

（4）《八卦图》的"二进制"已被现代科学所用，而《八卦图》的核心是"三进制"（0、1、2、3）的论述，就是讲天体三维空间绕圆8个方位运行，所以八卦的三进制是我们祖先观察天体运动，运算万物的一部多功能计算机。$0.1 \times 0.1.2.3 = 0.0.1.2.3$。也许"三进制"内含"二进制"。只有正确了解三维六合坐标系，才能发现三进制的全部。$0.1.2.3 \div 333333333 = 369000000 \cdots \cdots$。论证天体在不同的三维时、空坐标运动：$3 \times 6 \times 9 = 108$（三维空间），体现了三维坐标数之"回归"和数之循环。

$100000000 \div 555 = 180180180 \cdots \cdots$循环

$100100100 \div 555 = 180360540 \cdots \cdots$循环

三进制出现，首先对"中心"（5、5、5）《八卦图》中讲"三．五归中"，有正确的了解。

（三）"宇宙常数" 3.2 和数学圆周率 3.1416 有区别

1．"宇宙圆常数" 3.2 是太阳系天体九大行星，沿8个方位三维运行一周的轨迹而定。遵循宇宙象数阴、阳匹配，"一分为二"和"一分为三"的哲学观。有严谨的中心、对称和坐标，$5 \times 8 \times 8 = 3.2$，是系列自然数相加之数（$1 \sim 32$），完全是自然序化和自然规律。

"宇宙常数" 3.2 是以 $360° \div 1.125° = 3.2$（以太阴历 $360° \div 1.125° = 3.2$）。

$3.2 \div 99999999 = 3.200000003.200000003.200000003.2 \cdots \cdots$ 有限循环，可以"回归"。

2．数学圆周率常数 3.141592653589 是纯逻辑推理，是人为的。

没有遵循宇宙象数阴阳匹配，圆的"中心"和直径是人为设置的，是有了圆去找"中心"，不是先定"中心"再画圆。

　　数学圆周率是以 $355 \div 113 = 3.14159292035$，是纯逻辑推理，人为测算出来的。

　　$3.14159292035 \div 999999999 = 3.14159292339159292339159\cdots\cdots$

　　由于 3.14159292035 超越 999999999 "极限"坐标圆自然数，它是除不尽的无限循环的无理数，不能"回归"只能"换算"。

　　3. "宇宙常数" 3.2 是阴、阳象数哲学思想

　　方图"一分为二"讲直线对称，圆图"一分为三"讲圆弧坐标系，阴阳匹配为 $3:2$。

　　（1）天圆为三，是论圆弧线的角度，称周角，地方为二是论直线的长度，称周长。所以"宇宙圆周率" 3.2，既有象导向数，又把数导向象，既有弧线画圆，又有直线导向数，因此宇宙常数是天圆、地方自然圆的哲学宇宙观。

　　宇宙自然数：$1\ \ 2\ \ 3\ \ 4\ \ 5\ \ 6\ \ 7\ \ 8\ \ 9$

　　方图"一分为二"：$8 + 16 + 24 + 32 + 40 + 48 + 56 + 64 + 72 = 360°$

　　五行：$5\ \ 10\ \ 15\ \ 20\ \ 25\ \ 30\ \ 35\ \ 40\ \ 45$

　　圆图"一分为三"：$9 + 18 + 27 + 36 + 45 + 54 + 63 + 72 + 81 = 405$

　　4. "宇宙常数" 3.2 与周角 $360°$ 及周长的关系：

　　宇宙空间只有 $360°$，九大行星沿 8 个方位三维运行一周的轨迹，称："宇宙常数" 3.2。$360° \times 3.2 = 1152$，（$1 \times 1 \times 5 \times 2 = 10$，"对立统一"）在《八卦图》中称宇宙万物之数。

　　（1）圆弧是测量圆弧的角度，直线是测量线的长度。所以直线与圆弧是对应相依，按天圆为 9，地方为 8，圆弧比直线长，$9 \div 8 = 1.125°$，就是说圆弧与直线的比值是 $1.125°$

　　如：$360° \div 1.125° = 3.2$（0），　　$3.2 \times 1.125° = 360°$

　　（2）关于周长和宇宙常数的概念是不等同，宇宙圆常数直径是不能改变。求周长的直径是可以改变的，就是说"宇宙常数 3.2"和周角 $360°$ 是同步和谐运行。周长是根椐应用自己假设的，是人为的，不是自然规律。

　　（3）天体三维圆、方同步运行称："宇宙常数" 3.2（图22）

　　①宇宙空间 8 个方位的对称数都是 33。

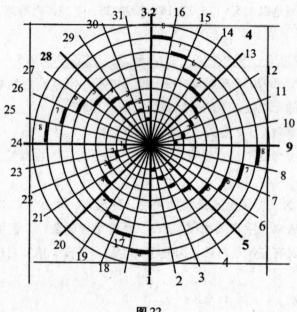

图 22

②坐标系：竖坐标线是 1 + 32 = 33；

纵坐标线是 5 + 28 = 33（33 + 33 = 66）；

横坐标线是 9 + 24 = 33（33 + 66 = 99）；

因此三维坐标线，就是论天圆、地方三维六合坐标圆。

宇宙空间 8 个方位，"一分为二"是分不出 3.14159292035……无限循环数，只能分出 3.2，所以自然圆的三维周长常数是 3.2。

（4）"宇宙常数" 3.2 是宇宙自然数

阴阳匹配为 3∶2，是宇宙自然数哲学观，是自然数自然规律。从 100 来说，以 100 之内的倍数，被 3.2 分，"一分为二"可以到 64，"一分为三"可以到 96。

自然数：1 2 3 4 5 6 7 8 9……32

一分为二：2 4 6 8 10 12 14 16 18……64

一分为三：3 6 9 12 15 18 21 24 27……96

所以宇宙常数 3.2 是宇宙自然规律，是自然数序化系列数 1~32，不是人为量出来的。

（5）周长是我们常规用来测定圆弧一周的长度，圆弧是宇宙空间 8 个方位的周角数 360°，因为圆的半径最长或最短，只有 1～8，圆弧的半径最大或最小，只有 9，比直线的半径长，因为直线直径是不能拐弯，是不变的，而圆的弧线直径移动是可变的。因此宇宙 64 维空间 72 候才能对应和谐运动。

360° ÷ 555 = 648；　　　 3.2 ÷ 555 = 576……

648 ÷ 576 = 1.125°；　　 576 ÷ 648 = 0.888888888

1.125° × 0.888888888 = 0.999999999，宇宙天体 648（64 维空间 72 候）空间坐标圆。

（6）补充一点：

①周长等于直径与"宇宙常数"3.2 及 1.125 的乘积，周长是直线，周角是弧线，一个是论直线的长度，一个是论弧线的角度。直线是不能拐弯，弧线是可以拐弯（弧）所以有弧线必有直线。周长：直径 × 3.2 × 1.125

②"宇宙常数"的直径是不能变更，求周长的直径是可以选择。所以"宇宙常数"和周长有区别的。

天圆、地方明确：圆为"9"，方为"8"，弧线没有直线（方向）导向，圆弧就成圆无方向的运动，直线照直无止境运动，自然就消失。

因此"宇宙圆周率"3.2 是圆、方"对立统一"的宇宙观，是万物阴阳演变和万物三维循环坐标系的哲学观。

③直线直径是（3.2 × 5 = 16）；弧线直径是 180°

直线直径短，弧线直径长，要保持直线和弧线的间距，达到同步和谐运动，天体只有 9 夥行星，空间只有 8 个方位，9 ÷ 8 = 1.125，这是圆与方的比值 1.125。

以直线直径 16 × 1.125° = 180°，与弧线直径数 180°就相等了。

16 × 180 = 288，288 ÷ 8 = 36（0）：288 ÷ 9 = 32

④"宇宙常数"和周角有不同意义

经线是等距离的，纬线的间隔是递增（圆与圆之间、线与线之间）。递增的目的是去保持经度和纬度的比值，即 360° ÷ 3.2 = 1.125°（9 ÷ 8 =

1. 125°)，因此周角和周长常数的比值是 1. 125°，也就是说：9 大行星运行 1°，太阳运行 1. 125°，经线和纬线递增一倍和递减一半的差数是 4 倍。

（7）3、6、9 系列坐标

①从三维六合自然圆"6"（1 + 2 + 3 = 6）坐标系

△宇宙自然数（x1）：1、2、3、4、5、6（6 为圆）

△"一分为二"（x2）：2、4、6、8、10、12（12 为对称）

△"一分为三"（x3）：3、6、9、12、15、18（18 为坐标）

②"7"是宇宙自然数"对侍数"

"7"是宇宙自然数的"对侍"数，所谓"对侍"，就是正与负的条件是相等的，是互相抵销而又形成一个平衡"对侍"状态，不产生运动，也不体现磁场态。

△"7"是 9 大行星作圆形运动的时空交替数，是一阴一阳的合数，阴 180°、阳 180°，合为 360°，同时我们发现这是天体自然数演化运动的一个规律，也启示我们一上一下；一左一右；一前一后，是万物阴阳合数演变的三维坐标运动的自然规律。

从力学的角度去看，一边是动力，另一边是反作用力，两边的向量力互相抵销，形成阴阳"对侍"的统一场（态）。

在 1 - 9 的自然数中任何一个数除"7"，都是除不尽，而两侧数都是对称数。把"对侍"数中央数相加的数值为 27，是太阳自转一个周期为 27 天之数，⑦ + ④ + ① + ⑧ + ⑤ + ② = 27。

如：1 ÷ 7 = 0. 14285⑦14285

2 ÷ 7 = 0. 28571④28571

3 ÷ 7 = 0. 42857①42857

4 ÷ 7 = 0. 57142⑧57142

5 ÷ 7 = 0. 71428⑤714285

6 ÷ 7 = 0. 85714②857142

7 ÷ 7 = 1

8 ÷ 7 = 1. 142857142857……循环

$9 \div 7 = 1.28571428571\cdots\cdots$循环

自然数"7"在自然数中就像时钟的"钟摆",向左摆动和向右摆动的向量是相等的,就是说,左、右给的能量是相等的。在自然数中最稳定态。

△⑦＋④＋①＋⑧＋⑤＋②＝27,太阳自转一个周期为27天。

△⑦×④×①×⑧×⑤×②＝224(0),224÷7＝3.2(0),所以"宇宙常数"3.2是天体运行最稳定的守恒数。

中心轴标转动32(0),圆弧移动一周为360°(图23)(1.125°×3.2＝360°)。所以线与圆是同步运行,才能保持守恒运动。直线绕转1°,弧度为1.125°,其对称就是2.25°,内圆向四周扩大一圈,小圆和大圆的比值数也是1.125°(1.125×8(8个圆)＝9),直线是测量圆的周长,弧线是测量圆的周角,因此必须具有直线和弧线组合,才能建立正确"圆周率"坐标系。(图23)

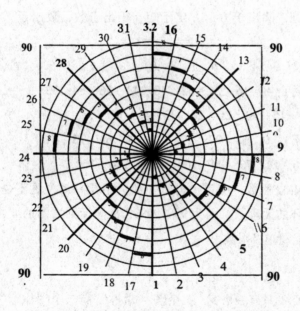

图23 经线移动1°纬线圆弧移动1.125°

$360° \div 3.2 = 1.125°$; $3.2 \div 360° = 0.88888888$

$125 \times 0.88888888 = 0.999999999$,坐标圆

△现代数学×符号与自然数坐标系：

太极 x1：$5 \div 5 = 1$

二仪 x2：$5 \div 5 \div 5 = 2$

四象 x3：$5 \div 5 \div 5 \div 5 = 4$

八卦 x4：$5 \div 5 \div 5 \div 5 \div 5 = 8$

对称 x5：$5 \div 5 \div 5 \div 5 \div 5 \div 5 = 16$

坐标 x6：$5 \div 5 \div 5 \div 5 \div 5 \div 5 \div 5 = 3.2$

△天体三维六合坐标系：

自然数（x1）：1. 2. 3. 4. 5. 6　　"1"

一分为二（x2）：2. 4. 6. 8. 10. 12　　"2"

一分为三（x3）：3. 6. 9. 12. 15. 18　　"3"

64 维空间 72 候：$5 \times 6 \times 12 \times 18 = 648$

数取法出于圆，圆出于方，方出于矩，矩出于数，数出于"九九八十一"

自然数：　1　2　3　4　5　6　7　8　9

一分为二（阴）：8　16　24　32　40　48　56　64　72

五行：5　10　15　20　25　30　35　40　45

一分为三（阳）：9　18　27　36　45　54　63　72　81

合数：18　36　54　72　90　108　126　144　162

我们认识宇宙自然数，应该上升到三维，不是一维，更不是没有"中心"的无限不循环的无理数。因为 999999999 是坐标圆方图的"极限"数，宇宙自然数是不能超越极限数。

（四）"三五归中"

一个圆"中心"只有一个5，二个圆"对称"有二个"中心"5。三个圆"坐标"有三个5、5、5。讲三维立体圆，就要讲"三、五归中"（5、5、5）。所以三维六合坐标圆是论5、5、5（三个自然圆6）。体现太阳系九大行星三维运行 64 空间 72 候，三维六合坐标系的模式：①直线直径（左、右）；②弧线直径（上、下）；③曲线直径（前、后）。（图24）

1. 每一位自然数都是三维，都有自身的中心，也就是 5、5、5

$1 \div 5 = 0.2$；$1 \div 55 = 0.018$；$1 \div 555 = 0.00180\cdots\cdots$

$2 \times 18 \times 180 = 648$（$360° \div 555 = 648$）。

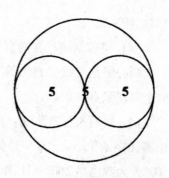

图 24　三维六合坐标圆的模式

2. 不遵循"三、五归中"，就没有三维六合坐标系（5、5、5），64 维 72 候（648）就不成立。所以《八卦图》是宇宙三维六合坐标系模式（$6 \times 12 \times 18 = 1152$），论宇宙空间 64 维 72 候"统一场"（$1 \times 1 \times 5 \times 2 =$ "1"）。

$3 \div 5 = 0.6$；$3 \div 55 = 0.05454545454\cdots\cdots$　$3 \div 555 = 0.005405405450\cdots\cdots$

$6 \div 5 = 12$；$6 \div 55 = 0.1090909090\cdots\cdots$　$6 \div 555 = 0.0108108108\cdots\cdots$

$9 \div 5 = 18$；$9 \div 55 = 0.1636363636\cdots\cdots$　$9 \div 555 = ：0.0162162162\cdots\cdots$

3. 遵循三维六合坐标系（5、5、5）每一位自然数都具有三维（5、5、5），目前我们的数学距离"三、五归中"差距很远，因为一个圆"中心"5，和三个圆的"中心"5.5.5 差距很大，如果二进制计算机发展到三进制计算机，科学将有更大发展：

$1 \div 5 = 0.2$；

$1 \div 55 = 0.0181818\cdots\cdots$；

$1 \div 555 = 0.00180180180\cdots\cdots$。

$0.2 \times 18 \times 180 = 648$（64 维空间 72 候）

4. "同心圆"的中心是"5"

宇宙万物都有中心，自然圆的中心是"5"，同心圆的中心也是"5"，自然圆和同心圆都是反映自然界万物都是先有中心再有圆，不是先有了圆再找中心。

x5.6! $= 5 \times 1 \times 2 \times 3 \times 4 \times 5 \times 6 = 360°$

x5.5! $= 5 \times 2 \times 2 \times 2 \times 2 \times 2 = 3.2$

$32 \times 360° = 11520$（是宇宙万物之数），$1 \times 1 \times 5 \times 2 =$ "1"，宇宙自然数

"对立统一"。

（1）宇宙空间存在的自然圆——"同心圆"

同心圆是三维"自然圆"的全息体现，以"5"为"中心"。是宇宙自然数全息凝聚点。

把一块石头投进水池，池中就会出现一幅"同心圆"水浪图像，由中央小圆（中心），从"0"开始一个接一个圆圈，连续向四周扩展，小圆是360°，大圆也是360°；小圈和大圈的周长常数都是3.2，因此周角和周长可保持同步的和谐运动。

①中国早在7000年前，论天圆为"3"；论地方为"2"，论述天体自然数阴、阳排列，向前都是以倍数递增扩大，向后以倍数递减，其差数为4倍。在每个数的对应，都遵循三维坐标系。如果我们从侧面观察，像"波浪"运动，从整体圆图看"波浪"是9个"波峰"和8个"波谷"（图25）。

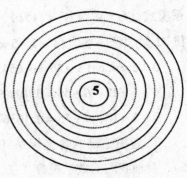

图25　同心圆正面图

②"波峰"与"波谷"是体现天圆、地方和时、空三维坐标运动的自然规律：

$9 \div 8 = 1.125$；$8 \div 9 = 0.888888888$

$1.125 \times 0.888888888 = 0.9999999999$，天体时空三维运动坐标圆。

$1.125 \times 3.2 = 360°$（周角）；$360° \div 1.125 = 3.2$（周长），"宇宙圆周率常数"3.2。

"波峰"与"波谷"是体现天圆、地方和时、空运动的自然规律：波峰递增一倍和波谷递增减半，间距差数为4倍。

如：$360° \div 5 = 72$；$360° \times 5 = 18$（00）；$72 \div 8 = 4$。

数从中心产生，万物也是从中心开始生长

5．"动态数学"三维六合"封闭"圆图

《八卦图》中央的三维坐标圆圆，以圆弧360°角度准则，以8个方位三维"对称"，以"宇宙圆周率常数"3.2为准则，正确反映太阳系9大行星绕

8个方位三维"循环"和"回归"运动，是一门三维循环"动态数学"。

$$360 \div 555 = 648 \quad (648 \div 6 = 108)$$

$$3.2 \div 555 = 576 \quad (576 \div 6 = 96)$$

由三个不同的直径，在不同的方位和角度构成的三维旋转对称坐标系，称三维六合坐标圆，就是说，有三个"中心"（3、5、7）组合的坐标圆：

"宇宙圆周率"3.2，是圆中央的一条曲线"～"有三个中心：③、⑤、⑦，三维六合坐标系组合具有三个中心，以③、⑤、⑦组合为三维六合坐标系。（图26）

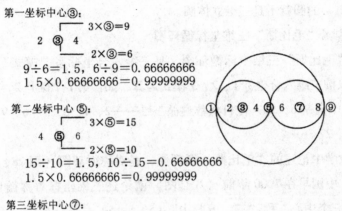

第一坐标中心③：
$$3 \times ③ = 9$$
2　③　4
$$2 \times ③ = 6$$
$$9 \div 6 = 1.5, \quad 6 \div 9 = 0.66666666$$
$$1.5 \times 0.66666666 = 0.99999999$$

第二坐标中心⑤：
$$3 \times ⑤ = 15$$
4　⑤　6
$$2 \times ⑤ = 10$$
$$15 \div 10 = 1.5, \quad 10 \div 15 = 0.66666666$$
$$1.5 \times 0.66666666 = 0.99999999$$

第三坐标中心⑦：
$$3 \times ⑦ = 21$$
6　⑦　8
$$2 \times ⑦ = 14$$
$$21 \times 14 = 1.5, \quad 14 \div 21 = 0.66666666$$
$$5 \times 0.66666666 = 0.99999999$$

图26　三维坐标系运动（555）

《八卦图》讲："三、五归中"。因此圆是360°，圆的"宇宙圆周率"常数是3.2（图27）。

生命与非生命运动物质的象数演变称"动态数学"。太极、阴阳、八卦、五行、河图、洛书、干支和吕律，都是描述天体时空三维运动的密码排列。

6. 三维六合"封闭"的坐标圆

只要是"封闭"的圆，就包含着圆图与方图，

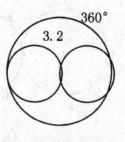

图27　三维六合坐标系

并都具有三维立体性。

（1）《河、洛》明确："9"为圆是弧线，"8"为方是直线，就是说；弧线是用测量圆弧周角用"9"，"8"是直线，是丈量的长度。周角用圆弧测量，$5 \times 8 \times 9 = 360°$，周长用直线丈量其长度，$5 \times 8 \times 8 = 3.2$。因此测量圆的弧度，称周角，丈量圆的长度，常数称周长。

（2）"天上有个天球"，古人已经有了"天球"概念，然而，天体中天球是立体运行，圆是三维立体的，没有平面的圆。

用圆规画的圆，是自然圆，是"封闭"圆，就是三维六合自然坐标圆，不是"封闭"的圆就不是三维立体圆。

（3）中国"毛比斯"三维坐标循环图

中国"毛比斯"三维坐标循环图，是三维六合坐标系"模式"，宇宙自然数都可以按三维六合坐标1、2、3模式运算，如：第1个圆是2，第2个圆是4，第3个圆是6，每一位自然数遵循三维——2、4、6，3、6、9，6、12、18，9、18、27……

目前数学中论述的"毛比斯"循环图，是对称循环图（图28），不是坐标循环图。中国早在7000年前《八卦图》就论述三维坐标对称循环图（图29）。具有三个中心，称"三、五归中"（5、5、5）。

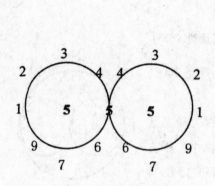

图28　"毛比斯"阴阳对称循环图

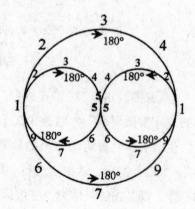

图29　太极"毛比斯"三维循环图

（4）天体三维循环运动

《八卦图》中央圆图是论述天体九大行星三维运行的轨迹（图30）。$360° \div 555 = 648$（64维空间），有三个"中心"（5、5、5）。

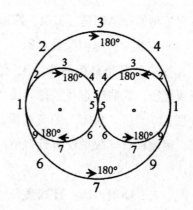

在宇宙空间作三维循环运动的物质，称动态数学。九大行星每运行1°度，时间与空间（圆与方的比值为$1.125°$）

图30　天体三维时空循环运动路线

$1 \div 81 = 0123456790123456790123456790123456790……$循环

宇宙自然圆的"中心"

"中心"是宇宙自然数信息凝聚点，具有自然数0123456789全部信息。

点移动成线，这条直线就有自然数123456789，"9"是弧线要拐弯，画成圆，这条弧线同样具有自然数全部信息。$5 \times 8 \times 9 = 360°$，$5 \times 8 \times 8 = 3.2$，所以自然圆的中心、半经和圆弧，都是自然规律。

自然圆与天体时空运动是相互依存的，时间的"9"，空间的"8"是太阳系天体运动规律：

$9 \div 8 = 1.125°$；　　　$8 \div 9 = 0.888888888……$

$1.125 \times 0888888888 = 0.999999999$ 坐标圆。

（五）自然圆最对称

（1）"对称"是通过"中心"，中心偏了坐标也不正确。"中心"圆是自然圆，"中心"也是自然中心，因为宇宙空间任何一个物和一个点，其周围都是360°，放在任何一个空间就是"中心"，因此中心和圆是最"对称"。

（2）圆具有更高的"对称"性。对称性的精确数学定义涉及到不变的概念。如：用圆规画圆，中心旋转时是不变的，画出的圆一定是"封闭"的圆。所以画圆必须先定中心，不是有了圆再找"中心"。

圆最"对称"，体现在宇宙万物都是三维六合（3·6·9）坐标系，数能描绘宇宙万物的一切形状，数本身不遵循三维坐标：中心、对称和坐标。如果所有的物体计算都是近似值，那所有运算的数值只能换算不能"回归"。

（3）三维立体坐标圆最对称

具备三个不同直径的圆：①直线直径；②弧线直径；③曲线直径，称三维六合坐标系（图31）。是"封闭"的自然圆，不是平面圆，因此在自然数中没有近似值的无限循环圆。

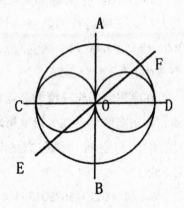

左、右；OCD：16：直线直径（3.2×5 =16）

上、下：OAB：16：弧线直经（180×5 =90）

前、后：OEF：16：曲线直径（360×5 =180）

图31　直线直径：弧线直经
曲线直径

物质直线运动是无界的（照直不拐弯），是单向运动，必然会自然消灭。如果物质曲线运动是有界的，但没有直线导向就成为无方向的运动。因此物质运动既依赖直线运动，又按照曲线运动，这就是物质的双向运动，所以物质运动既要有直线导向，又具有曲线运动的"循环"和"回归"，这是物质矛盾"对立统一"的物质运动法则。

所以三维六合坐标圆，既有直线导向，又有曲线和弧线组合，所以三维坐标是最对称的。

①目前数学常见的圆，只有左、右直线直径和上、下圆弧直径，没有前、后曲线直径，所以常见到的圆，不是完善的三维六合坐标圆。

②三维六合坐标系：中心5，对称2，坐标3。

正确的三维六合坐标圆，应该包括：中心、对称和坐标。直线是无边运动，弧线是可以绕圆运动，曲线是遵循往返或循环运动。所以三维六合坐标圆，既有直线导向的"单向运动"，又有曲线的"双向运动"，组合为一个"对立统一"，三维立体往返循环和"回归"运动的自然规律。

常规的圆只有直线直径和弧线直径。三维六合坐标圆讲：直线直径、弧线直径和曲线直径，这才完善天圆地方的三维宇宙观，也是天体三维运行的自然规律，宇宙三维六合坐标圆是三维"封闭"圆，也是三维回归坐标圆。（图32）

16÷18÷3.2＝0.277777777，恰好与太阳自转一个周期为27天，是相同的数值。

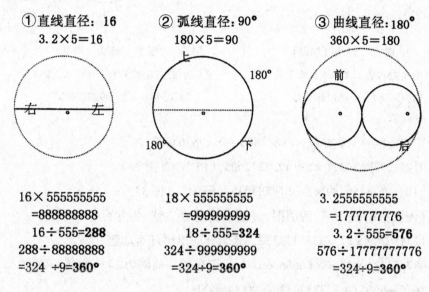

① 直线直径：16
3.2×5＝16

② 弧线直径：90°
180×5＝90

③ 曲线直径：180°
360×5＝180

16×555555555
＝888888888
16÷555＝**288**
288÷88888888
＝324　÷9＝**360°**

18×555555555
＝999999999
18÷555＝**324**
324÷999999999
＝324÷9＝**360°**

3.2555555555
＝1777777776
3.2÷555＝**576**
576÷17777777776
＝324÷9＝**360°**

图32　三维六合坐标系圆

四、中国"河图"与洛书

《河图》《洛书》皆以"五"为中央。以天阳为3。地阴为2，合为"五"行，古易称五为祖数。《河图》为天体时空运动。

《洛书》是沿8个方位绕圆（圆心）运动的坐标系。所以"9"与"8"之数，是太阳系天体时空运动和象数阴阳变化的宇宙自然规律。

（一）《河图》为体，《洛书》为用

《河图》《洛书》体用结合，方明数学，汉代刘歆说："河图、洛书"相合为经、纬。伟大的科学家爱因斯的相对论，是从演算中国的《河洛》中的奇偶数中启发，提出了"相对论"。

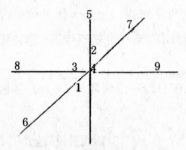

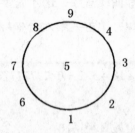

图 33　经线（河图）　　　　　　　　图 34　纬线（洛书）

由左向右数 1. 2. 3. 4. 5. 6. 7. 8. 9　　　　　由右向左数 9. 8. 7. 6. 5. 4. 3. 2. 1

123456789 × 5 = 617283945　　　　　　987654321 × 5 = 4938271605

宇宙空间：8 个方位：88888888 ÷ 9 = 987654321

时间：987654321 × 5 = 4938271605（洛书）（图 34）。

空间：123456789 × 5 = 617283945（河图）（图 33）。

《河图》明确"9"为圆图，《洛书》明确"8"为方图

123456789 × 27 = 3333333330，是天体三维循环运动数。

987654321 × 27 = 26666666667 与太阳自转一周期为 27 天数是一致数。

26666666667 ÷ 3333333330 = 80000000081。

（二）中国《易经》论时、空

光速源于九大行星的运行速度，太阳自转一个周期为 27 天，相当于九大行星三维运行速度，81 个圆（360°）。81 ÷ 27 = 3，三维循环。

光速与"超光速"

光以每秒 3×10^5 次方公里的固定速率直线地穿越空间。丹麦科学家罗默（Olaus Roemer）精确的计算到光速每秒约 30 万公里。

我在多年的研究中，认为生命的光速要大大快于自然光速，甚至是光速的千倍。光速是体现九大行星的运行速度，所以应根据天体三维运行来计算。

太阳系内有"超光速"物质，人生命的光（生命能量）是超光速的物质。我于 1988 年 9 月，在西安参加的国际学术会议上发表的论文中，提出了生命的能量态（即气功外气）是超光速物质。

美籍华人王理军实验论证超光速物质的存在，他的计算是比光速快 300
倍。

（三）中国《八卦图》与时、空

宇宙空间 8 个方位只有 360°，没有 365°，一年应为 360 天。

太阳一日运转一度（1°），一年运行一周天为 360 天。太阳沿"黄道"
运行，每月合一次，全年 12 次，每次 30°，太阳每次起点为"节气"，一年
24 个"节气"，每个节气为"15"天，$15 \times 24 = 360$ 天。

1. 一天为 24 小时

时钟一圈报时为 12 小时计算，1 分钟为 60 秒，1 小时为 60 分，合数 60
$\times 60 = 360$（0），就是说 1 小时为 360（0）秒。与九大行星沿 8 个方位黄道
一周 360°是一致的，与圆的周角 360°度是一致的，就是说时空一昼夜运行为
24 小时，$24 \times 3600 = 864$（00）秒，$864 \div 360 = 24$，$864 \div 3.2 = 27$。24×27
$= 648$，天体三维运行 64 维空间 72 候，把得数相除：$8 \div 6 \div 4$：
0.333333333，是天体三维循环运行。

$864 \div 360 = 24$（《八卦图》12 阴阳 24 向）。

$864 \div 72 = 12$，太阳自转 12 圈，是宇宙天体运行圆、方图。

$864 \div 27 = 3.2$，所以宇宙天体三维坐标圆、方图为 3.2。

324 天 + 36 天：360 天，因此一年应为 360 天。

宇宙自然数 8 全息，8 ÷
123456789 = 648，64 维空间是讲
"对称"，72 候是论坐标系。所以自
然数 8 的信息，既包含着方图信息，
也包含着圆图 9 的信息（图 35）。

$1 \times 72 = 72$

$2 \times 72 = 144$

$3 \times 72 = 216$

$4 \times 72 = 288$

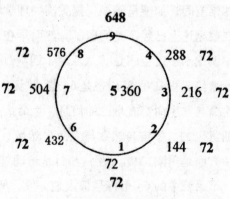

图 35

$5 \times 72 = 360$

$6 \times 72 = 432$

$7 \times 72 = 504$

$8 \times 72 = 576$

$9 \times 72 = 648$

2. 《八卦图》的"一分为二"和"一分三的宇宙哲学思想，是 64 维空间 72 候的基础（图 36）

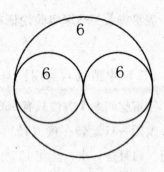

图 36　三维六合坐标圆循环

$6 \div 555 = 0.0180180180\cdots\cdots$循环

$12 \div 555 = 0.0216216216\cdots\cdots$循环

$18 \div 555 = 0.0324324324\cdots\cdots$循环

$180 + 216 + 324 = 648$

3. 三维以上，是多维空间，由"静态数学"进入"动态数学"，因此 64 维空间 72 候是"动态数学"如：

$100100100 \div 555 = 18036054054054\cdots\cdots$三维循环；

$600600600 \div 555 = 108216324324324\cdots\cdots$三维循环

4. 人体细胞分裂也是 64 维空间

人类已经能在地面上实现三维空间能量转换，在太阳系的宇宙空间实现四维空间，如能量转换，据美国物理学专家认为十维或十二维空间能量转换，在数理论上已经不是问题了。然而早在 6 千多年前中国的《八卦图》在术数中就论术宇宙空间是"八八六十四"（64）维空间。宇宙空间 64 维空间，生命遗传工程 DNA 密码也是 64 维。"天人合一"，是研究生命科学的核心思想。生命与非生命都有自己的信息，生命信息是"随意"的，非生命信息是"不随意"的。宇宙自然数与生命自然数，从二个系统中都含有"极"的原理，一方面是阴阳二极，另一方面是精确"对称"的 DNA 密码链，这一原理与二个系统中的 64 个符号惊人地一致，使我们合理地假设既通过非生命物质的"对称"性，又通过生命物质的信息体现出来生命密码体系 64，与天体时空三维 64 维空间是一致的。所以宇宙自然数是"天人合一"三生万物。

5. 时间的平方与平均距离的立方成正比

时间是指行星绕太阳一周的时间，平均距离为近日点和远日点的平均值。时间的平方与距离的立方成正比即："距离增加 4 培，时间将增加 8 培"（4 ÷ 8 = 0.5，8 ÷ 4 = 2，0.5 × 2 = 1，"对立统一"）。如果距离增到 9 倍，时间将增到 27 倍（9 ÷ 270 = 333333333，27 ÷ 9 = 3，3 × 333333333 = 999999999，三维循环）。如果距离增到 16 倍那末时间将增到 64 倍。（图 37）

64 ÷ 55555555 = 0.0000001152（360° × 32 = 11520），八卦中讲的宇宙万物之数。64 × 55555555 = 3.555555552，"宇宙常数" 3.2。

1152 ÷ 3.2 = 360°，1152 ÷ 360° = 3.2

（四）时空"对立统一"

1."宇宙常数" 3.2 和 64 维空间的直线组合

三维六合坐标才能形成 3.2 和 64 维空间，才能"对立统一"。

2. 8 个方位 64 维空间

宇宙天体沿 8 个方位绕圆运行一周，8 × 64 = 512（16 × 3.2 = 512），因此天体运行 64 维空间。

8 个方位对称数都是 63，"63 ÷ 81 = 0.777777777"，是宇宙自然数"对侍数"，所以 64 维空间是最稳定，最守恒。（图 37）

3. 64 维空间 72 候

《河洛》明确：圆为 9、方为 8，遵循三维坐标排列：

地方：8、16、24、32、40、48、56、64、96 相加为 288（3.2 × 8 = 288）

天圆：9、18、27、36、45、54、63、72、108 相加为 324（360 × 9 = 324）

324 × 288 = 1.125，288 ÷ 324 = 0.88888888

1.125 × 0.888888888 = 0.999999999 坐标圆。

64 维空间 72 候坐标系，一个是论述对称（直线），一个是论述空间（弧线）

64 维空间是论对称：3.2（3.2 ÷ 5 = 0.64）

72 候是是论宇宙空间：360°（360° ÷ 5 = 72）

64 维空间 72 候是阴阳阴三维循环坐标圆（图 38）

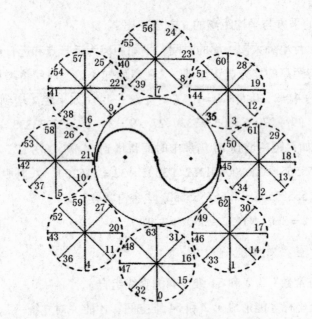

图37 天体三维六合64维空间（0-63）

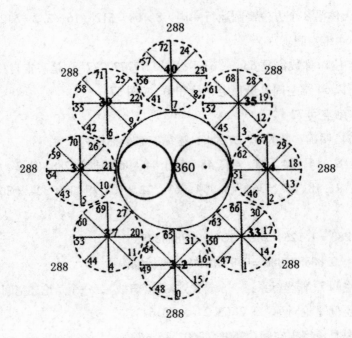

图38 宇宙太阳系64维空间72候空间（0-72）

上图中 8 个方位的圆形"对称"数都是 288，如中心数 37：

$4 + 11 + 20 + 27 + 44 + 53 + 60 + 69 = 288$

"九九归一"：$999999999 + 1 = 100000000$，

"1"是"对立统一"，是全息于一，

"1"00000000（九九归一），$999999999 + 1 = 100000000$。

宇宙自然数遵循三维，是宇宙三维六合坐标全息系列（以 100 为三维）：

自然数：1、2、3、4、5、6、7、8、9、10、11、12、13、14、15、16……32（+1 = 33）

一分为二：2、4、6、8、10、12、14、16、18、20、22、24、26、28、30、32……64（+2 = 66）

一分为三：3、6、9、12、15、18、21、24、27、30、33、36、39、42、45、48……96（+3 = 99）

"九九归一"：$999999999 + 1 = 100000000$

在 100 数字中，三维六合坐标系之自然数，只有 33、66、99，就是说数不能超越"99"（99 + 1 = 100）。

①宇宙自然数全息，是宇宙"统一场"

中国的"易经"用"道生一、一生二、二生三、三生万物的宇宙哲学观，用三维和多维空间的宇宙观，描述了天体的平面平移或旋转平移是宇宙万物有个统一标准，称"统一场"，同时体现了宇宙天体运动的"中心"思想、"天人合一"和"时空"对称平衡运动的整体观。

②宇宙"统一场"论

$1 \div 81 = 0.01234567901\cdots\cdots$（图 39）

$1 \div 123456789 = 0.000000008$①

$2 \div 123456789 = 0.000000016$②

$3 \div 123456789 = 0.000000024$③

$4 \div 123456789 = 0.000000032$④

$5 \div 123456789 = 0.000000040$⑤

$6 \div 123456789 = 0.000000048$⑥

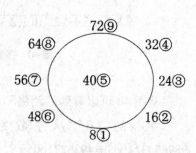

图 39　8 个方位对称数都是 81

$7 \div 123456789 = 0.000000056$⑦

$8 \div 123456789 = 0.000000064$⑧

$9 \div 123456789 = 0.000000072$⑨

8 个方位都是 81，$81 \times 8 = 64$⑧，这是《八卦图》64 维空间 72 候。

在每一位自然数全息中，都包含着圆、方宇宙全息"对立统一"。如：

圆方合图数：

△243：$24 + 3 = 27$，24 是方图，27 是圆弧

△324：$32 + 4 = 36$，32 是方图，36 是圆弧

圆、方对立统一：

△$1 \div 8 = 0.125$；$8 \div 1 = 8$，$0.125 \times 8 =$ "1"

△$3.2 \div 4 = 8$；$4 \div 3.2 = 1.25$，$1.25 \times 8 =$ "1"

△$1 \div 81 = 0.01234567901$

$8 \div 81 = 0.09876543209$

$0.01234567901 + 0.09876543209 = 0.111111111$ "宇宙统一场"

③天圆、地方是象、数关系，既把象导入数，又把数用于象，形成象与数宇宙化。把象与数又具体三维立体化。每一位自然数都具有圆、方三维信息。

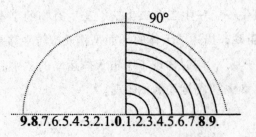

直线半径：是 8
圆弧半径：是 9

图 40 宇宙自然数全息：0123456789

从图 40 可以看到"河洛"时、空对称：（也称"时空相对论"）

中心的"0"从左数为：9、8、7、6、5、4、3、2、1（洛书：$987654321 \times 5 = 4938271605$）

中心的"0"向右数为：1、2、3、4、5、6、7、8、9（河图：$123456789 \times 5 = 617283945$）

987654321 + 123456789 = 1111111110

4938271605 + 617283945 = 5555555550，即《河、洛》是宇宙天体坐标的"中心"。

1111111110 ÷ 5555555550 = 0.2；5555555550 ÷ 111111111 = 5

0.2 × 5 = "1"，对立统一场

三维六合坐标系，是宇宙"统一场"。宇宙演变、物质转化和生物进化，象数阴阳变化，都回到"统一场"（九九归一）。

4. 宇宙万物的信息

宇宙万物的信息 95% 来自阳光，阳光具有"波形"（～）和"粒子"（……）双重性运动。《八卦图》的阴阳符号和太阳光的"波、粒"双重性运动是同一意义。所以天 3、地 2，阴、阳匹配"对称"三维循环，是宇宙万物全息自然规律。太阳光是一种分角直线辐射光线，向宇宙 8 个方位辐射，是一个变化磁场，沿空间 8 个方位曲线"～"移动，与九大行星沿 8 个方位曲线"～"运动是相似的。应用立体守恒的观点来认识九大行星回互"～"曲线运动的规律。

《八卦图》的符号：阳"——"是"波形"（～）运动，阴"– –"是"粒子"（……）运动。

5. 信息是能量的载体

信息是能量的载体，体现了"磁场"能量的有序。自然数是有序的，宇宙万物都是有序的。天圆、地方是全息之源，其全部信息尽在：0、1、2、3、4、5、6、7、8、9 之中。

宇宙空间每一个数的形式，自身就是延伸一次三维运动，自然界任何物质的结构，都是由：点、面、线、圆的形式构成。而不管是何种形式的存在，从生命到非生命的物质，都是由"3"组成。三生万物。

"1"是自然数全息的基源，从全息来说，一个点、一个面、一个圆、一条线、短线、长线、曲线、弧线、直线。大到整个宇宙，至无限，都是一个全息。就是说，无穷小到无穷大，由无穷大再到无穷小。无不充满了阴、阳组合的三维立体回互运动。

后　记

　　黄仲林教授，1951 年毕业于原东亚体育专科学校，现上海体育大学，就职于山东农业大学。几十年来，结合专业知识一直致力于运动医学研究，其中主要包括"双手行针"、"脉管针导线回路"、"植物与脉管针导线回路"等方法。在临床医疗方面取得卓越成果，赢得海内外盛誉，为中华医学争了光，多次被美国、德国、新加坡、印度尼西亚、马来西亚等国的医学研究团体及中医针灸协会等学术单位邀请讲学，并做临床示教。在国内曾多次受邀请在北京、山东、江苏、湖南、海南等地办"双手行针"学习班，并先后接过来自全国近 30 多个省、市、自治区的患者达数万人之多。并有多个国家的外国朋友（患者）展转找到他治病。不管贫富，地位高低，他总是充满热情，诚恳地、认真负责地、不讲条件地对待每位患者。因此，我作为家人，有时也不免生出"嫉妒"，开玩笑说：病人都是你的亲人……。你的时间都属于他们……。然而他确实得到了病人的尊敬和爱戴。

　　黄仲林教授对中医针灸研究始于上世纪 50 年代。在体育教学工作中，他看到学生在体育运动中遭受跌打损伤的折磨，非常心疼，善良的他出于对学生的疼爱，常常结合运动医学专业知识，利用针灸、按摩、复位等方法为同学治疗。结果发现针灸的效果很好。因此，自 1952 年起他潜心研究针灸，如痴如醉。

　　上世纪 50～70 年代，特殊的政治气候，农大学校的干部职工（全国情况都如此）常常轮流下乡支农、劳动锻炼。农村缺医少药，针灸派上了大用场。尤其在 1958 年，黄教授去"高塘"农村劳动锻炼（在山东济南附近）长达半年之久，劳动之余为农民朋友扎针治病，有时患者会排队等到深夜。"春节"回南方老家探亲，十里八乡的老亲乡邻来排队看病，就是文化大革命蹲牛棚时，也有同事经"工宣队"批准后请他扎针治病，他总是热心治疗，不论在哪里，为人治病他从不收任何报酬。在那个物质匮乏的年代，送只鸡蛋都是很好的礼物，但他连一个鸡蛋都不收。他常说："乡亲们不容易"。直到今天，家乡人还是很爱戴他，盼他回去。

为了在中医针灸方面取得更好疗效，把中华传统医学瑰宝发扬光大，他不断探索，不惜以身试针，亲身感受，功夫不负有心人，他的热心和爱心感动了上苍，使他针灸技术日臻完美。但他常说：是那个缺医少药的年代锻炼了我，所以，我的技术要用之于民。几十年来，他为多少人义务治病是计算不清的。

"双手行针"的研究始于上世纪 60 年代末，由于莫须有的罪名，他身陷囹圄，无事可做，就"打坐"练功，研究针灸。一次练功打坐，眼前突然出现亮光。他联想起修摩托车时正负两极电路引起的火花（在 50 年代会骑摩托车的不多，他曾当过济南军区体工大队摩托车教练，正因此事，在文化大革命当中，被打成"国际特务"，这是其中一个罪状就是说受过专门的特务训练，现在说起来是笑话，但那个年代所经历的是不堪回首的）。于是灵感来了，从那时就开始了双手行针的技术研究、探索和应用。1983 年，他由《南史》列传卷二十二中的公孙泰患发背疮的故事获得灵感，又开始了如痴如狂的人体与植物用导线连接；即"双手行针"和"脉管与植物针刺导线回路"的研究。一发不可收拾，陷入了有钱上，没有钱也要上的"疯狂"的研究境地。

从 1984 年左右，黄教授就多次向我讲："双手行针，一定能走出国门"。这种信心给了黄教授不知疲倦而执着追求的力量。他是成功的，他的确将"双手行针"等方法带出了国门。受到国外同行的高度评价。

"双手行针""脉管针双手行针导线回路"等疗法，其独特的方法、手法，在临床应用上极具治疗价值，使许多患疑难杂症的病人看到了福音，为中医传统针灸的创新发展开了先河。"双手行针"用于临床中，取得了很好的疗效。在国内也曾多次办过学习班，但遗憾的是在国内的反响没有在国外反响大（国内个人开诊所的医生比在公立医院应用的多）。在国外，如美国的中医师大多都是从国内中医学院毕业的科班出身，在临床上是有丰富经验的医生。追求突破，所以他们对新的事物，接受的快，并将新技术、新方法应用于临床，产生了良好的经济效益。而在国内，虽然很多专业人士，看到并亲自尝试了这种独特的治疗方法及确切的疗效，但由于千百年来传统的模式，使人们固步自封，至此针灸界难以有新方法的突破，而使临床应用很少，得不到应有的疗效。

黄教授一生喜欢体育运动，更沉迷于"易医"和运动医学的研究。在长期从事体育运动锻炼中，创建了"方位静功"，在自己练功中，他结合针灸，感到气功不是迷信，它的确能强身健体，它是有物质基础的，是一种生命的能量。为了揭开"气——一种物质能量之迷，他舍弃了太多各方面的利益，使人很不理解。在没有科研经费，并面临极端艰难的情况下，他不后退而执着。黄教授与上海瑞金医院中医科主任刘德傅教授的科研成果获上海市科技二等奖，他的专著《气功与生命的探索》获山东省科技著作三等奖。在国内外学术大会上发表的学术论文也多次获奖。

受《八卦图》的启示，黄教授执著地研究"易经"，并将"易医"与针灸临床治疗结合起来。他认为《易经》中的阴阳学说代表了东方哲学智慧的精华。《八卦图》向人们揭示了"道"的秘密，"道"就是暗能量（一个无法抗拒的主宰），这个"道"包罗万象，神奇而科学。它吸引我们去探索、去攀登、去挖掘，以造福于人类。它告诫我们要遵循"道法自然"的法则，只有认识"道"，我们才能清楚认识自己应当怎样行。

黄教授沉迷其中，他领悟了"天、地、人"合一的真谛，提出了"和谐医理"的辨证理论，悟出了任何物质都是三维一体阴阳组合，并和谐生存于其空间之中。他将悟出的这些理念应用于临床针灸治疗，取得了独树一帜的疗效。

本书，是黄教授一生实践经验和思想的总结。他把自己几十年治病的方法、经验、亲身经历科学试验的感受、体会，甚至自认为不够成熟或还不够完善，但对科研人员或患者可能有益的思想完全呈现给读者，体现了一位老科研工作者对中华医学发展的忠诚与期盼。遗憾的是黄仲林教授已故去，没能看到此书的面世。

由于诸多原因，内容有不完善之处，敬请原谅。

特别感谢原中医药管理局长朱国本多年来的关心和支持。

特别感谢中华中医药学会国际部主任孙永章教授多年来的关心和支持。

特别感谢为这本书出版和书中插图而付出辛劳的邱旭教授等。

特别感谢美国旧金山针灸学院刘大禾院长，王啸平、陈雨秀、傅贤林、吴奇、胡月芬、范光中、李丹、梅雯瑜等医生的关心和支持。

特别感谢为本书出版付出辛劳的周老师。

特别感谢亲朋好友的关心和支持。

在这里要特别感谢多年来一直关心，关注黄教授的领导及为"股骨头无菌性坏死"鉴定会而辛劳的专家、学者、中国人民解放军无锡 101 医院的各位领导、主任医师钱芝铭及有关医护科研人员。

特别感谢中医古籍出版社的工作人员。

谨以此书告慰黄仲林教授的在天之灵

周　涛

2012 年 8 月 29 日